Diogenes Taschenbuch 24198

de
te
be

Benedict Wells, geboren 1984 in München, zog nach dem Abitur nach Berlin und widmete sich dem Schreiben. Seinen Lebensunterhalt bestritt er mit diversen Nebenjobs. Sein vierter Roman *Vom Ende der Einsamkeit* stand mehr als anderthalb Jahre auf der Bestsellerliste, er wurde u.a. mit dem European Union Prize for Literature (EUPL) 2016 ausgezeichnet und bislang in 34 Sprachen übersetzt. Wells lebt in Berlin und Bayern.

Benedict Wells

Fast genial

ROMAN

Diogenes

Die Erstausgabe erschien 2011 im Diogenes Verlag
Der Text wurde 2016 sowie für die vorliegende Ausgabe 2018
vom Autor durchgesehen und überarbeitet
Covermotiv: David Hockney, ›Rainy Night on
Bridlington Promenade‹, 2008 (Ausschnitt)
Inkjet printed computer drawing on paper,
Edition of 25, 46 x 32"

Für Helene und Adrian,
die für mich wie Schwester und Bruder sind

Veröffentlicht als Diogenes Taschenbuch, 2013

www.diogenes.ch
80/19/852/11
ISBN 978 3 257 24198 3

Nach einer wahren Geschichte …

»Where I am, I don’t know, I’ll never know,
in the silence you don’t know,
you must go on, I can’t go on,
I’ll go on.«

Samuel Beckett

Irgendwann im Jahr 2005

Claymont

1

»Ich werde abhauen!«

Wie so oft saß Francis in der Psychiatrie, neben ihm seine Mom. Der Stuhl war zu klein für ihn, die Lehne drückte ihm in den Rücken. Er schloss die Augen und stellte sich vor, wie er von einer Klippe sprang und mit dem Kopf voran ins Meer tauchte.

Seine Mutter redete weiter: »Ich werde fliehen oder mir einen Anwalt nehmen. Das ist alles deine Schuld, Francis, du hast mein Leben kaputtgemacht!«

Seit er sie mit Hilfe des psychiatrischen Notdienstes in die Klinik gebracht hatte, war sie nicht besonders gut auf ihn zu sprechen.

Sie warteten auf den Arzt. Francis nahm eine Münze aus der Tasche: Kopf bedeutete, dass alles gut ausging, Zahl das Gegenteil. Gespannt schnippte er das Zehncentstück in die Luft und fing es mit dem Handrücken wieder auf. Jetzt galt's, *Kopf oder Zahl.* Er wollte gerade nachsehen, da ging die Tür auf, und Dr. Sheffer kam ins Zimmer, der neue Oberarzt.

Er nickte Francis zu und berührte die Schultern der vierzigjährigen Frau, die auf dem Stuhl saß und nun völlig abwesend wirkte. »Seit wann ist sie in diesem Zustand?«

»Seit ungefähr einer Woche.« Francis rieb sich die Augen.

»Seitdem ist sie vollkommen irre, wenn man das so sagen kann.«

Doch, dachte er, das konnte man so sagen.

Der Arzt machte sich Notizen und ging die Akte durch, *Katherine Angela Dean* war auf dem Deckblatt zu lesen. »Ihre Mutter hat eine schizoaffektive bipolare Störung?«

Francis zuckte mit den Achseln. »So geht das schon seit Jahren. Und wenn sie dann noch ihre Medikamente absetzt, kommt der totale Zusammenbruch.«

»Das habe ich mir gedacht«, sagte seine Mom. Sie schien mit sich selbst zu reden und schüttelte den Kopf. Dr. Sheffer blickte sie an. Die dunklen Haare hingen ihr ins Gesicht, sie hatte Augenringe und konnte trotz ihrer Müdigkeit kaum stillsitzen. Doch selbst in diesem Zustand war ihre Schönheit unverwüstlich.

Francis erzählte von ihrer Krankheit und der Aggressivität ihm gegenüber; dass sie kaum noch schlief und sich von ihren Nachbarn und ihrem Exmann Ryan verfolgt fühlte. »Sie hat sogar unsere Handys weggeworfen, weil sie dachte, dass da irgendwelche Peilsender eingebaut sind.«

Seine Mom erwiderte seinen Blick. Plötzlich drückte sie liebevoll seine Hand. Francis drückte überrascht zurück. Für einen Moment vergaß er den Wahnsinn und fühlte sich ihr nahe, wie früher als Kind, und es brach ihm das Herz, sie nun schon zum dritten Mal hier sitzen zu sehen.

»Wie alt sind Sie?«, fragte ihn der Arzt.

»Fast achtzehn.«

»Sie wirken älter.«

Francis hörte das öfter, er wusste noch immer nicht, was er darauf sagen sollte.

Dr. Sheffer überflog wieder die Unterlagen. »Haben Sie Geschwister?«

»Ja, Nicky, mein Halbbruder. Er lebt jetzt aber in New York bei meinem Stiefvater. Mom und ich wohnen allein.«

»Was ist mit Ihrem leiblichen Vater?«

Francis schaute zu Boden. *Das* war die große Frage. Er wusste nicht, wer sein Vater war. Seine Mutter hatte es ihm nie sagen wollen. Sie hatte nur einmal erzählt, dass es eine kurze Affäre mit jemandem von weit weg gewesen sei. »Weit weg« konnte vieles bedeuten, vielleicht war sein Vater Australier oder Engländer. Aber wahrscheinlich verbarg sich hinter »weit weg« nur ein Yuppie-Arsch, der sich L. A. ansehen wollte und nach einem Lakers-Spiel seine Mom gevögelt hatte. Als Cheerleaderin hatte sie viele Verehrer gehabt, und wie's aussah, hatte damals einer von ihnen seine Gene in den Ring geworfen und, ohne es zu wissen, einen Sohn gezeugt.

»Ich kenne meinen Vater nicht. Ich weiß auch nicht, wie er heißt.«

Dr. Sheffer nickte und klappte die Akte zu. »Ihre Mutter ist bei uns in guten Händen«, sagte er. »Das Wichtigste ist, dass sie erst mal zur Ruhe kommt und schläft.« Was nichts anderes bedeutete, als dass sie seine Mom mit Medikamenten vollstopften und auf der Station festhielten.

Es klopfte. Steve, der dicke Pfleger, den Francis schon von früheren Aufenthalten kannte, schlurfte herein. »So, Mrs. Dean, dann bringe ich Sie mal auf Ihr Zimmer.«

Er führte sie geduldig hinaus. Francis stand auf und bedankte sich bei Dr. Sheffer. Sie gaben sich die Hand. Der Arzt sah zu ihm hoch und drückte besonders fest zu, wie die meisten Männer, die nicht groß waren. Francis schnappte sich den Koffer seiner Mom und folgte ihr.

Als sie den Flur entlanggingen, fürchtete er sich schon vor Steves schlechten Witzen. Sie betraten Zimmer 039. Seine Mutter packte ihre Sachen aus, überraschend ruhig und gewissenhaft. Francis lehnte gegen die Tür und schloss die Augen, auch er hatte die letzten Tage kaum geschlafen. Er dachte an seine Mitschüler, die gerade mit ihren Familien zu Mittag aßen oder in der Mall rumhingen.

Steve versuchte ihn aufzumuntern. »Hey«, fragte er grinsend. »Wie viele Blondinen braucht man, um eine Glühbirne einzuschrauben?«

Francis öffnete die Augen und sah den Pfleger stirnrunzelnd an. Als das nicht reichte, zuckte er auch noch mit den Schultern.

»Fünf!« Steve spreizte triumphierend alle Finger. »Eine hält die Glühbirne, und vier drehen die Leiter!«

Um ihn nicht völlig zu blamieren, deutete Francis ein Lächeln an. Seine Mom zog ein gerahmtes Foto aus der Tasche: Ein großer, breitschultriger Junge mit schwarzen Haaren, der eine Sportjacke trug und erschöpft, aber zufrieden wirkte. Damals hatte er einen wichtigen Ringkampf gewonnen. Ziemlich lange her, wie die meisten Bilder, auf denen er zufrieden aussah.

Während seine Mom weiter auspackte, sah er sich auf der Station um. Das Linoleum im Flur quietschte bei jedem Schritt. Die Schwestern hier kannten ihn und warfen ihm mitleidige Blicke zu. Manchmal glaubte er, dass sie es nicht taten, weil er diese Sache mit seiner Mutter hatte, sondern weil er *auch noch* diese Sache mit seiner Mutter hatte. Die meisten Leute hielten ihn für einen perspektivlosen Versager oder einen dummen Riesen, und es war ein bisschen bitter, dass er ihnen nicht das Gegenteil beweisen konnte. Dabei war er früher richtig gut in der Schule gewesen. Immer wieder war ihm ein Satz herausgerutscht, den die Lehrer für bemerkenswert hielten, als Kind war er bei einem Eignungstest sogar mal einer der Besten gewesen. Ein paar Leute hatten deshalb geglaubt, er sei vielleicht hochbegabt. »Frankie, mein kleines Genie!«, hatte seine Mom damals oft zu ihm gesagt. Doch danach war von ihm nicht mehr viel in diese Richtung gekommen, und inzwischen war er froh, wenn die Schule sein geringstes Problem war.

Das Weiß der Klinikwände war im Laufe der Jahre vergilbt, im Fernsehraum lief eine Doku. Francis sah ein paar Patienten wie Zombies über den Flur schleichen, in Jogginghosen oder Shorts, die Haare ungewaschen und fettig. Einige brabbelten vor sich hin, andere schauten einfach nur stumpf ins Nichts, von Medikamenten sediert. Eigentlich ein gutes Setting für einen Horrorfilm, dachte er.

Die Patientenzimmer waren geschlossen, nur bei einem war die Tür halb geöffnet. Francis blieb ruckartig stehen. Durch den Spalt entdeckte er ein Mädchen, das nichts als eine schwarze Jeans und einen BH trug und sich gerade ein T-Shirt anzog. Ihr Kopf war unter dem Shirt verschwunden, er sah ihre Brüste, dann tauchte ihr Gesicht auf; weiße Haut, schulterlange schwarze Haare, ein feingeschwungener Mund. Dazu große, dunkle Augen – die nun in Richtung Tür blickten.

Francis erschrak, er wusste nicht, was geschehen war.

Jemand hatte seinen Kopf gepackt und mehrmals in eisiges Wasser getaucht. Jemand hatte ihn auf ein Katapult gelegt und tausend Meter in die Höhe geschossen. Jemand hatte ihm mit voller Wucht gegen die Brust geschlagen, doch es tat nicht weh. Alles geschah auf einmal. Es war 14:32, als sich für Francis Dean alles änderte.

Er konnte den Blick nicht von dem Mädchen abwenden. Sie hatte Piercings im Ohr und an der Nase, ihre Handgelenke waren bandagiert; wahrscheinlich ihr Ticket für Zimmer 035.

Im ersten Moment schien sie sich zu ärgern, dass sie die Tür offen gelassen hatte, dann kam sie auf ihn zu. »Verpiss dich, du Spanner!«

»Ich wollte nicht … Ich bin nur vorbeigelaufen, und da …«

Sie streckte ihm den Mittelfinger entgegen und knallte die Tür vor seiner Nase zu.

Francis blieb noch einen Augenblick vor dem Zimmer stehen und las, was auf dem Türschild stand: *Anne-May Gardener*. Den Namen würde er sich merken.

2

Claymont war ein Provinznest an der Ostküste, gerade noch groß genug für die Standardausrüstung einer Kleinstadt: McDonald's, Papa John's, Starbucks, Wal-Mart, Subway und Lucky Brand Jeans. Für Festivals oder eine Universität war der Ort drei Ecken zu klein, und wer was im Leben vorhatte, haute gleich nach der Schule ab. Die restlichen

Bewohner von Claymont hatten Minderwertigkeitskomplexe, weil sie hier lebten und nicht im dreißig Meilen entfernten Jersey City, so wie die Leute in Jersey City Komplexe hatten, weil sie dort lebten und nicht in New York. Die größten Komplexe aber hatten die Menschen, die im Pine-Tree-Trailerpark draußen am Stadtrand hausten. Es waren Verrückte, Verlierer oder kaputte Familien. Selbst die meisten Kinder wirkten schon verstört, mit raspelkurzen Haaren, schlechten Zähnen und einem debilen Gesichtsausdruck, den man nur bekam, wenn einem das Leben die Unwissenheit ins Gesicht getackert hatte. Hier lebte Francis mit seiner Mutter seit zweieinhalb Jahren. Durch ihre Krankheit hatte sie ihren Job als Sekretärin in einer Immobilienfirma verloren, kurz darauf hatte sich sein Stiefvater an der Börse verspekuliert. Von dem bisschen Geld, das er ihnen gab, hatten sie die Miete für die Wohnung im Zentrum nicht mehr bezahlen können. Danach hatten sie erst in einem *Motel 6* gewohnt, ehe sie schließlich in eines der siebzig verfallen wirkenden Mobile Homes am Rand von Claymont gezogen waren.

Anfangs hatte es Francis gestört, aber inzwischen war es ihm egal. Hin und wieder bekam er zwar mit, wie die Polizei jemanden verhaftete, oder er beobachtete eine Schlägerei, bei der jemand halb totgeprügelt wurde. Aber ein Typ wie er, über eins neunzig groß und durchtrainiert, kam hier draußen ganz gut zurecht. Und es gab in der Siedlung auch nette und normale Leute. Seinen Nachbarn Toby Miller zum Beispiel, der mit allerlei Zeugs dealte, damit er und seine Familie über die Runden kamen. Auch Toby träumte davon, hier eines Tages abzuhauen, nach Williamsburg.

Dort würde er ein Lokal aufmachen, eine Frau finden und ein neues Leben anfangen. Der Punkt war nur, dass jeder hier draußen irgendwann dieses bestimmte Gefühl bekam. Manche mit zwölf, andere mit sechzehn, einige hatten es auch schon von Geburt an. Dieses Gefühl, dass man niemals von hier wegkommen würde.

Als Francis an diesem Tag die Fliegengittertür zum Trailer aufstieß, war er glücklich wie lange nicht. *Anne-May Gardener.* Unter anderen Umständen hätte sich der Kontakt zwischen ihr und ihm nur auf das Nötigste beschränkt. Sie wäre ein Model gewesen und er eben er, ein potentieller Mitarbeiter bei Wendy's in der Spätschicht. Sie wäre zu ihm an die Kasse gekommen und hätte sich einen Salat und einen Cheeseburger bestellt.

Anne-May: »Einen Salat und einen Cheeseburger, bitte!«
Francis: »Hier, macht 2,90. Willst du lieber das Maxi-Sparmenü mit Fritten für 3,80?«
Anne-May: »Nein, danke.«

Das wär's gewesen, mehr hätte er mit ihr nicht zu reden gehabt. Aber jetzt lag sie in der Klinik, nur ein paar Zimmer von seiner Mom entfernt, und war offenbar verrückt. Wenn er Glück hatte, kam sie da so schnell nicht raus, und er hatte genügend Zeit, mit ihr ins Gespräch zu kommen. Morgen, gleich nach der Schule, würde er seine Mutter besuchen und auch bei Anne-May vorbeischauen, um sich fürs Spannen zu entschuldigen, und dann würde er ihr erzählen, dass seine Mom ebenfalls da sei und dass er deshalb ganz durcheinander wäre, und dann hätte Anne-May vielleicht Mitleid und würde sich mit ihm unterhalten. Okay, die Mitleidstour war ziemlich billig, aber *who cares,* Hauptsache, man kam ins Spiel.

Francis ging in sein Zimmer, eine kleine Kammer mit ein paar Postern und einem alten PC. Das Telefon klingelte. Er ließ es einfach läuten, die meisten Anrufe verhießen eh nichts Gutes. Es hätte die Klinik sein können oder die Schule oder, noch schlimmer, einer der Exfreunde seiner Mom. Nach der Scheidung hatte sie sich immer an reiche Typen gehängt, ihm von ihnen vorgeschwärmt und von einer besseren Zukunft geträumt, bis sie dann doch regelmäßig verlassen worden war. Inzwischen waren ihre Freunde nur noch Loser, von denen einige bei einer Polizeikontrolle wohl eher schlechte Karten gehabt hätten.

Einer, er hieß Derek Blake, war nach der Trennung mal besoffen vorbeigekommen und handgreiflich gegen seine Mom geworden. Zufällig war Francis auch da gewesen und hatte sie verteidigt. Derek war wutentbrannt auf ihn losgegangen, aber Francis war ein geübter Ringer und hatte ihn schnell auf den Boden gedrückt, dann hatte er ihm noch ein paarmal in die Rippen getreten, ihn am Hemd gepackt und aus dem Trailer geworfen.

Das Telefon läutete nun schon über eine Minute. Genervt hob er ab.

»Hi Frankie, hier ist Nicky.«

Jetzt war er doch froh, dass er drangegangen war. »Hey! Was gibt's?«

»Die Klinik hat Dad angerufen. Er sagt, Mom ist wieder krank.«

Nicky schniefte ein bisschen. Francis versuchte ihn durchs Telefon zu trösten. Er hatte nur noch selten Kontakt zu seinem kleinen Bruder, vor einigen Wochen, an Nickys dreizehntem Geburtstag, hatten sie sich das letzte Mal gesehen.

Francis gab seinem Stiefvater die Schuld; Ryan Wilco. Als er drei Jahre alt gewesen war, hatte seine Mutter in einem Café einen jungen Anwalt aus Newark kennengelernt. Bald darauf hatten sie geheiratet, und seine Mom war noch mal schwanger geworden, mit Nicky. Eine Zeitlang schien alles perfekt zu laufen. In Francis' Kindheit gab es eine Menge Wochenendausflüge und gemeinsame Abendessen, und ein riesiges Kinderzimmer, in dem er im Stockbett oben schlief und Nicky unten. Damals hatten sie in Jersey City gelebt. Aber vor viereinhalb Jahren hatten sich seine Mutter und Ryan scheiden lassen. Streit, Unterhaltsklagen, das ganze Programm. Nicky war erst mal mit seinem Vater nach New York gezogen, seine Mom und er dagegen in Claymont gelandet. In einer laut Prospekt »unterschätzten und aufstrebenden Stadt im Herzen New Jerseys« oder anders gesagt: am Arsch der Welt. Seine Mutter hatte sich hier etwas »Neues« aufbauen wollen. »Wir zwei schaffen das«, hatte sie zu ihm gesagt, ihr Mantra. Ein halbes Jahr später war sie zum ersten Mal in der Klinik gelandet.

»Dad meint, du kannst zu uns kommen, wenn du willst«, sagte Nicky.

Francis steckte sich eine Zigarette an und nahm einen tiefen Zug. Er schüttelte den Kopf. Zwar vermisste er Ryan und hätte nichts lieber getan, als bei ihm zu wohnen. Aber das war vorbei. All die Jahre war Ryan wie ein Vater für ihn gewesen, doch nach der Scheidung hatte er sich einfach abgewandt.

»Schon okay. Ich bleib hier.«

»Schade. Wir hätten Basketball spielen können. Ich kann jetzt den Korbleger. LetzteWochehabichJamiebesiegt:zehnzudrei.« Vor Aufregung redete Nicky zu schnell.

»Jamie Roscoe von nebenan? Aber der hat dich doch immer abgezogen.«

»Ja, *früher*!«

Bei der Vorstellung, wie sein Bruder jetzt den Hörer in der Hand hielt und strahlte, lächelte Francis. Schließlich war Nicky so klein, dass sich langsam alle Sorgen machten. Sein Bruder tat zwar so, als sei's ihm egal, aber Francis wusste, dass es ihn störte. »Okay, abgemacht.« Er drückte die Kippe aus. »Ich schau bald mal wieder bei euch vorbei, und dann spielen wir eine Runde. Mich machst du bestimmt auch fertig. Du wirst langsam echt zu gut.«

Nicky gluckste am Telefon.

Nachdem Francis aufgelegt hatte, räumte er auf. Die Sachen, die seine Mutter nach ihm geworfen hatte, die schmale Küche, die verdreckte Toilette. Er reparierte auch noch den Wasserhahn. Fühlte sich gut an, etwas, was kaputtgegangen war, wieder hinzukriegen. Seine Katze kam in die Küche; sein Stiefvater hatte sie ihm damals aus dem Tierheim mitgebracht, als seine Mom das erste Mal krank geworden war. Sie strich ihm um die Beine und miaute, Francis antwortete ihr miauend. Eine Weile redeten sie auf diese Weise miteinander, er hätte gern gewusst, über was. Francis streichelte ihren Kopf und schüttete eine Portion Trockenfutter in die Schüssel. Während sie fraß, holte er seine Lose aus der Tasche und rubbelte die verdeckten Stellen frei. Der spannendste Moment des Tages: Für ein paar Sekunden konnte er hoffen, eine Million zu gewinnen und hier rauszukommen. Aber es waren nur Nieten dabei.

Am Nachmittag steckte Grover seinen Kopf ins Zimmer. »Hier bist du!«, sagte er und ließ sich auf die Matratze fallen. Grover Chedwick war sein alter Nachbar und inzwischen bester Freund, allerdings schien er kein Klischee eines Nerds auslassen zu wollen. Seine dunklen Haare waren zu kurz geschnitten, er war groß, bleich und dünn, hatte eine Hornbrille und sah ständig nach unten, so dass ihn schon Dreizehnjährige verarschten. Aus unerfindlichen Gründen lief Grover auch im Sommer in schwarzen Stiefeln herum, dazu trug er noch immer diese T-Shirts, auf denen vorne pseudolustige Sprüche standen, etwa »FBI – Female Body Inspector«. Sein heutiges war grellrot und hatte den Slogan »SAVE FERRIS«.

»Hier.« Er hielt Francis einen Stoß Papier hin. »Hab dir deine Hausaufgaben mitgebracht, falls du sie machen willst.«

»Danke, schon okay.«

»War auch mehr eine rhetorische Frage.«

Grover sprach oft langsam, als würde seine Stimme mit reduzierter Geschwindigkeit von einem Tonband abgespielt, seine Gedanken liefen jedoch auf der Vorspultaste: Er war ein Informatikgenie mit ausgezeichneten Noten und einem überragenden IQ. Zwei Software-Unternehmen hatten schon angefragt, ob er nach der Highschool für sie arbeiten wollte.

Er streichelte die Katze. »Willst du über deine Mom reden, Francis?«, fragte er vorsichtig. Grover hatte den Tick, einen *immer* mit Namen anzusprechen. Ihm selbst schien das nicht aufzufallen. Er war auch der Einzige, der ihn Francis nannte, alle anderen nannten ihn Frank oder Frankie.

»Danke, aber geht schon.«

Grover nickte. Er klappte seinen mitgebrachten Laptop auf, und dann spielten sie *Unreal Tournament* – wie so ziemlich jeden Tag. Francis wusste, dass das armselig war, aber was wäre die Alternative gewesen? Dass ein befreundeter Millionärssohn sie auf eine sommerliche Gartenparty mit hübschen Frauen einlud? So eine Party wie in den Filmen, bei der dauernd von irgendwoher Gelächter und das Ploppen von Korken zu hören waren und man sich was zu trinken holte und mit einem Haufen Idioten redete, und dann stand man auf einmal abseits neben dem süßen Mädchen, mit dem man den ganzen Abend geflirtet hatte, und unterhielt sich ein bisschen, ehe sie einen am Ärmel fasste und sagte: »Du bist irgendwie anders«, und im nächsten Moment sah man sie an, stellte das Glas weg und küsste sie …

Bullshit, dachte Francis. Nicht in tausend Jahren würden sie zu so etwas eingeladen werden, also hieß es eben: *Unreal Tournament*. Dabei hatte er früher eigentlich nie Probleme mit Mädchen gehabt. Er war vielleicht nicht der smarteste Typ von Claymont und konnte sich auch keine teuren Klamotten leisten. Dafür war er vor seiner Knieverletzung in der Schulmannschaft gewesen, bei den Ringern, und er war auch nicht schüchtern. Im Gegenteil, damals hatte er viele

Freundinnen gehabt, und er hatte sich dafür sogar kaum anstrengen müssen. Doch bevor es mit dem Sex richtig losgegangen war, hatte seine Pechsträhne begonnen. An den Wochenenden, wenn die meisten Partys waren, musste er fast immer arbeiten. Außerdem hieß es, dass Frauen positive Ausstrahlung wichtig sei. Aber wenn er jetzt vor einer Frau stand, dachte er an die weißgestrichenen Wände im Klinikzimmer seiner Mutter, an das verblichene Gras vor dem Trailer oder an dieses Gefühl des sicheren Untergangs, wenn er in der Schule einen Test schrieb ... So viel zu seiner positiven Ausstrahlung.

Er steckte sich eine Kippe an und erwähnte beiläufig, dass er in der Klinik ein Mädchen kennengelernt habe.

»Echt?« Grover tippte konzentriert auf seiner Tastatur. »Du weißt, die ersten vier Sekunden sind die wichtigsten. Da entscheidet eine Frau, ob sie dich will.«

»Na ja, die ersten vier Sekunden waren eher ... *mittelgut.*« Francis hämmerte ebenfalls auf die Tastatur ein; sein virtuelles Ich in der Arena beförderte zwei Gegner ins Jenseits.

»Aber ist sie denn auch *krank,* Francis?«

Francis zuckte nur mit den Schultern, dann erzählte er von Anne-May. Erst zurückhaltend, aber bald klang es so, als wäre er ganz kurz davor gewesen, mit ihr zu schlafen.

Grover schluckte. Im Gegensatz zu Francis hatte er gar keine Erfahrung mit Frauen. Wenn man in seiner Gegenwart Wörter wie »Titten« oder »feucht« fallenließ, errötete er schlagartig. Fehlte nur noch, dass ihm wie bei einer Comicfigur Dampf zu den Ohren rauskam. Francis amüsierte das. Auf der einen Seite onanierte Grover sicher fünfmal am

Tag, auf der anderen Seite hatte er wahrscheinlich Angst vor richtigem Sex. Nicht dass es bei ihm bald so weit gewesen wäre, Gott, in hundert Jahren nicht, aber trotzdem, bestimmt hatte er wahnsinnig große Angst davor, dass er mal vor einer nackten Frau stehen könnte.

Dann doch lieber *Unreal Tournament*.

3

Da Francis nicht zu Hause übernachten wollte, stiegen sie in den gebrauchten Chevy, den Grover zum Führerschein bekommen hatte. Seine Eltern waren wohlhabend; seinem Dad gehörte Spin Technology, eine Firma, die Virenabwehrprogramme herstellte, seine Mom war Anlageberaterin. Sie wohnten in einem weißen Schindelholzhäuschen in der Innenstadt. Die Straßen in dieser Gegend waren von riesigen Ahornbäumen gesäumt und trugen verheißungsvolle Namen wie Lincoln Lane, Dublin Avenue oder Seahaven Boulevard. Bevor Francis mit seiner Mutter hatte wegziehen müssen, hatten sie schräg gegenüber von den Chedwicks gewohnt.

»Oh, Frank, mein Armer«, sagte Grovers Mom. »Ich hab das mit Katherine gehört!« Sie nahm ihn in den Arm. »Hey, Terry, Frank ist da.«

Es polterte, dann kam Grovers Dad – hundertzwanzig Kilo, Bart und Baseballcap – zur Tür rein. »Ach, Frankie!« Er haute Francis auf die Schulter. »Ist 'ne schlimme Zeit, ich weiß. Aber ich bin sicher, deiner Mutter geht's bald wieder gut.«

Francis nickte. Sicher würde es seiner Mom bald wieder gutgehen, das Problem war eher, dass es ihr auch irgendwann wieder schlechtgehen würde. Weil sie aus ihrer teuflischen Dreifaltigkeit aus Männern, manischer Depression und Klinikaufenthalten einfach nicht mehr rauszukommen schien.

Zum Abendessen gab es Koteletts, Kartoffeln und – für wen auch immer – Salat. Francis beobachtete, wie die Chedwicks das Fleisch kleinschnitten und es sich genussvoll in den Mund schoben. Beide waren ziemlich übergewichtig, Sex hatten sie bestimmt keinen mehr. Sie hatten das Lustzentrum vom Schlafzimmer in die Küche verlegt. War aber okay, weil es für sie zu funktionieren schien. Ihre Lebenseinstellung lautete ungefähr so: »Wenn du mal nicht weiterweißt, schmeiß ein Steak auf den Grill.« Francis fand das in Ordnung. Das Motto seiner Mom war dagegen offenbar: »Wenn du nicht weißt, was du tun sollst, schlaf einfach mit dem erstbesten Typen.« Nicht unbedingt zu empfehlen.

Anders als seine Eltern aß Grover nichts, er trank nur Saft. Er schien das Essverhalten einer Boa constrictor zu haben. Er fastete zwei, drei Tage, dann fraß er auf einen Schlag wahnsinnig viel, gleich mehrere Pizzen oder Steaks, und die verdaute er dann wieder tagelang. Vielleicht war er deshalb so dürr.

Den restlichen Abend verbrachten sie in Grovers Zimmer. Die Chedwicks hatten das Souterrain saniert, und dort unten herrschte ihr Sohn nun über ein riesiges Schattenreich mit Doppelbett, Flat Screen und mehreren Rechnern. An den Wänden Poster mit Lara Croft, dem Grand Canyon und berühmten Drummern. Grover hatte selbst ein Schlagzeug, und wenn er nicht am Computer saß, spielte er stundenlang. Früher war er sogar der Drummer in einer Band gewesen, bis sie ihn rausgeworfen hatten. Der Genickschuss für sein Sozialleben, seitdem spielte er nur noch allein.

Sie sahen sich eine Serie an. Nebenbei musste Grover Klamotten anprobieren, die seine Mutter für ihn gekauft hatte: eine sackförmige Jeans und einen Wollpullover.

»Mom, du sollst mir doch nichts mehr mitbringen.« Grover begutachtete sich missmutig im Spiegel. »Damit seh ich aus wie ein pädophiler Lehrer.«

»Ach, Unsinn. Und die Hosen stehen dir ausgezeichnet.«

»Das sind *Opa*-Jeans, dafür wird man bei uns in der Schule geschlagen.«

Seine Mutter strich ihm als Antwort nur über den Arm und ging aus dem Zimmer. Grover sah ihr seufzend hinterher. »Die treibt mich noch in den Wahnsinn.«

»Ich mag deine Mom«, sagte Francis.

»Ja, dich behandelt sie ja auch nicht wie ein Kind. Gestern hat sie mich ermahnt, weil ich nach acht Uhr abends Cola getrunken habe.«

Es klopfte an der Tür. Mr. Chedwick kam herein, um gute Nacht zu sagen. Als er Grover vor dem Spiegel sah, gab er ihm einen liebevollen Klaps. »Deine Mutter meint's nur gut, mir hat sie die gleichen Hosen mitgebracht. Morgen leg ich dir Geld raus, und du holst dir einfach neue. Deal?«

»Deal!« Niemand konnte so breit grinsen wie Grover. Sein riesiger Mund ließ zwei perfekte Zahnreihen aufblitzen, seine Augen leuchteten hinter den Brillengläsern.

»Und am Wochenende gehen wir mit meinen Jungs Pool spielen.«

Grover stöhnte auf. »Nur, wenn du versprichst, dass du nicht wieder deinen komischen Siegestanz aufführst.«

Sein Vater lachte. »Den hier?« Er bewegte seinen massigen Körper unrhythmisch im Kreis und schwang dazu die Arme. Es sah komisch aus, auch Francis musste lachen. Er lag abseits auf seiner Matratze und beobachtete, wie sich Grover und sein Dad neckten. In solchen Momenten dachte er oft an seinen eigenen Vater. Wo er wohl war? Hätte er ihm auch so gute Nacht gesagt oder hatte er Kinder, bei denen er's tat? Ihn störte der Gedanke, dass sein Vater nichts von ihm wusste und vielleicht all die Jahre gern für ihn da gewesen wäre, aber nie von seinem Sohn erfahren hatte. Irgendwo da draußen war er jedenfalls, das konnte Francis spüren.

Als sie sich hingelegt hatten, redeten Grover und er darüber, was sie später machen wollten. Francis erzählte von Dave Larson, der mit ihm früher in der Schulmannschaft gewesen war und vor zwei Jahren den Highschool-Abschluss gemacht hatte. »Damals hat er allen gesagt, dass er aus diesem Nest abhauen und in Berklee Musik machen wird. Und weißt du, wo ich ihn neulich getroffen hab?«

»Wo?«

»Bei Denny's in der Johnson Road, an der Kasse … Er hat's echt weit gebracht.«

Francis musste an Daves leere, ernste Augen denken und was für eine Ausstrahlung er früher gehabt hatte. Man hatte ihn immer mit einem Lächeln gesehen, umgeben von ein paar hübschen Mädchen. Doch er hatte den Absprung verpasst, und jetzt war davon nichts mehr übrig geblieben.

Er stieß Grover an. »Hey, was glaubst du? Kommen wir irgendwann von hier weg?«

Grover zuckte nur mit den Achseln. Dann begann er von einem Fantasy-Rollenspiel zu erzählen, das er entwickeln wollte, und von Kriegern, Fechtmeistern und Kraft- oder Empathiepunkten. Er wollte das Spiel *The Tales of Ashkalan* nennen. Wahrscheinlich wusste er selbst, wie albern das alles war, aber es schien ihm eine Menge Spaß zu machen, davon zu erzählen. Francis streute hin und wieder Fragen ein, wie Holzscheite, die man ins Feuer warf.

Nach dem Lichtlöschen dauerte es nicht lange, bis Grover gleichmäßig schnarchte. Francis wälzte sich auf der Matratze und lauschte dem Wind, der ums Haus wirbelte. Früher war er gar nicht der Typ gewesen, der sich über alles den Kopf zerbrach, aber in letzter Zeit lag er oft nachts wach. Er fühlte, wie sein Leben langsam feste Formen annahm. Jahrelang war alles so biegsam gewesen, so offen, jetzt, zum Ende der Schulzeit, schien alles auszuhärten, kalt und fest zu werden. Er dachte an seine Mom. Wie sie als Kind gewesen war, welche Träume und Erwartungen sie wohl gehabt hatte. Und wie sie nun auf der Station lag, krank und einsam in ihrer Verwirrung. Francis starrte an die Decke. Und dann rannte er einfach los. Er rannte aus dem Trailerpark hinaus und aus Claymont, er ließ New Jersey hinter sich, er rannte einfach immer weiter, durch Wälder und Täler, durch Meere und durch Berge hindurch. Nichts konnte ihn aufhalten. Er rannte, bis er frei war und alles vergessen hatte, was hinter ihm lag. Und während er sich vorstellte, wie das sein würde, schlief er ein.

Als Francis am nächsten Tag in der Pause an seinem Spind stand, hörte er ein paar Mitschüler über das kommende Wochenende reden. Einmal schnappte er das Wort »Party« auf. Ein paar Sekunden schaute er zu ihnen rüber, in der Hoffnung, sie würden ihn ansprechen, dann holte er sein Geschichtsbuch und einen Schokoriegel aus dem Spind und machte sich auf zum Unterricht.

Vor dem Kunstraum entdeckte er Grover, umgeben von zwei Jungs aus seinem Matheteam, den *Mathletes*. Sie diskutierten über ein bevorstehendes Turnier gegen andere Schulen, als Brad Jennings herantrat, ein großer Typ mit Locken und Sommersprossen. Früher war Brad ganz in Ordnung gewesen, selbst ein Nerd und *World-of-Warcraft*-süchtig, aber dann war er als *junior* gegen die Franklin High reingekommen und hatte sofort neunzehn Punkte gemacht. In den Spielen darauf sogar noch mehr. Danach hatte man ihm ein paarmal zu oft gesagt, er sei der Größte. Inzwischen war er ekelhaft arrogant.

»Hey, Chedwick«, sagte Brad. Um ihn herum standen seine Kumpels und zwei, drei Mädchen. »Stimmt das? Hab gehört, du treibst es mit Katzen.«

Ein paar der umstehenden Schüler lachten. Grover schien sich eine witzige Antwort zu überlegen, aber ihm fiel nichts ein. Francis sah, dass er ein T-Shirt trug, auf dem in weißen Lettern »ORGASM DONOR« stand. Er fragte sich, in welch abartiger Stimmung Grover sein musste, wenn er sich diese Shirts kaufte, wie er sich damit im Spiegel betrachtete und zufrieden zur Kasse ging.

Brad machte das qualvolle Miauen einer Katze nach, wieder Gelächter. Grover hatte längst aufgegeben. Wieso sich wehren, es war doch alles unvermeidlich, er hatte keine Waffen, er hatte gar nichts. Machte aber nichts, seine Würde und seinen Stolz hatte er eh bereits irgendwann in seinem ersten Highschool-Jahr verloren und seitdem nicht mehr wiedergesehen. Hilfesuchend blickte er umher.

Eigentlich wollte Francis sich raushalten, trotz seiner Statur fühlte er sich in solchen Situationen unsicher. Doch dann fiel ihm ein, wie sie Grover vor Jahren fertiggemacht und seinen Kopf in die Kloschüssel gesteckt hatten, danach hatte er mit tropfenden Haaren seine Mom angerufen. Er selbst war nur wie gelähmt abseitsgestanden und hatte zugesehen, wie Mrs. Chedwick später ihren Sohn abgeholt hatte, beide resigniert und machtlos. Es tat ihm noch immer leid.

Francis stellte sich nun vor, wie er seine Unsicherheit packte und wie ein Blatt Papier zerriss; ein alter Trick von seinem Coach. Er trat vor Brad Jennings und sagte: »Los, hau ab.«

Stille, eine atemberaubende Sekunde lang, dann kam Brad auf ihn zu. Sie standen sich Nase an Nase gegenüber. Francis überlegte, wie er ihn beim Ringen besiegt hätte. Brad war einen Tick kleiner als er und wirkte nicht sonderlich schwer. Mit dem Spaltgriff könnte er ihn ruckartig bei den Beinen packen und hochreißen. Da Brad aber auch ziemlich gehässig sein konnte, wollte er sich nicht um jeden Preis mit ihm anlegen. Er lockerte nur die Schultern und baute sich auf.

Brad schien beeindruckt, konnte vor seinen Kumpels aber nicht klein beigeben. »Hey, Dean, wie geht's eigentlich deiner Mom?«, fragte er mit besorgter Stimme. »Mal wieder in der Klapse, oder ist sie am Rumhuren? Hab gehört, sie wurde schon öfter bestiegen als dieses Rennpferd Seabiscuit!«

Francis' Schläfen begannen zu pochen. Er dachte an die Typen seiner Mom und wie sie sich bei ihm hatten einschleimen wollen, ihm Kram von der Tankstelle und sogar Bier mitbrachten und danach mit seiner Mutter nach nebenan gegangen waren, um sie zu ficken. Und wie seine Mom später am Abend lächelnd zu ihm ins Zimmer gekommen war, ihm durchs Haar gestrichen und gemeint hatte, dass jetzt alles gut werden würde. Bis sie dann Wochen später abserviert wurde, heulend auf dem Bett lag und sich irgendetwas einschmiss.

Währenddessen hatte er Brad Jennings an der Gurgel gepackt und ihn so heftig gegen den Spind gedrückt, dass es krachte. Francis hatte bereits mit der Faust ausgeholt, aber im letzten Moment noch gestoppt. Als er nach einigen Sekunden losließ und Brads erschrockenes, gerötetes Gesicht sah, tat ihm sein Ausbruch fast schon wieder leid.

Brad befühlte seinen Hals, die Augen aufgerissen. »Du bist ein Versager«, murmelte er. »Nur ein scheiß Versager, und das wirst du immer bleiben.«

Francis reagierte nicht, doch die Worte sickerten in ihn ein. Er zog sich die Kapuze seines Pullovers über den Kopf und ging nach draußen. Auf dem Pausenhof spielten ein paar Schüler Basketball, dahinter die Turnhalle, in der er seine Ringkämpfe gehabt hatte. Nie würde er den beißenden Geruch der Umkleide kurz vor einem Kampf vergessen. So roch Anspannung, so roch Nervosität. Francis wusste, dass er nicht mehr lange auf dieser Schule sein würde und dass sein Leben danach auf eine Sackgasse zusteuerte. Doch daran wollte er jetzt nicht denken. Das Einzige, woran er denken wollte, war das suizidgefährdete Mädchen in der Klinik seiner Mom.

4

Bevor er zu Anne-May ging, schaute Francis bei seiner Mutter vorbei, auch wenn ein Besuch bei ihr im Moment wenig brachte. Erst musste die Lithiumbehandlung anschlagen, bevor sie langsam wieder normal sein würde; das wusste er aus unzähligen Gesprächen mit Ärzten. Manchmal hatte er das Gefühl, unfreiwillig schon zwei Semester Medizin hinter sich zu haben. Ein Pfleger öffnete ihm die Tür zur Station. Im Flur hingen trostlose Bilder, aus dem Musiktherapieraum hörte er schiefen Gesang. Kaum war er in der Psychiatrie, spürte er wieder diese Beklommenheit, sie wuchs mit jedem Schritt. Vor Zimmer 039 holte Francis noch einmal Luft, dann klopfte er und trat ein.

Seine Mom sah ihn an, als wäre er ein Fremder. Sie saß auf dem Stuhl und klagte, die Vögel draußen auf den Bäumen würden sie beobachten und sich über sie lustig machen. Francis trat an das vergitterte Fenster und schaute hinaus. Von Vögeln keine Spur. Genauer gesagt waren da noch nicht mal Bäume. Unterdessen behauptete seine Mutter, er sei Mitglied der Verschwörung gegen sie und habe sie zusammen mit seinem Stiefvater Ryan in die Klinik gebracht, um sie wahnsinnig zu machen. Francis hörte schweigend zu und räumte frische Klamotten in ihren Schrank.

Familie kam nie zu Besuch. Geschwister hatte seine Mom keine, und ihre Eltern hatte sie seit vierundzwanzig Jahren nicht mehr gesehen. In ihrer Kindheit musste irgendetwas vorgefallen sein, sie war schon als Teenager von zu Hause weggelaufen. Einmal hatte sie ihm in angetrunkenem Zustand ein paar Andeutungen gemacht, und ihm war ganz schlecht geworden. Danach hatten sie nie mehr davon geredet. Er hatte erst wieder etwas von ihrer Verwandtschaft gehört, als ihm ein Arzt davon erzählte. »In der Familie Ihrer Mutter gab es einige Fälle von Depression«, hatte er gesagt und auf die Akte gedeutet. »Ihre Mutter kann nichts für ihre Krankheit, sie ist vermutlich auch genetisch bedingt.« Francis hatte damals kaum zugehört, erst nach und nach war ihm die Bedeutung dieser Worte bewusst geworden.

Er betrachtete seine Mom. Wie sie da auf dem Stuhl saß, wirkte sie wie der verlorenste Mensch der Welt. Er ging zu ihr und umarmte sie.

»Wir zwei schaffen das«, sagte er leise.

Als er sich verabschieden wollte, hielt sie ihn noch immer fest. »Lass mich hier nicht allein, Frankie.« Ihre Augen schimmerten. »Ohne dich pack ich's nicht … Hol mich hier raus. *Bitte!*«

Francis war von ihrem Ausbruch so überrascht, dass es ihm die Kehle zuschnürte. »Aber die helfen dir hier!«

Ein paar Sekunden lang tat er nichts, dann löste er sich aus ihrer Umklammerung. »Ich komm morgen wieder. Ich versprech's dir!«

Er gab ihr einen Kuss auf die Stirn und verließ das Zimmer. Draußen auf dem Flur lehnte er gegen die Wand und atmete durch.

Als er an Anne-Mays Tür klopfte, reagierte niemand. Er öffnete zögerlich. Das Zimmer war leer, auf dem Bett lag Strickzeug, über dem Stuhl hingen schwarze Klamotten.

Auf dem Nachttisch das gerahmte Bild eines kleinen, braunhaarigen Jungen. Francis nahm es in die Hand, dann betrachtete er die Romane, die danebenlagen; einer dicker als der andere. Er selbst las kaum. Ryan hatte ihm früher oft Bücher geschenkt, von Mark Twain und Michael Chabon und auch eins von seinem Lieblingsschriftsteller, diesem Hemingway. In dem Buch war es um einen alten Fischer gegangen, der eine Menge Pech gehabt hatte, aber dann hatte er draußen auf dem Meer doch noch einen riesigen Fisch gefangen und … Francis wusste nicht, wie es ausging, er hatte es nicht zu Ende gelesen.

Er suchte sie auf der Station, doch nirgendwo war sie, weder beim Tischtennis noch im Aufenthaltsraum, auch nicht beim Essen. Gerade wollte er die Klinik verlassen, da hörte er ein Lachen aus dem Fernsehzimmer am Anfang des Flurs. Dort saß Anne-May und schaute *Die Simpsons*.

Francis setzte sich neben sie, doch sie tat, als wäre es ihr egal. Aus der Nähe fand er sie noch hübscher. Obwohl Anne-May nicht klein war, wirkte sie filigran. Sie war schlank, ihr Haar pechschwarz und ihr Gesicht blass und ebenmäßig. Je genauer er hinsah, desto makelloser fand er es. Er musterte die Verbände an ihren Handgelenken und die Piercings. Francis hatte nie viel geredet, und in den letzten Jahren war es noch weniger geworden. Dennoch fühlte er, dass er jetzt etwas sagen musste.

»Es tut mir leid.«

Keine Reaktion.

»Ich hätte dich gestern nicht so anstarren dürfen.«

Keine Reaktion.

»Ich war nur … Es ging alles so schnell.«

Keine Reaktion. Er gab auf und schaute sich die Folge schweigend neben ihr an.

An den nächsten Tagen wiederholte sich dieses Ritual. Nach den Besuchen bei seiner Mutter setzte er sich wie selbstverständlich zu Anne-May in den Fernsehraum und schaute mit ihr *Die Simpsons*. Anfangs schien es sie zu stören, doch spätestens nach dem vierten Mal hatte sie sich an ihn gewöhnt.

Nach einer Woche kam es ihm sogar so vor, als ob sie ihn insgeheim erwartete. Diesmal ließ es Francis darauf ankommen und rutschte immer näher an sie heran, bis er mit seinem Knie ganz leicht gegen ihres stieß. Er hatte damit gerechnet, dass sie sich weiter wegsetzen würde, doch sie blieb dicht neben ihm. Sie trug einen schwarzen Rock und schlug ihre nackten Beine übereinander, fasziniert starrte er hin.

Dann bemerkte er, dass Anne-May ihn fragend ansah. »Wieso hängst du eigentlich dauernd hier in der Klinik rum?«

»Wir haben zu Hause keinen Fernseher.«

Sie musste lächeln. Zwar nur ein bisschen, aber er hatte es gesehen. Er holte einen Schokoriegel aus der Tasche, und als er ihre gierigen Blicke bemerkte, hielt er ihn ihr vorsichtig, wie einem Raubtier, hin.

Sie zögerte kurz, dann griff sie zu. Kauend musterte sie Francis. »Du hast aber keinen Dachschaden oder so?«

Er grinste und zuckte nur mit den Achseln.

»Weißt du, was komisch ist?« Anne-May nahm noch einen großen Bissen, dann schaute sie wieder auf den Bildschirm. »Man verliert hier jedes Zeitgefühl. Ich orientier mich nur noch an Fernsehsendungen.«

»Wie lange musst du noch hierbleiben?«

»Weiß nicht. Sie sagen's mir nicht.«

Als die Folge vorbei war, schaltete Anne-May den Fernseher aus, blieb aber sitzen. Sie schien nachzudenken. »Spielst du gern Mikado?«

Die Frage überraschte ihn. »Wieso? Du?«

»Eigentlich nicht. Aber es ist so langweilig hier, und ich hab gesehen, dass es im Aufenthaltsraum ein Mikado gibt. Also, spielst du so was?« Sie wirkte mit einem Mal unsicher, als hätte sie Angst, er könne sie auslachen.

»Sicher.« Er merkte, dass sie noch immer misstrauisch war. »Sehr gern sogar.«

Anne-May schien erleichtert.

Im Aufenthaltsraum gab es neben Mikado noch das Leiterspiel, Dame und Scrabble. Francis hatte seit Jahren keine Brettspiele angerührt, aber er stellte fest, dass es ihm Spaß machte. Er mochte diese ruhige Art des Zusammenseins, das Gefühl, nicht viel reden zu müssen, und das Geräusch des Würfels oder der Spielfigur, wenn man sie ein paar Felder nach vorne schob.

Anne-May war jedoch in nahezu jedem Spiel unbesiegbar. Gerade legte sie schon wieder ein absurd langes Wort bei Scrabble und notierte zufrieden die Punkte auf ihrem Block. »Sieht nicht gut für dich aus …«, sagte sie mit Blick auf den Vorsprung. »Na ja, wir finden schon was, bei dem du auch mal mithalten kannst.« Sie pustete sich das Haar aus dem Gesicht und schaute ihn mit einem spöttischen Lächeln an. Ihr Mund wie so oft leicht geöffnet, so dass ihre schönen weißen Zähne hervorblitzten.

Er antwortete nichts, aber ihm gefiel es, von ihr aufgezogen zu werden. Er stand auf. »Ich muss dann mal gehen.«

Anne-May rührte sich nicht. »Wie heißt du eigentlich?«
»Francis Dean.«
»Dean«, wiederholte sie. »Bis morgen?«

Als er nach Hause kam, war es schon dunkel. Im Trailer roch es nach Essen, Rauch und kaltem Schweiß. Francis knipste das Licht an und ging in sein Zimmer. Es war so eng, dass darin nur die Matratze und sein Computer Platz hatten, noch nicht einmal ein Schreibtisch oder Schrank. Seine Klamotten bewahrte er in einem Seesack am Eingang auf.

Als sie hierhergezogen waren, hatte er die meisten seiner Sachen aussortieren müssen. »Es ist doch nur für eine kurze Zeit, Schatz«, hatte seine Mutter damals gesagt, als er deshalb geweint hatte. Doch inzwischen machte es ihm nichts aus. Seine Katze kam zu ihm gelaufen, er hob sie in die Luft und rieb seine Nase an ihrer, dann schob er ein TV-Dinner in die Mikrowelle und aß zu Abend. Immer wieder dachte er an Anne-May, und dann musste er lächeln.

5

Francis hätte es nicht zugegeben, aber der Klinikaufenthalt seiner Mom fühlte sich fast wie Urlaub an; für ein, zwei Monate war endlich mal alles geregelt, er musste sich um nichts kümmern, das taten jetzt die Ärzte und Schwestern. Und er mochte es, zu Hause selbst für alles verantwortlich zu sein. Er hatte den Trailer geputzt und aufgeräumt, Wäsche gewaschen und das Scharnier der Küchentür repariert. Abends aß er oft noch vor dem Fernseher, die Katze schnurrend auf dem Schoß.

Mit Anne-May verstand er sich immer besser. Ihr Misstrauen war verschwunden, jetzt unterhielt sie sich gern mit ihm, spielte ihm Musik vor oder lachte, wenn sie ihn in einem Spiel beim Schummeln erwischte. Sie hatte sich angewöhnt, ihn mit seinem Nachnamen anzureden. »Gib's endlich auf, *Dean*«, sagte sie, wenn sie ihn mal wieder besiegt hatte.

Allerdings war sie auch ziemlich launenhaft. Es gab Tage, da sprach sie kaum und stritt sich mit den Schwestern, und als er wieder mal bei ihr im Zimmer saß, braute sich hinter ihrem Blick plötzlich etwas zusammen. »Gestern warst du in meinem Traum«, sagte sie. »Aber das war widerlich.«

»Wieso, was hab ich gemacht?«

»Du hast dich von hinten an mich rangeschlichen, dann hast du mich umgedreht, mir mit der Zunge übers Gesicht geleckt und Affenlaute von dir gegeben.«

Er grinste. »Kommt nicht wieder vor, versprochen.«

Anne-May schüttelte sich angeekelt. »Wehe, du machst so was noch mal, Dean. Dann will ich dich hier nie wieder sehen.«

Sie spielte weiter die Wütende und verzog keine Miene; ihre Art, ihn zu necken. Dann fragte sie ihn, was er selbst so träumte.

Francis erzählte ihr, dass er in seiner Kindheit zwei Träume gehabt habe, die anders als alle anderen gewesen seien. Einmal habe er geträumt, dass Ryan Wilco nicht sein richtiger Vater sei, es habe sich einfach *wahr* angefühlt, und deshalb sei er später auch kaum mehr überrascht gewesen, als er erfahren habe, dass es stimme.

»Und der andere Traum?«

Doch er schüttelte nur den Kopf. Der andere Traum erschien ihm selbst zu albern. Er stand darin vor einer Roulettescheibe in Las Vegas. Mal setzte er auf Rot, mal auf Schwarz, und immer gewann er. Am Ende war er reich. Auch dieser Traum hatte sich unglaublich *wahr* angefühlt und war in den Jahren danach häufig wiedergekehrt.

»Na, dann eben nicht«, sagte Anne-May und stellte den CD-Player an. Kurz darauf saßen sie wie so oft nebeneinander auf dem Bett und hörten Musik. Während Francis aus dem Fenster sah und an seinen Vegas-Traum dachte, bemerkte er, dass Anne-May ihren Kopf an seine Schulter gelehnt hatte. Und obwohl das unbequem für ihn war, bewegte er sich nicht, bis er einen steifen Hals hatte.

Was Anne-Mays Vater ihr angetan hatte, erfuhr er erst eine Woche später. Sie spielten Tischtennis, aber Francis fiel auf, wie angespannt Anne-May die ganze Zeit über wirkte. Schließlich nahm sie seine Hand.

»Komm, ich zeig dir was.«

Sie führte ihn ins Zimmer am Ende des Flurs. In der Mitte stand ein weißer Flügel. »Hat mal einem Patienten gehört.« Anne-May setzte sich auf den Schemel. »Er hat ihn der Klinik vermacht, bevor er sich auf einem Freigang erschossen hat.«

Sie öffnete den Deckel und fing an. Francis hatte keine Ahnung, was für ein Stück es war, aber etwas daran, wie dieses schwarzhaarige Mädchen am Flügel spielte, berührte ihn sofort; es war Anne-Mays Ernsthaftigkeit. Ihr Blick war hochkonzentriert, es schien ihr wichtig, keine Fehler zu machen, das Haar fiel ihr immer wieder ins Gesicht. Er war hingerissen.

Dann verspielte sie sich und brach sofort ab. »Ich hab vor ein paar Jahren aufgehört.« Sie kniff die Lippen zusammen. »Bin etwas aus der Übung.«

»Hat mir wirklich gut ge...«

Anne-May unterbrach ihn, indem sie den Deckel des Flügels mit einem Knall zuklappte. »Rauchst du?«

Francis kramte eine Schachtel Zigaretten aus der Tasche und gab ihr Feuer, danach zündete er sich selbst eine an. Bestimmt war das in der Klinik verboten, aber Anne-May sagte, dass hier nie jemand reinkomme und dass es der einzige Raum ohne Rauchmelder sei. Sie rauchten schweigend. Als Anne-May ihn ansah, zog Francis die linke Augenbraue hoch. Das hatte er bereits als kleiner Junge gut beherrscht und tat es auch jetzt noch. Anne-May schüttelte den Kopf und lachte. Wenn sie lachte, wirkte sie völlig verändert, fast kindlich.

»Das mit deiner Mom tut mir leid«, sagte sie. »Ich hab sie gestern gesehen, als sie beim Essen anstand. Sie sah ziemlich traurig aus. Ihre Hände haben gezittert, und sie hat dauernd vor sich hin geredet.«

Francis war das Thema unangenehm, bis jetzt hatten sie nie über seine Mutter gesprochen. »Sie ist eben krank.« Er blies Rauch durch das Zimmer. Als Aschenbecher benutzten sie eine Tasse aus der Küche. »Aber die kriegen das immer ganz gut hin mit den Medikamenten.«

»Ich hab gehört, sie ist nicht das erste Mal auf dieser Station?«

»Na ja, die machen hier gutes Chili zum Mittagessen, da kommt man gern wieder.«

»Findest du das witzig?«

Er antwortete nicht und betrachtete seine Hände.

»Ich weiß, dass ich viel trauriger sein sollte«, sagte er. »Und die ersten Jahre war ich's ja auch, aber jetzt ... kann ich einfach nicht mehr.« Seine Hände ballten sich zu Fäusten. »Und manchmal *hasse* ich meine Mutter auch dafür.«

»Aber du liebst deine Mom noch immer?«

Er nickte, als wäre es ein Schuldeingeständnis.

»Wie alt bist du?«, fragte Anne-May.

»Achtzehn. Also fast.«

»So jung? Du siehst aber ein paar Jahre älter aus, ich dachte, du bist Anfang zwanzig oder so ... Du bist ja noch ein *Kind*!« Anne-May lächelte ihn an, und dieses Lächeln war so entwaffnend, dass er nichts antworten konnte.

Sie gingen in ihr Zimmer. Eine Weile hörten sie wortlos Musik, dann fragte er vorsichtig, wieso sie sich habe umbringen wollen.

Anne-May brauchte Zeit, bis sie antwortete. »Kannst du was für dich behalten?« Als er nickte, lehnte sie sich mit dem Rücken gegen die Wand. Sie sah ihn nicht an. »Mein Dad hat mich vergewaltigt.«

Vor Schreck stand Francis auf. »Was ...«

Abrupt winkte sie ab. »Das war gelogen, Dean. Glaubst du, ich würde so etwas einfach so erzählen?« Anne-May schüttelte den Kopf, fast amüsiert, dann griff sie nach einem Buch und begann darin zu lesen.

Francis war sauer, doch er wollte noch nicht gehen. Ein paar Minuten lang sagte er nichts. »Du kriegst hier nicht viel Besuch, oder?«, rutschte es ihm heraus.

Anne-May antwortete nicht, aber er konnte ihr ansehen,

dass es sie beschäftigte. Ihre Augen flackerten nervös hin und her.

Draußen wurde es dunkel, bald würde es Abendessen geben. Im Hintergrund lief noch immer ihr Lieblingsalbum – *Funeral* von Arcade Fire. Als der letzte Song vorbei war, griff Francis nach seiner Jacke. Er war schon an der Tür, da hörte er Anne-May in seinem Rücken sagen: »Er hat mich doch vergewaltigt.«

Sie erzählte, dass sie von Anfang an eine besondere Beziehung zu ihrem Vater gehabt habe. Dass sie ihm ihre Leidenschaft fürs Klavierspielen verdanke und er immer für sie da gewesen sei. »Er ist oft spät aus dem Büro gekommen. Aber ich hab jedes Mal auf ihn gewartet, um ihm gute Nacht zu sagen. Und einmal, da war ich vierzehn, ist er besonders lange weg gewesen. Als er wiederkam, war es schon nach Mitternacht. Er roch nach Alkohol, wahrscheinlich war er mit Kollegen in einer Bar. Ich hatte nur Unterwäsche an und wollte ihm noch gute Nacht sagen. Da ist mir aufgefallen, dass er mich so komisch angesehen hat. Ab da hab ich's geahnt. Ich hab versucht, ihm aus dem Weg zu gehen, aber …« Anne-May machte eine Pause und fuhr mit ihren Fingern die Kante ihres Buches entlang. »Willst du wissen, was mich am meisten ankotzt?«

Francis sah sie fragend an.

»Dass ich mich nicht gewehrt habe«, sagte sie. »Er konnte machen, was er wollte, ich hab nur geflennt, und er hat immer weitergemacht.« Sie warf ihm einen so kalten, stechenden Blick zu, dass Francis sofort klar wurde, dass sie normalerweise nicht die Sorte Mädchen war, die sich nicht wehrte.

»Weiß deine Mutter das alles?«

Anne-May lachte. Francis zuckte zusammen. Er mochte es nicht, wenn Leute lachten, nachdem sie solche Dinge gesagt hatten. »Nein, natürlich nicht«, sagte sie. »Das wäre ein Riesenskandal, mein Dad ist ein ziemlich bekannter Architekt, das stünde in allen Zeitungen. Niemand weiß es.«

Außer mir. Francis fühlte sich bei diesem Gedanken unwohl.

»Und du?«, fragte sie. »Was ist eigentlich mit deinem Vater? Ich hab ihn hier nie gesehen.«

»Ich kenn meinen Dad nicht. Eine Affäre meiner Mutter, der Typ weiß bestimmt nicht mal, dass er ein Kind hat.«

»Krass.« Sie saß im Schneidersitz auf ihrem Bett und dachte nach. »Findest du's schlimm, dass du ihn nie kennengelernt hast?«

Francis zuckte mit den Schultern. Früher hatte es ihn gestört, wenn die anderen Jungs aus der Klasse von ihren Vätern erzählten, wie viele Gewichte sie stemmen konnten oder welche Jobs und Autos sie hatten. Er hatte in solchen Momenten das Gefühl gehabt, gegen eine Glasscheibe zu stoßen, manche Dinge nur beobachten, aber nie selbst erleben zu können. Am peinlichsten war ihm dann immer gewesen, wenn herauskam, dass Ryan nicht sein richtiger Dad war. Und seit seine Mutter angefangen hatte, mit all diesen Nieten ins Bett zu gehen, fragte er sich wieder öfter, wie wohl sein richtiger Vater war.

»Manchmal stell ich mir vor, wie er plötzlich nach der Schule auf dem Parkplatz steht und auf mich wartet, um mir alles zu erklären.« Francis blickte aus dem Fenster. »Er steht einfach so da. Ich laufe nicht schnell auf ihn zu, sondern ganz langsam, so dass ich ihn mir anschauen kann. Ich gehe ganz bewusst, denke nach. Jeder Schritt für eine Erinnerung an ihn, die ich nicht habe.«

»Das klingt ja irgendwie klug«, sagte Anne-May.

»Du siehst überrascht aus.«

Sie lächelte. »Ein bisschen, ja.«

Francis tat, als wäre er empört. Dann dachte er wieder an seinen Vater und wie er anfangs gehofft hatte, er wäre ein cooler, erfolgreicher Typ, auf den er stolz sein könnte. Doch in letzter Zeit drängte sich ihm eher das Bild eines Totalversagers auf, der seine Verlierer-Gene an ihn weitergegeben hatte. Sein Halbbruder Nicky kam deutlich nach seinem Vater Ryan, war klug, talentiert und schrieb gute Noten. Rechnete man dagegen seine eigenen schulischen Leistungen und Perspektiven hoch und kombinierte das Ganze mit dem Männergeschmack seiner Mom, verhieß das nichts Gutes. Nicht für ihn selbst. Und auch nicht für den Mann, der ihn gezeugt hatte.

6

Im Schulbus waren alle Plätze von lärmenden Kindern besetzt. Francis lehnte die Stirn gegen die angenehm kühle Haltestange, er war zwei Köpfe größer als der Rest, ältere Schüler gab es kaum. Die meisten hatten ein Auto, Grover bekam von seinen Eltern sogar das Benzingeld geschenkt. Er setzte Kopfhörer auf und hörte Mos Def, Nas und Eminem. Eigentlich machte er sich nicht viel aus Musik, aber zumindest Hip-Hop stellte seine Gedanken ruhig, und an

Eminem faszinierte ihn, dass er zwei verschiedene Leben gleichzeitig führte. Er war Marshall Mathers aus dem Trailerpark in Detroit, aufgewachsen mit einer drogensüchtigen alleinerziehenden Mutter und – wie er – ohne Vater. Und er war Eminem, einer der erfolgreichsten Künstler der Welt. Er wechselte ständig zwischen den beiden Persönlichkeiten hin und her. Mal tickte er als Marshall Mathers aus, schlug jemanden, nahm Drogen oder war ein mieser Dad. Dann wieder hatte er als Eminem einen Nummer-eins-Hit, gab smarte Interviews und bekam sein Leben in den Griff. Francis fragte sich oft, was Eminem an seiner Stelle tun würde.

In der zweiten Stunde hatte er Geschichte bei Mr. Hayes. Francis hasste die Stunden bei ihm. Hayes bekam häufig cartoonhafte Wutausbrüche, außerdem engagierte er sich politisch, kurz vor der Wiederwahl von Bush hatte er in der Stadt Flyer für die Republikaner verteilt. Zu Beginn der Stunde gab er die Arbeiten der letzten Woche zurück. Seine Mitschüler jubelten oder stöhnten auf. Erst zum Schluss kam Hayes zu ihm und schüttelte den Kopf. »Nicht mal zu wissen, in welchem Jahrzehnt der Sezessionskrieg war, ist eine Schande, Dean!«

Francis verstaute die Arbeit in seinem Rucksack, ohne sie anzusehen. Die restliche Stunde über hatte er die Kapuze auf dem Kopf und tauchte ab. Nur am Rande bekam er mit, wie Hayes mal wieder eine seiner politischen Diskussionen führte und mit Luke Fabianski stritt, der hinten in der Ecke saß. Luke war einer der Besten in der Klasse und galt als hochbegabt, seine Großeltern kamen aus Polen. Francis mochte ihn, sie jobbten beide im selben Restaurant, auch Lukes Eltern hatten kaum Geld. Neulich hatte er Francis ein paar polnische Schimpfworte beigebracht und wie man bis drei zählte: *raz, dwa, trzy*. Offenbar hatte er gerade behauptet, dass der ganze Irakkrieg nur wegen dem Öl geführt werde und dass das alles eine Farce sei.

Hayes schnauzte ihn an: »Die haben doch damals *uns* angegriffen, nicht wir sie. Meine Cousine war in einem der Flugzeuge, sie hatte zwei kleine Kinder, soll ich denen sagen, dass wir ihre Mutter leider nicht rächen werden, weil wir ein Volk von Feiglingen sind?« Er schüttelte den Kopf. »Drüben sind unsere Leute, die gerade für deine Freiheit kämpfen. Die sterben, damit du dir solche Meinungen erlauben kannst. Also zeig ein wenig mehr Respekt!«

Bis zum Ende der Stunde diskutierten sie über Moslems, Öllobby, Patriotismus, Cheney und Freiheit. Francis war das alles zu hoch, für Politik hatte er sich noch nie groß interessiert. Er wusste nur, dass Eminem gegen den Krieg war, und in solchen Dingen hatte er eigentlich immer recht. Aber Hayes' Sohn kämpfte gerade drüben, das hatte ihm neulich jemand gesagt. Irgendwie war also seine ganze Familie in diesen Krieg reingeraten, und deshalb konnte er verstehen, dass Hayes ausflippte, wenn jemand das alles eine Farce nannte.

Schulglocke, Busfahrt, Klinikflur; und wieder stand er vor Anne-Mays Zimmer. Er wollte gerade an der angelehnten Tür klopfen, da hörte er Stimmen. Vorsichtig linste er hinein; an ihrem Bett standen ein Mann und eine Frau. Offenbar ihre Mutter und ... *ihr Vater*. Seine Hand lag auf Anne-Mays Schulter. Wie konnte er es nur wagen, sie hier zu besuchen?

Francis wäre am liebsten ins Zimmer gerannt und hätte sich auf ihn gestürzt, doch etwas ließ ihn zögern. »Wenn du jemandem von der Vergewaltigung erzählst, bring ich dich um«, hatte Anne-May zu ihm gesagt, »oder *Schlimmeres.*« Er unterdrückte seine Wut und schlurfte weiter den Gang entlang.

Als ihre Eltern gegangen waren, kam Anne-May aus der Tür. Sie wirkte blasser als sonst und nickte in Richtung Klavierzimmer. »Ich brauch 'ne Zigarette.«

Sie sprachen nicht, rauchten nur. Anne-May musterte ihn. »Weißt du eigentlich, wie gut du aussiehst?« Sie fixierte ihn mit ihrem Blick, in seinem Nacken begann es zu kribbeln. »Du hast extrem blaue Augen. Einer meiner Exfreunde hat auch blaue Augen, aber nicht so wie du.«

Er freute sich. Dann sagte sie: »Wobei, ich hab mal gelesen, dass Menschen mit blauen Augen ziemlich naiv sind.«

»Ja, wir glauben wirklich alles.«

»Sehr gut, Dean. Ich bin übrigens Nymphomanin. Das ist mit ein Grund, wieso ich hier bin.«

»Ja, klar«, sagte er. Sie verzog keine Miene.

Francis ahnte, dass Anne-May schon viele Liebhaber gehabt hatte, sie schien, was Sex anging, ziemlich freizügig zu sein und redete gern darüber. Er fragte sich, ob ihre Vergewaltigung schuld daran war, gleichzeitig machte ihn die Vorstellung verrückt, mit ihr zu schlafen.

Er kam einen Schritt näher, doch Anne-May wich mit einem Lächeln zurück und ließ seinen Versuch ins Leere laufen.

Sie setzte sich auf den Schemel, die Zigarette im Mundwinkel. Auf einmal schien sie gutgelaunt. »Hey, Frankie-Boy, wenn du ein Song wärst, was für einer wärst du?«

»Ein harter, schneller Rap-Song.«

»Das hättest du wohl gern. Nein, du wärst eher eine kitschige Ballade … von Elton John.« Sie zwinkerte ihm zu. Dann fing sie an, auf dem Flügel zu spielen, und sang dabei – die Kippe noch immer im Mund – alberne Strophen über sein Leben, seine Mom und den Trailer, bis er lachen musste.

Während sie spielte, stand Francis einfach nur da und beobachtete sie. Es kam ihm auf einmal so vor, als gäbe es in diesem Krankenhaus zwei Welten. Zimmer 039, in dem seine Mom lag, war die Pforte zu seinem alten Leben und den ewigen Problemen. Zimmer 035, in dem Anne-May wohnte, war sein neues Leben. Seltsam, es war ja dieselbe Station. Aber immer, wenn er durch ihre Tür ging, fühlte er sich wieder wie als Kind in Jersey City, als die Welt offen und weit schien.

Dann kam der Tag, an dem seine Mutter wieder einigermaßen normal war. So plötzlich wie jedes Mal, als wäre sie über Nacht einfach ausgetauscht worden. Die Medikamente schlugen an, und ihr Verstand war zurück von seiner langen Reise in ein fernes Land.

Seine Mom saß auf dem Stuhl am Tisch. Sie hatte geduscht, ihr Haar frisch gekämmt und sah gepflegt aus. Daran merkte man immer, dass es ihr besserging; wenn sie krank war, schien es ihr egal zu sein, wie sie herumlief.

Francis hatte ihr ein paar Magazine mitgebracht und umarmte sie zur Begrüßung. Und schon weinte sie. Er mochte es nicht, er fühlte sich schuldig. Wenn eine Frau weinte, fühlte er sich *immer* schuldig; selbst wenn eine

Fremde auf der Straße in Tränen ausbrach, fühlte er sich schuldig.

Sie ließ ihn lange nicht los, er spürte ihren Kopf an seiner Schulter und roch ihr süßliches Parfüm. Dann setzte er sich zu ihr an den Tisch. Als sie über die letzten Wochen und ihren Zusammenbruch redeten, schaute sie ihn nicht an. »Es tut mir alles so leid, Schatz. Das war das letzte Mal!«

Zögerlich nickte er. Um ihre manischen Phasen und Zusammenbrüche besser zu überstehen, machte er aus seiner Mutter in dieser Zeit immer eine irre Karikatur; der Moment, in dem er es wieder mit einem normalen, klar denkenden Menschen zu tun hatte, war für ihn jedes Mal schwierig.

Ihre Hände zitterten noch immer, eine Nebenwirkung der Medikamente. Sie erkundigte sich nach Nicky, der ihr mehrmals geschrieben hatte, und er begriff, wie sehr sein Bruder ihr fehlen musste; wenn er den Kleinen schon vermisste, wie musste es dann für sie sein? Er senkte den Kopf.

»Und wie ist es dir in den letzten Wochen ergangen?«, fragte sie.

»Ganz gut. Hab ein bisschen gearbeitet, den Trailer aufgeräumt und …«

»*Du* hast aufgeräumt?«, unterbrach ihn seine Mom ungläubig. »Warum machst du das eigentlich nie, wenn ich dich darum bitte?«

Er musste grinsen. Sie strich ihm über die Wange und sah ihm in die Augen, ihr typischer Blick; nachsichtig, ein bisschen melancholisch, liebevoll. Auf diese Weise hatte sie ihn oft angesehen; wenn er als Kind gespielt hatte und danach zu ihr gerannt war. Wenn er ihr von den Mädchen aus seiner Klasse erzählt hatte, die er mochte (dafür hatte sie sich immer besonders interessiert). Oder wenn sie abends noch mal in sein Zimmer gekommen war und sich zu ihm ans Bett gesetzt hatte.

Dann bemerkte seine Mutter, dass sie wieder zu zittern begann, und verbarg die Hände im Schoß. »Ich ... ich weiß momentan nicht, wie's jetzt weitergehen soll. Aber ich krieg das schon hin.« Sie versuchte zu lächeln, doch es war, als ob ihr Lächeln auf halber Strecke steckenblieb.

Abends musste Francis zu seiner Schicht im ›Asia Tiger‹, seinem Job als Küchenhilfe im einzigen asiatischen Restaurant der Stadt. »Hallo, Zu-spät-Kommer!«, begrüßte ihn Mrs. Donaghy, die den Laden schmiss und wie die meisten Mitarbeiter nicht mal in der Nähe von Asien gewesen war. Sie drückte ihm einen Wischmopp in die Hand. Francis putzte den Boden, dann wusch er die Teller ab und schnitt Fleisch und Gemüse klein. Als er eine Gurke in Stücke hackte, stand Mrs. Donaghy auf einmal neben ihm und beobachtete ihn. »Du hast flinke, gute Hände«, sagte sie. »Mach was draus, Hübscher!«

Francis freute sich noch immer über das Kompliment, als er gegen Mitternacht nach Hause kam. Er rubbelte im Gehen ein paar Lose frei – wieder nichts –, als er einen kleinen, schwarzen Körper auf dem Weg bemerkte. Seine Katze lag in einer Blutlache, ihre gelben Augen starrten ins Nichts. Jemand hatte sie überfahren, man konnte noch den Abdruck der Reifen auf ihrem Fell erkennen.

Francis taumelte gegen die Wand des Trailers und zwang sich, nicht zu hyperventilieren. Minutenlang rührte er sich nicht. Aber er musste. Er holte eine Plastiktüte aus der Küche und legte die Katze hinein. Kurz würgte es ihn, dann grub er mit einer Schaufel ein Loch in die Erde hinter dem Trailer. Er dachte daran, wie er sie bekommen hatte, als sie ganz winzig gewesen war, wie sie sich noch vor ein paar Stunden in ihrer Sprache unterhalten hatten und wie sie in letzter Zeit nachts auf einem Kissen neben seinem Bett geschlafen hatte, weil sie beide nicht gern allein waren. Sein Mund verzog sich, er konnte kaum noch klar sehen. Er schüttete das Loch wieder zu und wischte sich mit dem Ärmel ein paar Tränen weg. Dann legte er sich auf seine Matratze und rauchte, bis der Morgen dämmerte.

7

Francis' Augen brannten vor Müdigkeit. Er kam aus dem Klassenzimmer und reihte sich in die Massen der Schüler ein, die zur Cafeteria drängten. Während er sich ein Tablett holte, fiel ihm auf, dass Brad Jennings und seine Basketballkumpels um einen Mann in Uniform herumstanden, der ihm bekannt vorkam. Alle gaben ihm die Hand oder klopften ihm auf die Schulter, dann erkannte auch Francis ihn.

Brads älterer Bruder.

Marcus Jennings war an der Schule eine Legende. Er hatte damals lange Haare und einen Bart gehabt, war jeden Tag bekifft zum Unterricht gekommen, Sänger einer Death-Metal-Band gewesen und zweimal durchgefallen. Alle hatten gesagt, er würde es nie zu etwas bringen. Dann hatte Marcus auf dem Parkplatz auch noch einem Lehrer ins Gesicht geschlagen und war dafür von der Schule geflogen. Danach hatte man jahrelang nichts mehr von ihm gehört. Es hieß, er sei jetzt ein Penner oder an Drogen verreckt; die üblichen Stories, die jeder Schüler nur zu gern glaubte. Aber nun stand er hier in seiner Uniform, durchtrainiert und mit kurzen Haaren, und alle bewunderten ihn.

Neben ihm meinte jemand, dass Marcus sich gerade verpflichtet habe. Francis hätte es nie laut gesagt, aber eigentlich fand er das gar nicht so blöd. Neulich hatte er selbst mal auf die Homepage der Army geschaut, man konnte da wirklich viel verdienen, sie zahlten jetzt sogar einen Bonus. Aus seiner Sicht war die Sache klar: Er musste nur ein paar Monate überleben. Danach wäre er ein Held oder so etwas, vor allem hätte er das Geld fürs College und könnte doch noch studieren. Und vielleicht würde er sich dann nicht mehr so verdammt nutzlos vorkommen.

Er beobachtete Marcus Jennings. Jetzt erst erkannte er, dass der sich offenbar nicht ganz so wohl fühlte, wie er tat. Alle lachten, aber Marcus schaute weg, schaute auf einmal zu ihm. Sein Blick wirkte unsicher, fast ängstlich. Francis wandte sich ab.

Den Rest des Tags verbrachte er mit Grover. In der Mall spielten sie Billard, danach aßen sie bei ihm zu Abend. Francis beobachtete, wie die Chedwicks mit ihrem Sohn sprachen und immer wieder stolz den Arm um ihn legten. Grover nahm es wie selbstverständlich hin, er schien nicht zu begreifen, was für ein Glück er hatte. Gelangweilt sprach er von einem Fotoprojekt für die Schule und stocherte mit der Gabel auf dem Teller herum.

Nach dem Essen gingen sie in den Keller und schauten die letzte Folge *Firefly*. Sie diskutierten, wie die Serie weitergehen könnte, bis Grover auf die Toilette ging. Francis wollte sich an die Drums setzen, da entdeckte er einen Brief auf dem Stuhl. Ein offizielles Schreiben der University of Yale. Darin stand kurz und knapp, dass sie Grover William Chedwick angenommen hatten.

Es dauerte, bis Francis verstand. Er hielt den Brief fassungslos in der Hand. Wie oft hatten sie darüber geredet, was sie später machen würden? Und jedes Mal hatte Grover geschwiegen. Weil er gewusst hatte, dass er abhauen würde. Und ihm hatte er nichts davon gesagt, dabei war das Schreiben schon Wochen alt.

Im ersten Moment wollte Francis es vor Enttäuschung zerknüllen, dann faltete er es wieder zusammen und legte es an seinen Platz zurück. Als Grover von der Toilette kam, sagte er nichts.

Dass ihr Bruder nicht mehr lebte, hatte Anne-May ihm lange verschwiegen, doch neulich hatte sie Francis von ihm erzählt. Er hieß Jerome und war vier Jahre jünger als sie gewesen, aber sie sagte ihm nicht, wie er gestorben war.

»Ich frag mich nur oft, wie er heute wäre oder wie er aussehen würde.« Anne-May hatte auf das Bild ihres Bruders gedeutet, das auf dem Nachttisch stand. »Damals war Jerome noch ein Kind, jetzt wäre er ein Teenager, fast ein Mann. Schon komisch: Durch seinen frühen Tod muss er in den Vorstellungen der anderen für immer ein Junge bleiben.« Sie hatte gelächelt und Francis nach seinem kleinen Bruder gefragt, und dann hatten sie den ganzen Nachmittag nebeneinandergesessen und geredet.

Als er nun die Station betrat, entdeckte er Anne-May im Fernsehzimmer, sie sah sich einen Film über eine Gruppe Cheerleader-Freundinnen an. Als er sich dazusetzen wollte, hörte er sie schluchzen.

Er wusste nicht, was er machen sollte. Schließlich sagte er laut: »Hi!«

Anne-May wischte sich schnell die Augen trocken, und gemeinsam schauten sie sich den Film an. Hin und wieder lachte sie sogar. Hätte er es nicht miterlebt, er wäre niemals auf die Idee gekommen, dass sie gerade geweint hatte.

Sie gingen auf ihr Zimmer. Anne-May erzählte von einer Patientin, die angeblich auf der Station mit Meskalin und Valium dealte. Ihr Lieblingsgerücht. Dann warf sie sich mit einem Satz aufs Bett und schaute Francis einfach nur an.

»Was ist?«, fragte er, die Hände in den Jeanstaschen.

»Nie zeigst du Gefühle ... Ich meine, wann hast du das letzte Mal richtig geweint?«

»Weiß ich nicht. Ich weine eigentlich nie.«

»Ich weine eigentlich nie«, äffte sie mit tiefer Höhlenmenschen-Stimme nach. »Gelogen, Dean! Und ich wette, du weißt, wann du das letzte Mal geweint hast. Erzähl mir mal was von dir, was du sonst keinem sagst.«

Er musste nachdenken. »Also gut.« Er nahm die Hände aus den Taschen: »Ich hab vor ’nem Jahr mit dem Ringen aufgehört. Sogar mein Coach glaubt, dass es wegen der Schmerzen in meinem Knie war. Aber das hab ich nur erfunden. Du musst wissen, dass sich die beiden Gegner vor jedem Ringkampf in die Augen schauen. Jeder versucht entschlossen und überzeugt auszusehen. So hab ich's die letzten Jahre immer gemacht, und bei den Schwachen hat's auch funktioniert. Aber dann gab's noch die, bei denen die Entschlossenheit nicht gespielt war, sondern die *wirklich* so von sich überzeugt waren. Sie hatten was in ihrem Blick, das war …«, er kratzte sich am Hinterkopf. »Ich kann's nicht erklären. Es war, als würden sie mir zeigen, dass mir was Bestimmtes fehlte. Wenn ich ihnen in die Augen geschaut hab, bin ich innerlich sofort eingebrochen … Ich hab die wichtigen Kämpfe nicht mehr gewonnen, ich hatte Angst. Deshalb hab ich aufgehört.«

So lange hatte er ewig nicht mehr am Stück geredet. Gespannt wartete er auf ihre Antwort, aber sie sah ihm nur ins Gesicht und wirkte wieder so nachdenklich wie vorhin im Fernsehraum, als sie geweint hatte. *Sie hat keine Freundinnen,* schoss es ihm durch den Kopf.

Er ging zum Fenster. Unten fuhr ein Auto vorbei, in der Ferne die Ölraffinerie, grauer Rauch stieg auf. Grover würde bald wegziehen und studieren.

»Dieses dumme Kaff …«, murmelte er.

»Ach komm, so schlimm ist Claymont nicht.«

Ihm fiel ein, dass Anne-May mit ihrer Familie außerhalb der Stadt wohnte, in einem großen Anwesen im Grünen, wo sie zwei Jack Russell hatten. Er schaute noch immer aus dem Fenster.

»Eine Frage …« Anne-Mays Stimme schnitt in die Stille. »Was denkst du eigentlich selbst von dir?«

Francis war überrascht, das hatte ihn noch nie jemand gefragt. Okay, wenn er ehrlich war, war er in den letzten Jahren in das tiefe Tal des Selbstmitleids gezogen und hatte seine Zukunft in Joint- und Zigarettendunst gehüllt. Er wusste, dass es so nicht weitergehen konnte. Er war vielleicht nicht der Typ, der einen glänzenden College-Abschluss hinlegen oder ein verdammtes Theaterstück oder so was schreiben würde, doch er war auch nicht so bescheuert, wie die meisten Leute dachten. Er brauchte bloß einen Schubs in die richtige Richtung, irgendwas.

»Wieso«, fragte er nur. »Was denkst *du* denn von mir?«

»Das würdest du gern wissen.«

»Nein, eigentlich nicht. Ich weiß sowieso, was du von mir denkst.«

»Ich bin gespannt.«

»Du denkst: *Ach, ist dieser Typ heiß, jeden Tag hoffe ich, dass er mich in der Klinik besucht, und wenn er dann da ist, tu ich so, als wär's mir egal, damit er nichts merkt.*«

Francis grinste, bis er fast von einem Kissen getroffen wurde, er konnte es gerade noch vor seinem Gesicht abfangen. »Hey! Hast du sie noch alle?«

Anne-May zuckte nur mit den Schultern. Dann warf sie ein weiteres Kissen nach ihm.

8

An dem Tag, der sein Leben in ein Davor und ein Danach teilen würde, saß Francis auf den Stufen vor dem Trailer. Es war der Freitag vor den Ferien, sieben Uhr früh und noch kühl. Er rauchte eine Zigarette und beobachtete seine

Nachbarn. Alle wirkten so verbittert, so ernst. Nie lächelte jemand, als wär's den Leuten ausgetrieben worden. Der hinkende Darius Penn brachte den Müll raus. Amanda Barnes hängte hustend die Wäsche auf. Und die alte Mrs. Filcher hockte mal wieder auf der Hollywoodschaukel. All diese verlorenen Gestalten, die nichts zustande brachten, die es nicht in sich hatten, je etwas Großes zu stemmen. Und plötzlich durchzuckte es Francis. Er würde einmal so werden wie sie, egal wie sehr er sich wehrte. Er würde niemals von hier wegkommen.

Für einen Moment blieb ihm die Luft weg. *Nein, verdammt. Nein.*

Er schnippte die Zigarette auf die Straße, trottete in sein Zimmer und packte wie in Trance seinen Rucksack. Auch in der Schule ließ ihn dieser Gedanke nicht los. In der Pause stand er vor seinem Spind. Lange tat er nichts und starrte einfach nur auf das graue Blech. Er schlug ein paarmal mit der Faust dagegen, ohne groß darüber nachzudenken. *Bamm, bamm, bamm!* Erst sachte, dann immer härter. Als ein paar Mitschüler komisch schauten, ließ er ab und ging raus auf den Hof.

In letzter Zeit spürte Francis, dass da etwas in ihm heranwuchs. Es gab Momente, in denen er auf einmal etwas kaputtmachen oder jemanden schlagen wollte. Meistens rannte er dann eine Runde oder hörte laut Musik. Aber das half immer nur kurz. Da war irgendwas Fremdes in ihm, und es wurde immer stärker.

In der Cafeteria sprachen er und Grover über die Ferien. Vor Wochen hatten sie überlegt, mit dem Chevy eine Tour zu machen, in den Westen oder zum Campen. Doch da Francis pleite war und Grovers Mom es ohnehin verbieten würde, lief es wohl wie immer: Sie würden *Unreal Tournament* spielen und Filme schauen, es würde Spaß machen, und sie würden trotzdem das Gefühl haben, etwas ganz Entscheidendes zu verpassen.

Mit ihren Tabletts setzten sie sich an den Tisch in der Ecke. Ihnen gegenüber saßen ein paar Jungs von den Mathletes, dazu der behinderte Kevin, der schon als *senior* einen beeindruckenden Vollbart hatte und dauernd paranoides Zeug redete, und der behinderte Andrew, der tatsächlich behindert war und im Rollstuhl saß, was allen an der Schule so richtig leidtat, aber wiederum nicht leid genug, um ihn bei sich am Tisch sitzen zu lassen. Sie aßen Käsenudeln und unterhielten sich – dank Kevin – mal wieder über Verschwörungstheorien. Auf seinem Laptop klebte ein Sticker: »9/11 – Inside Job«, er war überzeugt, dass die Regierung selbst für die Anschläge verantwortlich war, das könne man anhand von Staubpartikeln beweisen. Francis hörte nur halb zu. Die Mathearbeit vorhin hatte er ziemlich sicher in den Sand gesetzt. Er begriff es einfach nicht.

Er sah die Blicke der anderen, irgendetwas passierte gerade. Francis drehte sich um. Ein hübsches Mädchen kam in die Cafeteria, ihre Jeans saß eng, ihr Puppengesicht war perfekt geschminkt, ihr blondes Haar wippte bei jedem Schritt. Mary Gershon, eines der beliebtesten Mädchen der Schule. Sie stolzierte an ihnen vorbei und blickte demonstrativ in die andere Richtung. Bis Andrew laut fragte, ob sie mit ihm auf dem Spring Ball tanzen wolle.

Mary lachte spöttisch und drehte sich zu ihm. »Vergiss

es, du Loser!« Dann sah sie Andrews Rollstuhl. Sie lief rot an und hielt sich vor Schreck die Hand vor den Mund. »Das tut mir so leid, das wusste ich nicht!«

Sie stammelte weitere Entschuldigungen vor sich hin. Wie alle reichen beliebten Cheerleader-Tussis hielt sie sich bestimmt für einen guten, sensiblen Menschen, und nun musste sie wohl sehr viele Spendengelder für arme Kinder sammeln und noch öfter beten, um diesen Ausrutscher wiedergutzumachen.

Als sie weg war, warf Andrew den anderen einen feixenden Blick zu.

Auf der Station seiner Mom wurde Francis unsicher. Der letzte Besuch war nicht gut gelaufen. Sie hatte erfahren, dass er das Abschlussjahr nicht schaffte, und gesagt, dass er eben wiederholen und sich nächstes Jahr mehr anstrengen müsse. Und er hatte gesagt, dass ihm die Schule egal sei und er lieber zur Army gehen und in den Krieg ziehen würde, als noch ein weiteres Jahr auf die beschissene Claymont High zu gehen. Sollte eher ein Witz sein, doch seine Mom war ausgerastet.

Das eigentliche Problem aber war wieder das Geld. Ihre Medikamente waren teuer, und was Francis verdiente und Ryan an sie zahlen musste, reichte hinten und vorne nicht; offenbar waren nun auch noch die letzten Ersparnisse aufgebraucht.

»Du musst endlich ernster und erwachsener werden!«, sagte sie. »Und Krieg? Das ist doch kein Spaß. Wenn du dich wirklich freiwillig meldest, dann …«

»Was dann?«

Seine Mom hatte nicht darauf geantwortet. »Verstehst du nicht? Du kannst etwas Besseres sein als das alles hier. Du darfst dein Potential nicht so wegwerfen.«

Francis hatte nur gelacht. »Welches verdammte Potential?«

Danach war er gegangen; auf dem Gang hatte ihn Dr. Sheffer abgepasst und gesagt, seine Mutter habe gerade einen depressiven Schub und würde es morgens kaum aus dem Bett schaffen, es wäre aber noch kein Grund zur Sorge.

Als Francis nun am Fernsehzimmer vorbeikam, liefen gerade die Nachrichten. Schon wieder drei Tote im Irak. Francis stellte sich vor, wie diese Soldaten in Iowa oder Vermont aufgewachsen und als Kinder mit dem Fahrrad zu Freunden gefahren waren oder zum ersten Mal mit einem Mädchen getanzt hatten und dass sie damals wohl nie geglaubt hätten, wo das alles später mal enden würde.

Zum Schluss kam ein Beitrag über einen Arbeitslosen, der bei einem Pokerturnier in Las Vegas gewonnen hatte. 1,4 Millionen! Vorher war er Abschaum gewesen, jetzt war er gerettet. *Las Vegas.* Die zwei Worte leuchteten in Francis' Kopf wie eine Reklametafel. Er dachte an seinen wiederkehrenden Traum. An das Gefühl, am Roulettetisch zu stehen, zu gewinnen und …

Jemand rief seinen Namen.

Francis ging auf den Flur und stieß fast mit seinem kleinen Bruder zusammen. Vor Freude durchzuckte es ihn, er umarmte ihn fest.

»IchwillMombesuchen.« Wie immer redete Nicky vor Aufregung zu schnell. »Dad hat mich hergefahren, er ist unten im Auto.«

Francis schnaubte. Der große Ryan Wilco blieb feige im Wagen und schickte erst mal seinen dreizehnjährigen Sohn vor, wieder so ein Glanzstück. Wie schon der Ehevertrag zu seinen Gunsten. Wie schon sein Angebot nach der Scheidung, dass sein leiblicher Sohn doch erst mal zu ihm ziehen könne, »damit er in einem sicheren Umfeld aufwachsen kann«, natürlich nur, bis »meine Exfrau wieder stabil ist«. So konnte man das alleinige Sorgerecht natürlich auch bekommen.

Francis musterte Nicky. »Du bist ja echt gewachsen«, sagte er, dabei schien sein Bruder im Vergleich zum letzten Mal sogar eher geschrumpft. »Wie geht's dir?«

»Ach, ganz okay.«

Tatsächlich schien es leichter für Nicky zu sein, abseits aller Sorgen bei seinem Vater aufzuwachsen. Er wohnte in einem idyllischen kleinen Haus auf Long Island, war Klassenbester und bei allen beliebt. Francis war immer wieder erstaunt, wie unterschiedlich sie waren und wie leicht es seinem Bruder fiel, sympathisch auf andere Menschen zu wirken.

Sie standen noch immer am Eingang der Station, Nicky stellte die ganze Zeit Fragen. Erst jetzt kapierte Francis, dass der Kleine Angst hatte, ihre Mutter zu besuchen.

»Dad will, dass ich mit dem Ringen anfange. Er meint, ich könnte es in die Schulmannschaft schaffen und würde dadurch richtig stark werden. Was denkst du?«

»Weiß nicht«, sagte Francis. »Willst du nicht lieber Basketball spielen?«

»Dad sagt, Basketball ist was für große Leute. Ringen für die Kleinen.«

»Bullshit. Mich hat er damals auch zum Ringen geschickt … Allerdings wäre er ein guter Trainer, wenn du tatsächlich ringen willst. Er hat mir viele Tricks beigebracht.«

Sein Stiefvater war früher bei jedem seiner Ringkämpfe gewesen. Immer, wenn er zu den Zuschauerbänken geschaut hatte, hatte er Ryan gesehen. Wenn er gewonnen hatte, waren sie zu McDonald's gegangen oder als besondere Belohnung zu Spielen der Knicks und der Rangers. Sie hatten Allan Houston und Wayne Gretzky angefeuert und riesige Cola-Becher gehabt, und verdammt, vielleicht fehlten ihm diese Abende und Ryan noch immer.

Sie gingen zum Zimmer ihrer Mutter. »Geht's ihr wirklich besser?«, fragte sein Bruder unterwegs.

»Es geht ihr zumindest wieder gut genug, um mir Vorwürfe zu machen.« Er ahmte ihre quengelnde Stimme nach, Nicky lachte. Francis musste daran denken, wie viel sie früher zusammen gemacht hatten, wie sie zelten gewesen waren oder wie er seinem kleinen Bruder einmal weisgemacht hatte, es gäbe auf dem Speicher eine geheime Tür, die in eine phantastische Welt führte. Und nun standen sie vor einer Tür, hinter der sich etwas ganz anderes verbarg. Francis blickte auf das Schild neben dem Zimmer: *Katherine A. Dean.*

»Was ist, wollen wir zusammen reingehen?«

»Ja, klar … Wobei, warte, ich hol mir noch eine Coke aus dem Automaten.«

Nicky lief zum Eingang der Station zurück, es war sein Instinkt, der ihn schützte. Francis fehlte dieser Instinkt. Er drückte auf die Türklinke und betrat das Zimmer seiner Mutter.

Das Bett war leer. Als er sah, was passiert war, stützte er sich an der Wand ab. Die Kotze, der regungslose Körper, die Tablettenpackungen …

Er brauchte, bis er begriffen hatte. Dann schrie er nach Hilfe.

Ein paar Schwestern und der Stationsarzt kamen sofort, sie pumpten seiner Mutter den Magen aus. Francis stand daneben, unfähig, einen klaren Gedanken zu fassen. Nur einmal schrie er einer Schwester zu, dass jemand zu Nicky müsse, damit er das hier nicht sah.

Allmählich kam sie wieder zu sich. Er war froh und gelähmt zugleich, stand noch immer an der Tür. Seine Mutter hustete und übergab sich noch einmal, kurz darauf wurde sie auf einem fahrbaren Bett in eine andere Station gebracht. Und dann war der ganze Spuk auch schon vorbei. Alles ging so schnell, dass es Francis unwirklich vorkam.

Das Zimmer war leer, nur der dicke Steve kam rein und wischte den Boden. Er wollte Francis umarmen, aber der wehrte ab.

»Dein kleiner Bruder steht draußen und weint.«

»Ich geh gleich zu ihm.« Francis wartete, bis der Pfleger fertiggewischt hatte, dann war er wieder allein. Es war still. Die Sonne schien ins Zimmer, auf dem Nachttisch lagen noch immer die Magazine, die er letzte Woche mitgebracht hatte. Francis betrachtete sich im Spiegel. Er sah älter aus, hohlwangig, die dunklen Haare klebten ihm in der Stirn. Er versuchte sich daran zu erinnern, wie er als Kind ausgesehen hatte, aber es fiel ihm nicht mehr ein.

Sein Blick streifte durchs Zimmer. An die Blumenvase

auf dem Tisch gelehnt, stand ein Kuvert. *Für Francis.* Die Handschrift seiner Mutter. Wie fremdgesteuert ging er darauf zu. Der Brief war mehrere Seiten lang, atemlos las er den ersten Satz: *»Lieber Frankie, es ist Zeit, dass du die Wahrheit erfährst.«*

Er überflog die Zeilen. Als er fertiggelesen hatte, musste er sich setzen. Es war nicht nur der Absatz, in dem stand, wer sein Vater war.

Es war auch der ganze Rest.

New York

I

Es war einer dieser heißen Manhattan-Tage, die er schon immer gehasst hatte. Seine Schuhsohlen glühten, das T-Shirt klebte, die Nervosität der Stadt flirrte wie ein Virus durch die Luft und ergriff auch ihn. Francis saß auf einer Bank am Hudson und rauchte angespannt. Er hatte etwas vor, was ihm eigentlich widerstrebte: Er wollte Ryan in seiner Kanzlei besuchen und sich von ihm Geld leihen. Sein Stiefvater hatte es ihm oft angeboten, aber er hatte immer abgelehnt. Und seit Ryan sich an der Börse verzockt hatte, war er längst nicht mehr so großzügig. Das Haus auf Long Island hatte er zwar behalten können, allerdings hatte er dafür einen Kredit aufnehmen müssen, den er nun monatlich abbezahlte. Doch Francis musste es einfach bei ihm versuchen. Durch den Brief seiner Mutter wusste er endlich, was er zu tun hatte. Und dafür brauchte er Geld. So viel Geld wie möglich.

Dampf entstieg den Straßenschächten, in der Nähe unablässig das Heulen einer Polizeisirene. Francis war genervt von dem Lärm und blinzelte in die grelle Nachmittagssonne, die sich auf dem Fluss spiegelte. Als Kind war er oft hier gewesen und hatte Ryan in seiner Kanzlei besucht, auch nach der Scheidung waren sie zunächst regelmäßig mittagessen gegangen. Sein Stiefvater hatte ihn weiter beim Ringen unterstützt und versprochen, für ihn da zu sein, und Francis war sich sicher gewesen, dass sich an ihrem Verhältnis nichts ändern würde. Aber bald hatten sich die Probleme gehäuft. Er war in die Pubertät gekommen und hatte rebelliert, und er hatte diese Fragen einfach nicht abschütteln können: Wenn Ryan ihn wirklich so gern hatte, wie er tat, wieso meldete er sich dann immer seltener? Wieso lebte er lieber allein mit seinem richtigen Sohn in New York?

Sie hatten sich immer seltener zum Essen getroffen, und wenn, dann kritisierte Ryan ihn unablässig und spielte sich als strenger Vater auf. Vor zwei Jahren hatten sie sich richtig gestritten. Ryan hatte wieder an ihm herumgemäkelt und auch schlecht über seine Mom geredet, Francis hatte sie verteidigt und ihn angeschrien, er sei nicht sein richtiger Vater, und schließlich hatte er Ryan ein kaltherziges Arschloch genannt. Danach hatte es keine Treffen mehr gegeben, sie sprachen nur noch das Nötigste miteinander. Aber mal sehen, was er *nun* sagen würde.

Auf dem Weg zum Financial District wich Francis geschickt einem Burritoverkäufer und einer Gruppe Touristen aus, überhörte den Ruf einer indischen Bettlerin und bahnte sich seinen Weg durch die Häuserschluchten. Ryans Büro befand sich in der Cortland Street, früher hatte man von der Kanzlei aus die Türme des World Trade Center sehen können.

Francis fuhr sich noch mal durchs Haar und betrat das Gebäude. Die Außenfassade war aus Stahl und Glas, die Wände innen verspiegelt, gescheckte Marmorböden glänzten im Tageslicht. *Bing,* der Aufzug öffnete sich, eine Gruppe Anwälte strömte ihm entgegen. Die Kanzlei Franzen, Lieberman, van Berg & Wilco befand sich im

61. Stockwerk; er erinnerte sich noch gut an die Party, die hier oben stattgefunden hatte, als Ryan vor Jahren endlich Partner geworden war und sie seinen Namen im Briefkopf aufgenommen hatten.

Francis öffnete die stahlgebürstete Tür zur Kanzlei und betrat Sibirien. Die Klimaanlage hatte die gesamte Etage auf irrwitzige Temperaturen heruntergekühlt. Ryans Büro war ganz hinten, seine Sekretärin erwartete ihn bereits. Mit ihrem Hosenanzug ähnelte sie Betty Brant, der attraktiven Sekretärin aus den *Spider-Man*-Filmen, sie hatte sogar den gleichen Vornamen.

»Hallo, ich bin Betty« – ein umwerfendes Filmlächeln –, »du musst Francis sein. Mr. Wilco hat gleich Zeit für dich.« Sie deutete auf eine Couchecke. »Mach's dir doch so lange bequem.«

Francis setzte sich aufs Sofa, das Leder war überraschend weich. Er griff sich ein Magazin und betrachtete verlegen seine ehemals weißen Chucks, die schon Löcher hatten. Die Sekretärin rief Ryan an und sagte ihm, dass er jetzt da sei. Natürlich ließ sein Stiefvater ihn weiter warten.

»Möchtest du was trinken?«, fragte Betty.

Als er nickte, brachte sie ihm aus der Küche eine Dose Root Beer. Sie blieb vor ihm stehen und musterte die Musikzeitschrift, in der er las. »Ich war neulich auf ihrem Konzert.« Sie deutete auf ein Bild der Strokes.

Da Anne-May die auch oft hörte, konnte Francis mitreden. Er war froh, dass Betty sich zu ihm setzte und sich mit ihm unterhielt. Nicht nur, weil sie sexy war und aufregend roch (ihr Parfüm war garantiert ein Geschenk von Ryan, er schenkte seinen Sekretärinnen *immer* Parfüm), sondern weil sie tatsächlich mit ihm flirtete und sogar immer näher zu kommen schien. Er spürte, dass er jetzt gar nicht viel zu sagen brauchte. Er musste ihr nur in die Augen sehen und so tun, als wisse er etwas, was sie noch nicht wusste. Es schien zu funktionieren, denn sie legte, während sie redete, einmal kurz ihre Hand auf sein Knie.

Die Tür zu Ryans Büro öffnete sich. Sein Blick sagte alles. Dass seine Sekretärin mit seinem Stiefsohn flirtete, passte ihm überhaupt nicht. Aber er fing sich sofort wieder. »Frank, schön, dich zu sehen«, sagte er betont herzlich. »Du kannst reinkommen, ich hab jetzt Zeit.«

Francis warf noch einen Blick auf Betty, dann stand er auf und folgte ihm.

Ryan war inzwischen Anfang vierzig, der Anzug elegant, das Haar akkurat geschnitten, am Handgelenk eine teure Uhr. Dennoch hatte er nicht vergessen, dass er aus einer armen Familie kam. Er hatte nie ein protziges Auto gefahren und auch noch immer seine Pro-Bono-Mandate, bei denen er mittellose Menschen umsonst verteidigte. Das Büro war clean wie ein Hotelzimmer, kein bisschen Staub auf dem Mobiliar. An den Wänden zwei Bilder. Das eine war erbsengrün und hatte in der Mitte einen orangenen Punkt. Es hatte angeblich zwanzig Riesen gekostet und war noch aus der Zeit, als Ryan wohlhabend war. Daneben hing ein schwarzes Bild mit ein paar farbigen Streifen, das sicher weniger eingebracht hätte, denn es war von Ryan selbst. Vor ein paar Jahren – nach seinem Desaster am Neuen Markt, man konnte es nicht oft genug wiederholen – hatte er angefangen zu malen. Damals hatte er auch trotz seiner Schulden einen Teil seiner Arbeit an Mitarbeiter abgegeben, um sich mehr um Nicky kümmern zu können. Ryan konnte kalt und berechnend sein, okay, und definitiv auch ein beschissener Exmann. Aber als Dad war er ziemlich gut.

»Du warst lange nicht mehr hier.« Ryan ging zum Fenster und deutete wie ein Immobilienmakler auf die Baustelle am Ground Zero. »Der Ausblick hat sich in den letzten Jahren ein bisschen verändert.«

Dabei zog er das Jackett aus. Sein Hemd spannte noch immer an den Oberarmen, er war drahtig und fit wie eh und je. Obwohl er nur eins siebzig groß war, hätte Francis sich nicht mit ihm messen wollen. Als Jugendlicher war Ryan einer der besten Ringer New Jerseys gewesen, seine Spezialität: Schultersiege. Nie würde Francis vergessen, wie er das erste Mal nach einem Training Ryans nackten Rücken gesehen hatte. Er hatte diese unglaubliche Muskulatur, die man nur bekam, wenn man mehrmals die Woche wie besessen trainierte, ein Leben lang. Seit er das gesehen hatte, hatte Francis Respekt vor Ryan, und daran hatten auch die letzten Jahre nichts geändert.

Auf der Fensterbank lag die neueste Ausgabe des *Economist,* daneben standen gerahmte Fotos. Die meisten zeigten Nicky: beim Basketballspielen, im Garten, mit einem Eis in der Hand oder auf einem Springsteen-Konzert. Früher hatten da auch Fotos von Francis gestanden, jetzt waren sie durch Bilder von einem Golden Retriever ersetzt worden, dem neuen Familienhund.

Sie setzten sich. Ryan lehnte sich zu ihm vor, seine Hand lag auf dem Tisch. »Hör mal, Frankie«, sagte er. Seit Jahren hatte er ihn nicht mehr Frankie genannt. »Das mit deiner

Mutter tut mir wirklich sehr leid. Ich konnte gestern kein Auge zutun. Muss schlimm für dich gewesen sein.«

»Seit wann machst du dir denn über so was Gedanken?«

Francis hatte nicht so schroff antworten wollen, es war ihm rausgerutscht. Er dachte an das patentierte Ryan-Wilco-Punktesystem, bei dem es für gute Noten in der Schule Punkte gegeben hatte, die man dann gegen CDs, Kinogutscheine oder mehr Taschengeld hatte eintauschen können. Auf einmal tat es ihm leid, Ryan so angeblafft zu haben.

Er wollte etwas Nettes sagen, aber zu spät, Ryan hatte sich bereits zurückgelehnt und die Hand wieder weggezogen. »Wieso bist du hierhergekommen? Nicky hat mir gesagt, du wolltest mich unbedingt sprechen.«

Francis wich seinem forschenden Blick aus. »Ich brauche Geld«, sagte er gepresst.

»Geld für was?«

»Kann ich dir nicht sagen.«

»Nun, dann kann ich dir leider auch nichts geben.«

»Aber du hast immer versprochen, dass du mir welches gibst, wenn ich frage.«

»Das war früher. Die letzten Jahre habe ich zusehen müssen, wie du deine Lebensverweigerung perfektioniert hast, da muss ich schon nachfragen.«

»Ich brauche das Geld für Mom. Ihre Klinikkosten sind …«

»Lügner«, sagte Ryan. »Ich zahle noch immer die Klinikkosten von Katherine, das weißt du. Also, wofür brauchst du es wirklich?«

»Für eine Reise«, sagte Francis. »Ich muss unbedingt nach L. A.«

»Tut mir leid, Frank, aber ich finanziere dir sicher keine Urlaube ... Warum musst du da überhaupt so dringend hin?«

»Wegen meinem Vater.«

Ryans gebräuntes Gesicht wurde um eine Nuance blasser. »Woher weißt du etwas über deinen Vater?«

Es war Zeit, den Trumpf auszuspielen. Francis griff in die Tasche, holte den Brief seiner Mutter heraus und legte ihn auf den Tisch.

Als Ryan fertiggelesen hatte, sah er auf. »Wie viel willst du?«

Lieber Frankie,

es ist Zeit, dass du die Wahrheit erfährst. Die Wahrheit über alles. Ich weiß, wer dein Vater ist, ich habe es immer gewusst. Weil ich auch nach Jahren des Überlegens nicht sicher bin, wie ich es dir sagen soll, mache ich es wenigstens kurz. Ich habe dir den Namen deines Vaters nicht verschwiegen, weil er nur eine schnelle, belanglose Affäre gewesen wäre. Im Gegenteil, ich habe mir deinen Vater damals sogar bewusster ausgesucht, als es wohl die meisten Mütter getan haben. Allerdings habe ich nie mit ihm geschlafen und ihn auch nie kennengelernt.

Du warst ein Retortenbaby, Francis. Aber kein normales, falls dich das tröstet. Du hast besondere Gene.

Es war damals eine andere Zeit. Das wirkliche Leben war nicht meine Stärke. Mit den Männern, die ich kennenlernte, hatte ich kein Glück, das Studium fühlte sich falsch an, und der Job bei den Cheerleadern machte mir kaum noch Spaß. Ich hatte das Gefühl, nirgendwo einen Platz zu haben und abzudriften.

Dann stieß ich in der Times *auf eine Anzeige des Milliardärs Warren P. Monroe. Dir wird der Name nicht viel sagen, aber zu seiner Zeit war Monroe sehr bekannt. Er suchte nach jungen Frauen und kinderlosen Ehepaaren für ein Experiment, das die Welt verändern sollte – inklusive guter Bezahlung. Ich hatte nichts zu verlieren und fuhr hin. Die Veranstaltung fand in Monroes Klinik im Zentrum von* L. A. *statt. Außer mir waren noch acht-*

zig Frauen da, aber auch bestimmt hundert Ehepaare. Offenbar waren gleich mehrere Anzeigen geschaltet worden. Mr. Monroe sagte, dass der intelligente Mensch auszusterben drohe. Während die Akademiker sich nicht mehr richtig vermehren, sondern nur noch Karriere machen würden und gerade Genies oft ohne Nachkommen seien, würden die Dummen ein Kind nach dem anderen in die Welt setzen. Dem wolle er etwas entgegenstellen. Er habe deshalb Unsummen ausgegeben, um die Samen von diversen Nobelpreisträgern und genialen Wissenschaftlern zu kaufen. Wie wir erfuhren, hatte er Anfang der Achtziger die Samenbank der Genies gegründet, die ersten Kinder waren bereits ein paar Jahre alt. Monroe hatte vor, eine neue genetische Elite zu züchten, und seitdem war er immer auf der Suche nach klugen und verschwiegenen Frauen, die ihm diese Kinder zur Welt bringen sollten.

Heute kommt es mir wahnsinnig vor, aber Monroe konnte einfach diese Pionierstimmung entfachen. Nach einem Vortrag von ihm war man sich sicher, an etwas Großem teilzuhaben. Zudem erhielten alleinerziehende Mütter ein Stipendium und wurden auf Jahre hinaus finanziell abgesichert. Ich war damals so naiv, ich dachte, ich kann mit dem Geld ein neues Leben anfangen. Eines, das endlich einmal etwas bedeutet, in dem ich Verantwortung trage und ein Kind habe, das von Anfang an die besten Voraussetzungen hat. Ich wollte wenigstens einmal alles richtig machen.

Und so kam es, dass ich nach ein paar Tests für geeignet erklärt wurde und in der Monroe-Klinik den Samen eines genialen Menschen eingepflanzt bekam. Neun Monate später kamst du zur Welt. Mein kleines Genie.

Normalerweise wussten wir Mütter nicht, von wem der Samen stammte. Es hieß, dass alle Spender gutaussehend, gesund und athletisch seien. Sie hatten Decknamen wie Donor Brian oder Donor Michael, dazu gab es vage Informationen über den Beruf, den IQ *und ihre Interessen. Mehr war nicht bekannt. Monroe sagte immer: »Stellt euch einfach vor, es ist Einstein persönlich!« Doch mir reichte das nicht, ich wollte unbedingt wissen, wer dein Vater ist. Natürlich war das beinahe unmöglich, schließlich hatte Monroe damals jedem einzelnen Spender nicht nur viel Geld gezahlt, sondern ihm vor allem garantiert, dass sein Name niemals genannt würde. Aber es gab da einen Assistenten von Monroe, ein unscheinbarer Typ namens Andy, der in mich verliebt war. Er stahl die Akte über deinen Vater aus Monroes Büro. Ich bekam endlich ein Foto und ein paar Informationen. Dein Vater war Harvard-Absolvent, spielte Cello und hatte einen* IQ *von* 170.

Es hieß, dass er an der Westküste lebe, sein Deckname war Donor James. Seinen richtigen Namen dagegen weiß ich selbst nicht. Ich wollte ihn nicht kennen, weil ich Angst hatte, dass ich ihn sonst aufgesucht hätte. Aber vor allem hatte ich Angst, dass du *ihn aufsuchen könntest. Er kennt dich nicht, und er wird dich nicht sehen wollen, Frankie. Diese Enttäuschung wollte ich dir ersparen. Aber du kannst mir glauben, dass dein Vater ein herzensguter Mensch ist, das habe ich auf dem Foto gesehen. Er gefiel mir sofort. Ihr habt den gleichen klugen, spitzbübischen Blick.*

Es folgten einige Zeilen, die kaum leserlich waren. Offenbar hatte seine Mutter beim Schreiben gezittert, manche Sätze brachen einfach in der Mitte ab. Sie schrieb, dass der Diebstahl der Akte herausgekommen sei. Um Andy zu schützen, habe sie den Einbruch zugegeben und alle Schuld auf sich genommen. Monroe sei außer sich gewesen, er habe sie rausgeworfen, das Stipendium sei gestrichen worden. Aus Angst, die Sache könne auffliegen, habe er ihr jedoch ein einmaliges Schweigegeld gezahlt, im Gegenzug habe sie ein Dokument unterzeichnet, dass sie niemandem etwas darüber erzählen und nicht zur Presse gehen werde. Sie habe sich danach zu einem Neuanfang entschlossen und sei mit ihrem dreijährigen Kind an die Ostküste gezogen. Zum Schluss schrieb seine Mutter, dass sie nichts bereuen würde, weil sie zumindest ein paar glückliche Jahre gehabt habe. Mit ihm, mit Nicky und mit Ryan.

Was Ryan angeht, so habe ich ihm von alldem nichts gesagt. Er wäre sehr gerne dein echter Dad gewesen, und er konnte einfach immer weniger damit umgehen, dass du nicht sein leiblicher Sohn bist, also verurteile ihn nicht allzu sehr für das, was er uns in den letzten Jahren angetan hat.

Ich hatte niemals vor, dir das alles in einem Brief zu schreiben. Nun sind aber Dinge geschehen, die mich umdenken ließen. All die Jahre habe ich darauf gewartet, dass du endlich dein Potential ausschöpfst, Frankie. Doch obwohl du die besten aller erdenklichen Gene hast, warst du in den letzten Jahren ein schlechter Schüler, ohne Ehrgeiz, nicht mal durchschnittlich. Ich habe mir immer eingeredet, dass du zur Vernunft kommst, dass du mal studierst und etwas aus dir machst. Aber als du mir gestern erzählt hast, dass du die Schule nicht schaffst und darüber nachdenkst, dich freiwillig zum Militär zu melden, brach für mich endgültig etwas zusammen. Ich kann nicht zulassen, dass du dich so wegwirfst. Ich weiß, ich habe als Mutter versagt, und offensichtlich ist es nur meine Schuld, dass du nichts aus dir machst.

Ich dachte immer, ich muss für dich am Leben bleiben, aber vielleicht begreifst du ohne mich endlich, wie kostbar dein eigenes Leben ist. Alle Türen stehen dir offen, bei deinen Voraussetzungen.

Ich habe dich immer geliebt, Frankie, du warst der Grund, der mich so lange hat durchhalten lassen. Bitte kümmere dich um Nicky, und sag ihm, dass ich ihn immer liebhaben werde, auch wenn ich nicht mehr da bin,

Mom

2

Francis fühlte es: Dies war der Moment in seinem Leben, in dem alles einen Sinn bekam; in dem er endlich wusste, was er zu tun hatte!

Er stand vor dem Spiegel im Bad, sein Ebenbild strahlte ihn an. *Ein Genie*, schoss es durch seinen Kopf. Plötzlich sah er die Dinge klar; er musste seinen Vater finden, egal, wie. Wenn die Sache gut lief, würde er endlich aus seinem Leben ausbrechen und den Leuten zeigen können, dass er kein Versager war. Sein Nachbar Toby meinte immer, Typen wie sie kämen in diesem Land nur aus der Scheiße raus, wenn sie entweder Geld hätten oder genial wären. Beides war zeit seines Lebens unerreichbar gewesen, doch jetzt hatte seine innere Kompassnadel wieder angefangen zu vibrieren. Nur zeigte sie nicht nach Norden, sondern nach Westen.

Da Donor James vielleicht noch immer in Kalifornien lebte, würde er zuerst dort nach ihm suchen. Mit etwas Glück konnte man ihm auch in der Monroe-Klinik in Los Angeles weiterhelfen. Ryan hatte ihm gesagt, dass er in zwei Tagen noch mal vorbeischauen solle, dann würde er ihm fünftausend geben; das müsse für Flugtickets und alles Weitere reichen. Das hätte es auch, aber das Geld brauchte er für etwas anderes. Etwas, was er sich schon lange beweisen wollte und für das nun die Zeit gekommen war. Und zum Glück hatte er ja jemanden, der ihn umsonst nach Los Angeles bringen würde.

»Nur zwei Worte«, sagte er, als er in Grovers Zimmer stand. *»Road. Trip.«*

»Nur zwei Worte«, antwortete Grover, als er begriff, dass er den Fahrer spielen sollte. *»Vergiss. Es.«*

Seine Standardantwort auf alles, was ein wenig Mut erforderte. Schon früher hatte er sich als Einziger nicht gefreut, wenn sie einen Ausflug mit der Klasse machten, war unsicher auf dem Dreimeterbrett gestanden und hatte im letzten Moment doch noch gekniffen, und auf Partys war er auch nie gegangen. Er fürchtete sich vor allem, was neu und unbekannt war.

Dabei hatten sie schon so oft davon geredet, mit dem Chevy mal eine Tour zu machen! »Das wird *episch*«, sagte Francis immer wieder, und nach einer wahren Überredungsorgie – inklusive einem mehrmals verzweifelt eingestreuten »Bitte« und dem Zugeständnis, dass sie unterwegs einen Stopp an dem bescheuerten Grand Canyon machen würden – stimmte Grover schließlich zu, ihn nach Kalifornien zu fahren.

Francis stand vor der Tür zur Überwachungsstation. Sie hatten seine Mom hierher verlegt, und so hartnäckig er es auch versuchte, sie wollten ihn nicht reinlassen. »Sie braucht Ruhe«, sagte die Schwester nun schon zum x-ten Mal durch die Gegensprechanlage. »Kein Besuch, kein Telefon. Tut mir wirklich leid. Komm nächste Woche wieder.«

Eine Weile probierte es Francis noch, dann gab er auf. Und vielleicht war es auch besser so, denn von der geplanten Reise hätte er seiner Mom sowieso nicht erzählen können. Und auch nicht, dass er in der Nacht nach ihrem Selbstmordversuch vor dem Trailer gesessen und geraucht hatte, bis es hell geworden war. Dass sie feige gewesen war und ihn im Stich gelassen hatte. Dass die Dinge zwischen ihnen niemals mehr so sein würden wie zuvor und sie ihm gar nichts mehr zu sagen habe. Stattdessen schrieb er ihr nur einen Brief, dass er sie liebhabe und bald wiederkommen werde. Das war auch nicht gelogen. Es war nur nicht die ganze Wahrheit.

Er stieg die Treppen hinunter zu Anne-Mays Station. Da ihre Eltern zu Besuch waren, wartete er auf dem Flur. Von einem Fenster aus beobachtete er später, wie die beiden in einen Lexus stiegen. Ihre Mutter trug ein cremefarbenes Designerkostüm, und der Vergewaltiger lief in einem blauen Anzug mit gelber Krawatte herum. Wenn Anne-May Besuch von den beiden bekam, war sie gar nicht mehr aufsässig, sondern ganz brav, fast verschüchtert.

Als er ihr Zimmer betrat, lag sie auf dem Bett. Sie trug einen Rock und ein enges Shirt, auf ihrem Schoß ein Buch von einem Typen namens Kazuo Ishiguro. Sie las so konzentriert, dass sie ihn kaum bemerkte. Auf dem Nachttisch stand noch immer die CD-Box mit den Los-Angeles-Philharmonikern, sie wollte unbedingt mal ein Konzert von ihnen besuchen.

Francis war längst klar, dass er ihr nicht das Wasser reichen konnte. Anne-May war bestimmt tausendmal schlauer und gebildeter als er. Sie kam aus einer Welt, in der man sich über Opern, Bücher und Politik unterhielt, in der der Kühlschrank täglich wieder gefüllt wurde und man große Pläne schmiedete, was man mit seinem Leben anfangen wolle. Er fürchtete sich schon jetzt vor dem Tag, an dem sie die Klinik wieder verlassen durfte. Nur hier, in dieser seltsamen Parallelwelt, in der Medikamente, Normalität und

Gesprächstherapie wichtiger waren als Geld, Intelligenz oder Herkunft, nur hier gehörte sie zu ihm.

»Warst du bei deiner Mom?« Anne-May legte das Buch weg und sah ihn mitfühlend an. »Wie …«

»Ist schon okay«, sagte er schnell, die Daumen in den Hosentaschen.

»Blödsinn, gar nichts ist okay.« Anne-May klopfte auf die freie Stelle neben sich. Als er zögerte, lachte sie. »Jetzt komm schon her.«

Er setzte sich aufs Bett, zwei Handbreit von ihr entfernt. Sie nahm seinen Kopf und fuhr ihm durchs Haar. Francis ließ es geschehen. Anne-May roch gut, ihr Körper war weich, er lehnte sich an. Es würde ihm schwerfallen, sich von ihr zu verabschieden.

»Wieso haben sich deine Mom und dein Stiefvater eigentlich scheiden lassen?«

»So genau hab ich's nie erfahren.« Francis rieb sich das Kinn. »Sie haben sich nie vor uns gestritten oder so«, sagte er. »Wie's aussieht, hat er meine Mom eben nicht mehr geliebt. Allerdings war sie damals auch schon depressiv. Sie hat sich immer mehr von uns zurückgezogen, lag nur noch in ihrem Zimmer. Damit konnte er wahrscheinlich nicht umgehen.«

»Und was war mit dir?«

Er schüttelte den Kopf. »Du weißt nicht, wie meine Mom früher war. Sie war liebevoll und lustig, und sie konnte alle möglichen Leute parodieren. Ihr hättet euch gemocht.«

Er dachte daran, wie seine Mutter und er sich beim *Risiko*-Spielen oft gegen Nicky und Ryan verbündet hatten. Sie hatten die beiden heimlich das »Team Liliput« genannt, weil sie so klein waren. »Komm, wir machen die beiden Zwerge fertig«, hatte seine Mom ihm zugeflüstert und gelacht.

»Ich hab keine Ahnung, warum sie so geworden ist. Vielleicht hat sie einfach ...«

Er sah seine Mom regungslos auf dem Boden liegen. Ihr benebeltes Gesicht, als sie wieder zu sich gekommen war. Seine Sicht verschwamm. Es war ihm peinlich vor Anne-May, schnell sah er zum Fenster.

Um etwas zu sagen, weihte er sie in den Abschiedsbrief seiner Mutter ein und dass er nach L. A. aufbrechen würde, um diesen Donor James zu finden.

»Ich hab 'nen Dad, verstehst du?!« Noch immer fühlten sich diese Worte aus seinem Mund unwirklich an. »Ich hab einen richtigen Dad.«

Anne-May freute sich für ihn, gleichzeitig wirkte sie betrübt.

»Wann fährst du los?«

»Morgen.«

Sie ließ von ihm ab und schien intensiv nachzudenken. Und wie so oft, wenn sie nervös oder unsicher war, bewegten sich ihre dunkelgrünen Augen hin und her. Immer wieder, rastlos. Dann fixierten sie ihn.

»Ich komme mit!«

Nein, das konnte er nicht machen! Er hatte genug Probleme, und überhaupt – aus ihrer Station kam man nicht so einfach raus. Die Türen waren gesichert, und sie hatte nur eine halbe Stunde am Tag, in der sie in Begleitung eines Pflegers im Park spazieren gehen durfte.

»Du musst mich aber mitnehmen!« Sie hatte Tränen in

den Augen, ihr schwarzer Lidstrich begann zu verlaufen. »Wenn ich noch länger hierbleibe, dreh ich durch, dann bring ich mich wirklich um. Ich kann dieses Essen nicht mehr sehen! Ich will nicht von meinem Vater besucht werden! Ich ertrag diese Tabletten und Therapiesitzungen nicht mehr! Die haben mir sogar mein Handy abgenommen. Ich bin neunzehn, und die behandeln mich wie ein Kind.«

Neunzehn war sie also. »Tut mir leid«, sagte er. »Das geht einfach nicht. Wenn ich dir hier raushelfe, suchen sie wahrscheinlich nach uns!«

»Ach, so ein Unsinn, Dean ... Die suchen nicht nach uns. Und in San Francisco lebt meine Nana, die möchte ich sehen.«

»Trotzdem, das geht wirklich nicht«, sagte er noch einmal und rückte von ihr weg.

Er schloss die Augen und versuchte sich zu beruhigen. Sein Atem wurde trotzdem schneller. Das lag an Anne-Mays Hand, die gerade an seinem Gürtel vorbei in seine Hose geglitten war. Überrascht tat er gar nichts und hielt die Augen noch immer geschlossen, während er steif wurde. Sie umfasste ihn mit der einen Hand, mit der anderen fuhr sie an Francis' Wange entlang und drehte sein Gesicht zu sich rüber.

»Schau mich an!«, sagte sie leise.

Er öffnete die Augen. »Was machst du da?«, fragte er, es klang armselig und unbeholfen. Anne-May hatte vielleicht nur eine Waffe, aber was für eine.

Es war das erste Mal seit langem, dass er einer Frau wieder so nahe kam, und er fühlte sich, als habe er alles vergessen.

Dabei hatte er bereits als Zehnjähriger die ersten Mädchen geküsst und vor zwei Jahren sogar beinahe mit Jenny Meyers aus seiner Klasse geschlafen. Erst im letzten Moment hatte sie einen Rückzieher gemacht und ihn auf ein anderes Mal vertröstet. Damals hätte er nie im Leben gedacht, dass er mit fast achtzehn noch immer Jungfrau sein könnte.

Anne-May lächelte. »Du hast es noch nie getan, oder?«

»Ich hab … Es gab da …«

»Das können wir ändern!« Die Hand in seiner Hose fing an, an seinem Schwanz zu reiben. Anne-May kam immer näher, ihr Mund war dicht vor seinem. »Wenn du mich hier rausholst und mitnimmst, dann schlaf ich mit dir. Jetzt sofort.«

Er wollte etwas antworten, aber er konnte nicht. Oben in seinem Hirn war alles leer. Da arbeitete niemand mehr, die Leute von dort waren alle begeistert nach unten gerannt. »Ich glaub, ich spinne, endlich passiert mal wieder was«, sagte der eine, während er das Treppenhaus in seinem Körper hinunterrannte. »Das schau ich mir an! Ich wette, dass er es noch irgendwie versaut«, ein anderer.

Schließlich nickte Francis. »Okay!«

Anne-May warf ihm einen überlegenen Blick zu. »Ich hab aber drei Bedingungen«, hauchte sie. »Die eine ist: Wir tun es im Dunkeln, ich will dich dabei nicht sehen oder küssen, und wenn du kommst, ist es sofort zu Ende. Du verlässt das Zimmer und tauchst erst morgen wieder hier auf und holst mich raus. Und du machst dir danach keine Hoffnungen und verliebst dich auch nicht in mich, das würde nämlich nicht gut ausgehen. Abgemacht?«

Das waren viel mehr als drei Bedingungen, dachte

Francis, aber eigentlich dachte er gar nicht. Er nickte nur. »Abgemacht!«

Sofort verschwand die Hand aus seiner Hose. Sie zerrte jetzt an seinem Shirt. »Okay, dann komm mit.«

Sie gingen in das Musikzimmer am Ende des Flurs. Anne-May befahl ihm, sich auf den Flügel zu legen. Dann knipste sie das Licht aus. Der Raum hatte keine Fenster, es war stockdunkel. Francis lag auf dem harten Holz und bekam ein wenig Angst, dass sie durchdrehen und ihm etwas antun könnte. Geistesabwesend öffnete er den Deckel und klimperte auf ein paar Tasten herum. Sie musste lachen.

Dann wurde es wieder still. Francis bekam eine Gänsehaut und hörte in der Dunkelheit, wie Anne-May ihren Rock, ihr Shirt und den Slip auszog. Sie kletterte zu ihm auf den Flügel, und er spürte ihren Körper und ihren Atem. Sie fuhr ein paarmal hastig mit ihren eiskalten Händen über seinen Oberkörper, hantierte an seinem Gürtel herum und zog ihm die Hose runter, dann auch die Boxershorts. Sie kam näher, und er fühlte ihre Brüste auf seiner Haut. Francis hörte sie schneller atmen und musste an die vielen Männer denken, mit denen sie schon geschlafen hatte. *Bitte, bitte, lieber Gott,* dachte er, *mach, dass ich's nicht sofort vermassle!*

Sie setzte sich auf ihn und zuckte einmal kurz zusammen, als hätte er ihr weh getan. Ein leichter Widerstand. Im nächsten Moment wurde alles warm, er war in ihr. Anne-May begann sich langsam auf ihm zu bewegen. Francis konnte nicht viel machen, außer dazuliegen. Er hatte gehofft, seine Augen würden sich an die Dunkelheit gewöhnen, aber es blieb finster. Anne-May bewegte sich schneller, sie stöhnte leise. Er wollte etwas tun und griff nach ihrem Hintern, aber sie riss seine Hände sofort weg und beugte sich über ihn. Ihre Haare fielen ihm ins Gesicht, ihr Kopf war jetzt neben seinem. Ihr Stöhnen wurde lauter, direkt an seinem Ohr. Es klang ganz hell und schwach, im Vergleich zu ihrer sonst bestimmten dunklen Stimme. Ein paarmal sagte sie leise »Ja«. Es ging alles so schnell, dass er sich erst später daran erinnerte. Er konnte nicht sagen, wie lange es dauerte, zwei oder zwanzig Minuten oder fünfzig Sekunden. Sie richtete sich wieder auf, nahm seine Hände und führte sie an ihre Brüste. Inzwischen keuchte er ebenfalls. Sie bewegte sich immer schneller auf ihm, und während er ihre Brüste berührte, spürte er, wie ihr Becken plötzlich mehrmals zuckte und sie noch einmal laut stöhnte. In diesem Augenblick hielt er es nicht mehr aus und kam. Vermutlich ein bisschen zu früh, aber jetzt gerade war er einfach nur glücklich. Er strich sanft mit einer Hand ihr Bein entlang und wollte diesen Moment am liebsten für immer festhalten.

»Raus!«, sagte sie.

3

Francis hatte sich im Dunkeln angezogen, das Zimmer verlassen und stolperte zum Ausgang der Station. Steve schloss ihm auf und fragte ihn etwas, doch er nahm ihn kaum wahr. Sein Kopf voller Empfindungen und Geräusche und gleichzeitig einfach nur leer. Er hatte die Schwäche einer Kranken ausgenutzt, andererseits fühlte er sich selbst benutzt, verbraucht, schlecht. Gern hätte er allen erzählt, was gerade passiert war, und am liebsten hätte er mit Anne-May darüber geredet, doch das konnte er ja nicht.

In der Siedlung roch es nach Motoröl, Gegrilltem und feuchtem Gras. Francis ging zu seinen Nachbarn. Die Millers hatten vier Kinder, bis auf die älteste Tochter hatte keines die Highschool geschafft. Jeden Freitag veranstalteten sie einen italienischen Abend, an dem es Spaghetti oder Pizza gab, und manchmal luden sie dazu auch Francis und seine Mutter ein.

Er rief nach Toby. Sekunden später erschien in der Tür ein Typ mit kurzen, blonden Haaren, Baggy-Jeans und weißem Unterhemd. Auf seinen linken Oberarm hatte er ein finster dreinblickendes Gesicht und »OBEY!« tätowieren lassen. Toby war drei Jahre älter als Francis, abends saßen beide oft noch draußen vor ihren Trailern und unterhielten sich, Toby gab ein Bier aus oder ließ ihn an seinem Joint ziehen. Manchmal las er auch kleine Texte oder Lyrics vor, die er schrieb. Er nannte sie *Trailerpark Diaries*. Sie erzählten von den Leuten aus ihrer Siedlung und dass sie alle in Ketten lägen und es nur nicht wüssten. Manche Notizen handelten auch von den über zwei Millionen obdachlosen Kindern in Amerika und all den Abgehängten und Ausgegrenzten im Land, für die sich niemand interessierte und die von der Regierung mit Fernsehen, Internet und anderen Drogen ruhiggestellt würden, bis es eines Tages zu einem Aufstand käme. Francis fand die Texte immer etwas wirr und pathetisch, aber das machte nichts. Er hatte seinen Nachbarn von Anfang an gemocht.

»Unsere Klimaanlage ist kaputt«, Toby deutete auf das weiße Ding, das aus dem Trailer der Millers herausragte.

»Wir haben keine Kohle, um sie reparieren zu lassen, und meine Mom rastet deshalb mal wieder aus. Egal …«

Francis fragte sich, ob man ihm ansehen konnte, was er gerade erlebt hatte, ob er wohl anders und älter wirkte. Doch Toby redete mit ihm wie immer. »Na, was geht, Kleiner?« Er durfte ihn als Einziger so nennen. »Hast du schon das von Tammy Parks gehört?«

»Wieso, was ist passiert?«

»Ihre Mom ist vorgestern gestorben. Sie konnten die Operation jetzt doch nicht bezahlen, ging am Ende alles ziemlich schnell.«

»Scheiße.« Francis musste an Mrs. Parks denken, die ihn immer angeschnauzt hatte, wenn seine Katze auf ihre Veranda gelaufen war. Und an ihre Tochter, mit der er vor ein paar Jahren zusammen gewesen war. »Hat eigentlich alles geklappt?«, fragte er.

Toby nickte und drückte ihm den Ausweis in die Hand. Er sah genauso aus wie sein bisheriger, mit dem einzigen Unterschied, dass Francis darauf einundzwanzig war. Toby hatte das nicht selbst gemacht; jemand von den Leuten, denen er Drogen verkaufte, war der beste Fälscher der Gegend.

»Wieso wolltest du den eigentlich so schnell? Und wofür?«

Francis hätte ihm von seinem Plan erzählen können und dass er dafür einundzwanzig sein musste, aber er behielt es lieber für sich. »Das Übliche …«, sagte er nur. Er kniff die Augen zusammen. »Was schuld ich dir? Morgen krieg ich Geld, dann kann ich …«

»Du schuldest mir gar nichts«, sagte Toby.

Francis dachte an die Nacht vor zwei Jahren. Die Millers

waren schon immer laute Nachbarn gewesen. Die Wände ihres Trailers waren nicht dick, man bekam so gut wie alles mit. Etwa wenn der Vater den Jungen verprügelte oder seine Frau. Irgendwann war der Lärm dann leiser und beklemmender geworden. Mädchengewimmer. Ihr Vater hatte immer weitergemacht, ein arbeitsloser Säufer, ein Tyrann, der sich an seinen Töchtern vergriff und den niemand bremsen konnte. Und dann, vor knapp zwei Jahren – Francis hatte gerade ferngesehen –, hatte es bei ihm geklingelt; Tobys Schwestern. Sie hatten gefragt, ob sie bei ihm übernachten könnten.

»Mom ist heute Abend nicht da, und Toby wollte mit ihm allein sein.«

Francis hatte sie reingelassen, aber ein komisches Gefühl gehabt. Nebenan hatte es gescheppert. Immer wieder hatte er dumpfes Gebrüll gehört, bis es plötzlich still war. Einen Moment lang hatte er geglaubt, dass jetzt jemand tot war. Aber dann war der Krankenwagen gekommen und hatte Tobys Vater mitgenommen. Am nächsten Morgen hatte Francis den Müll weggebracht. Es hatte geregnet, und auf einmal war Toby wie ein Geist vor ihm aufgetaucht. Etwas an ihm war anders gewesen, Francis hatte nicht erkennen können, ob er geweint hatte oder ob sein Gesicht vom Regen nass war. Sie hatten sich angestarrt.

»Ich konnte es einfach nicht tun«, hatte Toby schließlich gesagt. »Er ist mein Vater. Aber ich hab ihm gesagt, dass ich's tue, wenn er noch mal hier auftaucht.«

Danach hatten sie nie wieder darüber geredet, und danach hatte auch niemand mehr in der Gegend Tobys Vater gesehen.

Am Abend vor der Abfahrt stand Francis im Schlafzimmer seiner Mom. Er suchte nach Unterlagen zu seiner Zeugung, fand aber nichts. Nicht unter ihrer Matratze, nicht im Schrank, nicht in der Kommode. Dafür entdeckte er in einer Schublade Bilder von sich als Kind. Auf allen wirkte er fröhlich, und auf manchen hatte er auch dieses selbstsichere Grinsen, das ihm in den letzten Jahren völlig abhandengekommen war und das er jetzt auf den Fotos wiedersah wie einen alten, fast vergessenen Freund. Seine Finger stießen auf etwas Metallenes. Versteckt unter den Fotos lag die Medaille für den zweiten Platz, die er bei einem überregionalen Ringerturnier gewonnen hatte. Seltsam, er hatte völlig vergessen, dass er sie seiner Mom geschenkt hatte. Es rührte ihn, dass sie das alte Ding noch immer aufbewahrte.

Francis suchte weiter. Im untersten Fach der Kommode fand er Packungen mit Zoloft, Kodein und anderen Pillen. Dazwischen ein Haufen Mahnungen. Offenbar hatte sie schon seit zwei Monaten weder Telefonrechnungen noch die Miete für den Trailer bezahlt. Sie hatten nur noch wenige Wochen Zeit, die Schulden zu begleichen, sonst mussten sie selbst hier raus. Francis starrte auf die Mahnungen, er setzte sich auf das Bett seiner Mutter und fuhr sich über den Mund.

Es musste einfach alles anders werden!

Er brauchte einen Moment, sich zu fassen, dann raffte er sich auf und fuhr den PC hoch. Im Netz gab es zu *Donor James* keinen Treffer, und zur Samenbank der Genies, in den Berichten oft die »Genie-Farm« genannt, fanden sich nur wenige Artikel. In einem hieß es, dass die Samenbank bereits vor Jahren aufgelöst worden war, kurz nach Monroes Tod. Auch seine Kliniken waren geschlossen worden, bis auf die in Los Angeles, in der Francis gezeugt worden war.

Die halbe Nacht arbeitete er sich noch durch alle möglichen Seiten, fand aber nur noch ein paar spärliche Berichte über Monroe und seinen Partner, den österreichischen Eugeniker Dr. von Waldenfels, dazu einige Dokumentationen. Doch wann immer er auf einen Link klickte, war der Artikel inzwischen gelöscht worden oder einfach nur vage und nichtssagend.

Was für eine Enttäuschung! Francis wollte endlich die Wahrheit erfahren. Sein Vater war ein verdammtes Genie, also steckte irgendetwas davon auch in ihm!

Er musste nur rausfinden, was.

4

Pünktlich um elf Uhr vormittags schlenderte Francis über den Klinikparkplatz, eine Tasche geschultert. Darin Anne-Mays Wäsche, ein Beutel mit Medikamenten, das Bild ihres Bruders, die CDs von den Los-Angeles-Philharmonikern und ihr Portemonnaie. Der Brief, in dem sie ihre Flucht begründete, lag bereits unter ihrem Kopfkissen.

Er setzte sich in den Chevy. Trotz seiner Anspannung musste er ein Gähnen unterdrücken. Mehr als drei Stunden hatte er sicher nicht gepennt, geduscht hatte er mit geschlossenen Augen.

Grover dagegen wirkte aufgedreht. Er trug wie immer

schwarze Stiefel und nestelte an seinem neugekauften T-Shirt – auf der Brust stand »PUSSYMASTER«. Was sollte man sagen, der Typ war einfach wahnsinnig.

»Francis, wir müssen reden.« Er umklammerte das Steuer. »Ich bin nicht mehr sicher, ob das alles so eine gute Idee ist. Ich war noch nie so weit weg von zu Hause, und meine Mom bringt mich um, wenn sie …«

»Deine Mom glaubt, du bist mit deinen Mathletes in Vermont.«

»Aber ich hab sie noch nie angelogen, Francis. Das wird auffliegen!«

»Wird es nicht. Vertrau mir.«

Grover legte resigniert den Kopf aufs Lenkrad. »*Francis*, du kannst gern mein Auto haben. Oder ich kann dir …«

»*Grover!* Wenn du nicht mitkommst, fahr ich nicht. Ich brauch dich. Bitte!«

Er beobachtete, wie Anne-May auf den Parkplatz zulief und etwa hundert Meter entfernt vor einem Kiosk stehen blieb. Francis atmete auf. Der Pfleger an ihrer Seite war der dicke Steve; das würde ein Kinderspiel werden.

»Mach schon mal den Motor an.« Francis öffnete die hintere Tür. »Es geht los.«

»Es geht los?« Grover starrte erst auf Anne-May und den Pfleger, dann auf die Tasche, die auf Francis' Schoß lag. »*Was* geht los?«

Francis antwortete nicht und warf die Tasche auf den Rücksitz. Anne-May und der Pfleger standen noch immer am Kiosk und kauften offenbar zwei Cornetto. Sie schien mit ihm zu flirten, Steve lachte. Francis drückte zweimal fest auf die Hupe.

»Was machst du da? Was passiert jetzt?«, fragte Grover noch mal, nun mit einem Hauch Panik in der Stimme.

In diesem Moment lief Anne-May los. Steve sah ihr erst verdutzt hinterher, doch dann – mit den Eiswaffeln in der Hand – rannte er ihr schwer atmend nach. Er gab sein Bestes und war verblüffend ausdauernd, hatte aber keine Chance. Anne-May sprang ins Auto, da war er noch vierzig Yards entfernt. Es schien geschafft – nur fuhr Grover einfach nicht los. Von der Situation völlig überfordert, blickte er sekundenlang aufs Armaturenbrett und regte sich nicht.

»Fahr, verdammt!«, rief Francis immer wieder.

Steve schöpfte nun doch wieder Hoffnung und kam näher. Und näher.

»MANN, JETZT FAHR ENDLICH!«

Grover erwachte aus seiner Starre und trat das Gaspedal durch. Im Rückspiegel konnte Francis noch das enttäuschte Gesicht des Pflegers sehen; mit den beiden Eiswaffeln sah er aus wie ein Kind, dem man sein liebstes Spielzeug weggenommen hatte. Dann bogen sie um eine Ecke und waren auf und davon.

5

Sie fuhren in hohem Tempo aus der Stadt raus. Anne-May hielt den Kopf aus dem Fenster, ihre Haare zerzausten im Wind. Francis warf Grover einen vorwurfsvollen Blick zu. »Danke, dass du so lange gezögert hast. Du bist echt ein Schisser.«

»Ich bin *kein* Schisser!«, sagte Grover, seine Stimme auf

einmal deutlich männlicher als sonst. Er schien vor Anne-May cool wirken zu wollen. Immer wieder musterte er sie ungläubig; vermutlich hatte er die ganze Zeit gedacht, dass Francis nur übertrieben hatte. »Aber was, wenn sie uns verfolgen?«, fügte er leise hinzu.

»Die verfolgen uns nicht, es war ja niemand …«

Hinter ihnen ertönte eine Polizeisirene.

Erschrocken fuhren alle drei herum, Grover versank sofort im Sitz, auch Anne-May duckte sich. Wortlos beobachteten sie die Highway-Patrol, die näher kam, sie einholte – und dann mit hoher Geschwindigkeit an ihnen vorbeifuhr.

Erleichtert sah Francis ihr nach. Zwar hatte es bei ihrer Flucht außer Steve keine Zeugen gegeben, dennoch rechnete er insgeheim damit, dass er auf die glorreichen Jahre im Wohnwagen noch einen Aufenthalt im Jugendknast setzen konnte. Doch niemand hielt sie an.

Als die Angst von ihnen abfiel, bedankte sich Anne-May mehrmals bei Francis. Und natürlich bei Grover, ihrem heldenhaften Fahrer. Der war überglücklich und konnte nicht damit umgehen, dass eine so hübsche Frau wie Anne-May überhaupt mit ihm sprach. Er stotterte herum und brachte kaum ein Wort heraus.

Anne-May amüsierte das. »Der Pussymaster hat uns gerettet«, sagte sie immer wieder. Francis lachte, und Grover lachte ebenfalls. Er schien keine Ahnung zu haben, weshalb sein Shirt so lustig war.

In Manhattan waren Teile der Church Street wegen eines Feuerwehreinsatzes gesperrt, sie kamen nur langsam voran. Eine Japanerin im Trainingsanzug sprang aus dem Taxi vor ihnen und rannte fluchend zur Metro. Schließlich stellten sie den Chevy in einem Parkhaus ab. Während die anderen in ein Café gingen, suchte Francis seinen Stiefvater auf, um das Geld zu holen.

Diesmal begrüßte ihn Ryan schon vor der Tür. »Komm rein«, sagte er etwas zu freundlich. Francis bekam Angst, dass er ihn mit fadenscheinigen Gründen abweisen könnte. Doch er täuschte sich.

»Willst du das Geld bar?«, fragte Ryan.

»Ja, bar wäre am besten.«

»Dachte ich mir.« Ryan griff in eine Schublade und holte ein prallgefülltes Kuvert heraus. »Fünftausend. Du kannst nachzählen, wenn du willst!«

»Schon okay ... Danke!«

Ryan nickte. »Wie geht's deiner Mutter?«

Francis wollte gerade antworten, als ein Anruf kam. Er beobachtete, wie Ryan telefonierte, er wirkte müde und angespannt. Dennoch machte er im Gespräch einen dynamischen Eindruck. Ryan hatte sich nie beklagt, als er sich mit den Aktien so verspekuliert hatte. Er hatte schon am nächsten Tag gesagt, dass er sich das Geld wieder zurückholen würde. Francis war sich sicher, dass es so kommen würde. In ein paar Jahren würde Ryan seine Schulden abbezahlt haben und danach wieder reich werden. Er konnte härter arbeiten als alle anderen.

Einen Moment lang bewunderte Francis ihn dafür. Dann legte Ryan den Hörer auf und winkte ihn zu sich. Er legte Francis den Arm um die Schulter. »Das mit den fünftausend ist eine einmalige Sache, Frank, damit das klar ist. Ich bin nicht mehr für dich verantwortlich. Ich habe dir das Geld gegeben, weil ich es dir versprochen hatte und weil ich meine Versprechen halte. Aber ich bin nicht der Kerl, den du in Zukunft einfach so anpumpen kannst, wenn du mal was brauchst, verstanden?«

Francis nickte zögerlich und nahm das Kuvert an sich.

Als er gehen wollte, hielt Ryan ihn zurück. »Ich werde das übrigens auch Katherine sagen: Wir sind seit fast fünf Jahren geschieden, ich habe eine eigene Familie und eigene Probleme, ich kann euch nicht immer unterstützen oder ständig alles finanzieren, wenn sie wieder mal ihre Medikamente nicht nimmt und in die Klinik kommt. Wir reden hier von einer Frau, die mich in ihrem Wahn in einem fort beleidigt. In den letzten Jahren habe ich Unsummen für euch ausgegeben.«

»Aber sie ist nicht versichert, wir …«

»Nichts aber. Wenn du ein Problem damit hast, dann gib ihr deine fünftausend, oder such dir einen richtigen Job. Auch deine Mutter kann sich eine Arbeit suchen. Sie hat immerhin mal studiert, niemand hat ihr damals gesagt, dass sie ihr Studium schmeißen soll. Ich denke, wenn sie auf eigenen Beinen stehen muss, hilft ihr das mehr.«

Francis starrte auf das Geld, äußerlich ruhig, doch das leise Beben an seinem Hals verriet ihn. »Weißt du, was ihr *wirklich* helfen würde?« *Beherrsch dich,* dachte er, zu spät. »Ihr würde helfen, wenn du ihr nicht ihren Sohn wegnimmst und sie Nicky öfter sehen könnte. Oder wenn du sie nicht in einem Drecksloch verrecken lassen würdest. *Das* würde ihr helfen. Du spielst dich hier als großzügiger Retter auf, dabei hast du sie mit ihrer Krankheit weggeschmissen wie ein Stück Müll.«

»Fertig?«, fragte Ryan ruhig. »Gib mir ruhig die Schuld

an allem, aber in Wahrheit bist du doch sauer auf dich selbst.« Er deutete auf das Kuvert. »Mein Vater starb, als ich elf war. Er kam von der Straße ab, prallte gegen eine Mauer und war sofort tot. Ich ging damals mit Freunden ins Kino und war ein normales Kind, und als ich nach Hause kam, war ich plötzlich das älteste von sechs Geschwistern, die zu Halbwaisen geworden waren. Ich musste mich um alles kümmern. Ich konnte es mir nicht leisten, so faul und weinerlich zu sein wie du.«

Francis wollte etwas erwidern, doch es war zwecklos. Ryans Blick schweifte in die Ferne, vermutlich dachte er wieder an seine Kindheit, die ihn hart und stark gemacht hatte. Ein innerer Diavortrag mit den immergleichen Bildern.

Er dachte an seine Mom, die in der Geschlossenen lag und sich nicht gegen diese Vorwürfe wehren konnte. Er dachte auch an den Ryan von früher, der mit ihm am Wochenende Ausflüge gemacht und ihm bei den Hausaufgaben geholfen hatte. Und an das eine Mal, als sie über seinen richtigen Vater gesprochen hatten.

»Denkst du hin und wieder an ihn?«, hatte Ryan möglichst beiläufig gefragt. Damals war Francis dreizehn gewesen. Sie hatten Basketball gespielt und saßen danach auf dem Court, um sich auszuruhen. Es war die Zeit gewesen, in der sich Francis körperlich entwickelte und Ryan an Größe überholte. Während Nicky wie eine Miniaturversion seines Vaters aussah, hatte er selbst inzwischen immer mehr einem Mann geglichen, den er nicht kannte.

»Nimmst du dir manchmal vor, deinen Vater zu suchen?«, hatte Ryan weitergefragt. Seine Stimme war freundlich gewesen, aber auch seltsam brüchig.

Seine Mom und Ryan hatten zu dieser Zeit schon beschlossen, sich scheiden zu lassen, aber Francis hatte sich sicher gefühlt. »Ja, manchmal schon«, hatte er gesagt. Es war ein warmer Junitag gewesen, das wusste er noch.

Ryan hatte nur seine Schnürsenkel gebunden und genickt. Dann hatte er ihm einen Klaps auf den Arm gegeben und war zum Wagen gegangen. Francis hatte später das Gefühl gehabt, einen Fehler gemacht oder einen Test nicht bestanden zu haben, ohne zu wissen, welchen. Für ihn selbst war es nie eine große Sache gewesen, dass er nicht Ryans Sohn war, deshalb war er immer davon ausgegangen, dass es umgekehrt genauso sein musste; schließlich hatte er Ryan geliebt. Doch danach bekam er das Gefühl, dass Ryan zu seinem leiblichen Sohn schon lange ein innigeres Verhältnis hatte als zu ihm.

Für diesen Gedanken gab es keinen Beweis, weder Worte noch Berührungen, trotzdem beschäftigte es ihn. Inzwischen war er sich sicher, dass sein leiblicher Vater schon immer ein Problem dargestellt haben musste. Ryan hatte sich niemals etwas anmerken lassen, aber vielleicht war die Ehe auch deshalb gescheitert, weil seine Frau noch ein Kind gehabt hatte, das nicht von ihm war. Und jetzt war er für Ryan nur noch fünftausend Dollar wert, und seine Fotos auf dem Schreibtisch waren durch Bilder von einem Hund ersetzt worden.

Francis presste die Zähne zusammen. Er wünschte sich nichts mehr, als dass sein richtiger Vater anders wäre als Ryan und dass alles gut werden würde, wenn er ihn traf. Dann steckte er das Geld ein und wollte gehen.

Als er schon an der Tür war, hörte er seinen Namen. Er drehte sich um. »Was ist?«

Ryan sah ihn lange an, sein Blick wirkte bedauernd. Es war, als würde über ihm eine Sprechblase schweben, gefüllt mit Abschiedsworten oder einem einfachen »Viel Glück!«. Wieder läutete das Telefon. Ryan zögerte erst, unentschlossen. Dann hob er den Hörer ab.

Francis verließ das Büro.

6

Beim Betreten des Cafés stellte er sich auf folgende Szene ein: Anne-May hatte ihren Kopf auf den Tisch gelegt und war vor Langeweile eingeschlafen, während Grover sie mit *Unreal Tournament*, Fantasy-Rollenspielen mit Elfen und Rittern oder ungelösten mathematischen Problemen zulaberte. Noch wahrscheinlicher war es, dass Grover allein dasaß und mit den Schultern zuckte; Anne-May wäre gleich abgehauen und wolle nichts mehr mit ihnen zu tun haben.

Doch als er das Café betrat, saßen die beiden an einem Ecktisch und schienen sich sehr zu amüsieren. Verwundert ging er auf sie zu. »Was ist so witzig?«

Anne-Mays Gesicht war vom Lachen ganz rot. »Mach noch mal«, brachte sie nur hervor. Im Café lief ein alter Song von Ice Cube. Grover rappte mit und redete mit seiner schüchternen, langsamen Stimme im Ghettoslang von »tighten bitches« und dass er »die fetteste Nuttenschleuder« in ganz Claymont habe, das »Pussymastermobil«.

Alles kindisch und bescheuert, natürlich, aber irgendwie auch lustig, allein schon, weil Anne-May es lustig fand. Gleichzeitig störte Francis, dass jemand anders sie zum

Lachen bringen konnte. In der Klinik hatte er sie für sich allein gehabt, jetzt wurde ihm klar, dass er sie auf der Fahrt teilen musste.

Sie brachen auf. Grover fädelte in den Freeway ein, und während New York im Rückspiegel zusammenschrumpfte, trommelte Francis mit den Fingern auf dem Handschuhfach. Es war eine Reise ins Ungewisse. Niemand konnte voraussagen, ob dieser Donor James ein einsamer Universitätsprofessor war, ein versnobtes Mitglied im Country Club oder ein liebevoller Familienmensch. Und doch hatte er das Gefühl, er müsse seinen Vater nur einmal anschauen, nur einmal kurz mit ihm sprechen, und schon würde sich sein ganzes Leben verändern. Sein Dad würde ihn aus diesem Mist rausholen. Ganz sicher.

Midwest

1

Sie hatten den Garden State hinter sich gelassen und fuhren durch Pennsylvania: ein einziger großer Wald, der durch den Highway geteilt wurde. Im Radio lief irgendein College-Rocksong. Grover trank schlürfend aus einer Dose Mountain Dew, Anne-May saß mit schwarzen Klamotten und Sonnenbrille auf dem Rücksitz. Sie schrieb konzentriert in ein Notizbuch und kaute auf einer Haarsträhne. Francis erwischte sich dabei, wie er sie sekundenlang anstarrte.

»Was schaust du so?«, fragte sie und spuckte ihre Haare aus.

Er sah wieder weg. Ihm fiel ein, wie sie gesagt hatte, er solle sich keine Hoffnungen machen und sich nicht in sie verlieben. Und wie sollte das gehen? Auch Grover linste ständig zu ihr. Durch kosmische Zufälle hatten sie es geschafft, diese Frau in den Chevy zu kriegen, und noch immer konnten sie es nicht fassen.

Als Anne-May sich nach vorne beugte, um das Radio leiser zu stellen, blickte Grover erschrocken auf die Narben an ihren Handgelenken.

»Ja, ich hab versucht, mir das Leben zu nehmen«, sagte sie nur. Es klang fast stolz.

»Aber warum hast du das getan, Anne-May?« Immerhin

sprach er auch andere Leute penetrant mit ihrem Vornamen an.

»Weil das Leben scheiße ist, deshalb.«

»Wieso ist das Leben scheiße?«

Francis schüttelte den Kopf. Man hätte diesen denkwürdigen Moment einfrieren sollen. Grover Chedwick hatte tatsächlich gefragt, wieso das Leben scheiße war. Der wandelnde Beweis für diese These hatte quasi sich selbst in Frage gestellt. Er dachte an bleierne Schultage voller Demütigungen von Typen wie Brad Jennings, an die ewige Bevormundung durch seine Mutter. An die Ignoranz der Mädchen, die sich nie für seine liebenswürdigen Schrullen interessiert hatten, und an den Tisch in der Ecke der Cafeteria, abseits von *allem*. Konnte es sein, dass Grover dieses Leben trotzdem irgendwie mochte?

»Das Leben ist scheiße, weil das Leben scheiße ist«, sagte Anne-May.

Punkt für sie.

Die Interstate 80 WB war in kühlen Nebel gehüllt, sie fuhren gen Westen, bis sie tanken mussten und bei der Gelegenheit ein paar Cheeseburger aßen. Francis lud die anderen ein, er wollte auf der Reise auch einmal großzügig sein. So oft hatte er sich von Grover etwas leihen müssen, jetzt hatte er seit Jahren zum ersten Mal Geld, fünftausend Dollar. Und wenn alles nach Plan lief, hatte er bald noch mehr.

Beim Essen sprachen Anne-May und Grover über ihre Eltern. Sie erzählte, dass ihre Mutter früher gemalt habe und Galeristin sei.

Als sie erwähnte, dass ihr Dad gerade eine Schule in

Staten Island entwarf, sah Francis sie durchdringend an. Bei der Vorstellung, wie ihr Vater sich an ihr vergangen hatte, spürte er so viel Wut, dass er sich am Tisch festkrallte.

Doch sie ließ seine Blicke unbeantwortet.

Im Tankstellensupermarkt kauften sie Proviant für die Reise und verstauten unzählige Tüten mit Chips, Sandwiches, Getränken und Keksen im Kofferraum. »Gott, endlich kein Klinikfraß mehr ...« Anne-May biss in einen Muffin und schloss genießerisch die Augen.

Francis setzte sich zu ihr nach hinten. Auf der Fahrt lasen sie in den ausgedruckten Artikeln zur Samenbank der Genies, die er in einer Mappe dabeihatte, und machten Sprüche über das Experiment und seine Zeugung.

»Ich kann mich noch sehr gut daran erinnern«, sagte Francis. »Es war eine ziemlich komfortable Wichskabine, in die man Donor James damals geschickt hat. Danach ging alles schnell: Ich schwamm noch ein paar Bahnen in meinem Becher, dann wurde ich auch schon eingefroren. *Brrrh,* war das kalt ...«

Die anderen lachten, Francis dagegen wurde für einen Moment schwindlig. Zum ersten Mal begriff er, dass das ja *tatsächlich* die Wahrheit war. Er war nur ein Spritzer Sperma eines fremden Genies, das seitdem keinen einzigen Gedanken an ihn verschwendet hatte. Und womöglich lebte sein Vater mit zwei wohlgeratenen Kindern und seiner sympathischen Frau in einem riesigen Haus, und das Letzte, was er wollte, war Besuch von seinem Sperma, das an seiner Tür klingelte und »Hallo, Papa« sagte.

»Dean, das große Genie …« Anne-May legte den Artikel weg. »Das ist alles so absurd. Wobei, vielleicht bist du ja wirklich in irgendwas genial.«

»Meinst du?«

»Ja, träum weiter«, rief Grover von vorne.

Francis versetzte ihm einen freundschaftlichen Stoß, dann las er wieder. Besonders der Bericht über Alistair Haley beschäftigte ihn. Alistair war das einzige Kind aus dem Projekt, dessen Name öffentlich geworden war, und offenbar selbst ein Genie. Angeblich hatte er einen IQ von 189 und lebte in Kalifornien. Mit elf hatte er bereits vier Instrumente gespielt und mehrere Sprachen beherrscht.

Francis überflog den Artikel zum wiederholten Mal. Bestimmt war dieser Alistair Haley längst für den Nobelpreis nominiert worden. Sie hatten beide einen ähnlich klugen Vater gehabt, doch wie unterschiedlich hatten sie sich entwickelt! Wie war das möglich? Francis ging diese Frage nicht aus dem Kopf. Wie konnte sein Vater ein Genie sein, während er selbst so ein Versager war?

Hinter Cleveland übernachteten sie in einem *Days Inn*. Als Francis sein Shirt auszog, bemerkte er, wie Anne-May seinen Oberkörper betrachtete. Ihre Blicke trafen sich, schnell sah sie wieder weg. Dann lieh sie sich Grovers Handy und ging raus auf den Gang.

Jetzt, wo sie weg war, zog sich auch Grover um. Bleich und dürr stand er in einer hellblauen Unterhose im Zimmer. Francis hatte immer das Gefühl, dass man seinen Freund wie ein Klappfahrrad in der Mitte zusammenfalten und danach noch weiter zusammenklappen konnte, bis er in ein Schließfach oder eine große Schublade passte. Linkisch schlüpfte Grover in einen karierten Kinderpyjama.

»Was?«, fragte er, als Francis nur den Kopf schüttelte.

»Soll ich dir noch eine heiße Milch und ein Stück Schokolade ans Bett stellen?«

»Ha, ha!« Grover blickte zur Tür, von draußen hörten sie Anne-Mays energisch werdende Stimme. Den ganzen Abend hatte er in ihrer Nähe kein Wort mehr rausgebracht. »Habt ihr …« Er druckste herum. »Lief schon was mit ihr?«

Francis zog ein schiefes Gesicht und schwieg.

»Jetzt komm schon, du musst …«

Anne-May kam wieder ins Zimmer, die Augen verweint. Grover wollte wissen, was los sei, doch sie legte den Finger auf die Lippen und verschwand im Bad. Als sie zurückkam, trug sie nichts außer einem ärmellosen Shirt und einem Slip. Trotz seines Mitleids gaffte Grover sie an, bis Francis ihn anstieß.

Sie knipsten das Licht aus, doch in der Dunkelheit fühlte Francis sich unwohl. Fremdes Bett, fremde Gegend, meilenweit weg von zu Hause. Er wälzte sich umher. Zum ersten Mal dachte er daran, dass die Reise auch scheitern konnte. Während Anne-May allein in ihrem Kingsize-Bett lag, teilte er seines mit Grover, der leise vor sich hin schnarchte.

Irgendwann hielt Francis es nicht mehr aus. Er verließ das Zimmer und wanderte durch die leeren Flure des Motels. Im Innenhof rauchte er zwei Zigaretten. Seine Mom lag jetzt vermutlich in ihrem Bett auf der Station und hatte keine Ahnung, wo ihr Sohn steckte. An was dachte sie jetzt? Bereute sie alles? Er hoffte, dass sie nicht noch mal versuchte, sich das Leben zu nehmen, und stellte sich vor, wie gespenstisch ruhig es um diese Zeit in der Klinik war.

Als er zurückkam, schlief Grover noch immer. Anne-May dagegen schien ihn anzuschauen. Der Mond leuchtete ins Zimmer, er konnte jetzt deutlich das Weiße ihrer Augen erkennen. Francis blieb in der Mitte des Raums stehen, sie schauten einander noch immer an. Ewig. Dann legte er sich einfach zu ihr. Er rechnete damit, dass sie ihn wegschickte. Aber sie rückte zur Seite und gab ihm einen Teil ihrer Decke.

»Wo warst du?«, flüsterte sie.

»Draußen, eine rauchen. Konnte nicht schlafen.«

»Ja, geht mir auch so.«

»Warum hast du vorhin geweint? Deine Eltern?«

Aber sie wollte noch immer nicht antworten. Auf einmal interessierte ihn brennend, wie ihr kleiner Bruder gestorben war. Er wollte sie danach fragen, da stieß Anne-May mit ihrem Bein gegen seines. Sie zuckte zusammen. »Du bist ganz kalt.«

»Tut mir leid.«

Sie musterte ihn und fuhr dabei mit ihren Fingern über das kleine Grübchen an seinem Kinn. »Francis Dean«, flüsterte sie. »Wenn man dich so ansieht, sollte man denken, du wärst viel selbstbewusster … Dir sind in den letzten Jahren nicht viele gute Dinge passiert, oder?«

Francis wollte etwas sagen, aber sein Mund war wie ausgetrocknet. Anne-May betrachtete ihn noch immer ruhig und unbeirrt wie eine Katze. Dann lächelte sie. »Ich weiß, was du jetzt denkst.«

»Und das wär?«

»Du denkst, dass du mich gern küssen würdest.« Sie

setzte ihre typische überlegene Miene auf. »Das musst du dir aber aus dem Kopf schlagen, Dean, das ist absolut nicht drin. Nur, damit das klar ist.«

Francis musste ebenfalls lächeln. »Und wenn *du* einfach *mich* küsst, was dann?«

»Wenn ich dich wirklich küssen wollte, hätte ich's längst getan.« Sie schüttelte den Kopf. »Heute Nacht kannst du hier schlafen, wenn du willst. Aber nur, wenn du dich benimmst.«

Sie kuschelte sich an ihn. Francis sah, dass sie die Augen geschlossen hatte. Eine Weile lagen sie so nebeneinander. Als er sich über sie beugte, öffnete sie ihre Augen.

»Ich hab Angst«, sagte sie. So leise, dass er schon Sekunden danach glaubte, er habe es sich nur eingebildet.

Francis suchte nach etwas, das er ihr im Gegenzug anvertrauen konnte. Dass er Filme so liebte, weil die Schauspieler immer im richtigen Moment das Richtige sagten oder genau ausdrücken konnten, was sie fühlten, während er selbst das nie konnte. Dass er nach der Trennung von seiner Mom und Ryan eine Kröte mit einem großen Stein getötet hatte und dass es ihm noch heute leidtat, wie sie unter seinen Schlägen immer langsamer geworden war und noch in ihrem Todeskampf wegspringen wollte und wie er erbarmungslos immer wieder mit dem Stein auf sie eingeschlagen hatte, bis sie regungslos liegen blieb. Oder dass er vor ein paar Jahren noch anders gewesen war, viel mutiger und selbstsicherer, so dass alle gedacht hatten, dass er es mal zu etwas bringen würde. Und wie das auf einmal verschwunden war und er einen nach dem anderen hatte enttäuschen müssen. All das wollte er Anne-May sagen.

Francis begann, ihren Arm zu streicheln. Immer wieder strich sein Finger auf ihrer Haut auf und ab. Er wartete gespannt. Sie musste doch darauf reagieren! Doch sie rührte sich nicht. Als er sie schließlich auf den Mund küssen wollte, murmelte sie: »Mach's nicht kaputt!«

Dann drehte sie sich einfach auf die andere Seite, und wenige Minuten später war sie eingeschlafen.

2

Ohne große Pausen durchquerten sie Indiana. Es regnete ununterbrochen. Grover bekam schon den zweiten Kontrollanruf seiner Mom und wimmelte sie genervt ab, Anne-May las, Francis lag hinten und hörte mit Kopfhörern Musik. Er wusste immer weniger, was er sich von der Reise eigentlich erhoffte. Bis vor kurzem war seine Zukunft wie ein vorgedrucktes Blatt gewesen, auf dem fett und schwarz »Versager«, »Schulabbrecher« und »Schichtarbeiter« gestanden hatte. Nun hatte jemand mit Farbe »Genie«, »künstliche Befruchtung« und »Westküste« darübergeschrieben, und er war nicht sicher, was er davon halten sollte. Er wollte nur, dass sein Vater ihn gernhatte. Dass sie sich kennenlernten und sympathisch fanden. Gleichzeitig fürchtete er sich immer mehr vor einer Zurückweisung.

Das alles wühlte ihn auf. In Claymont war er irgendwie abgestumpft gewesen, wie unter Wasser. Jetzt kamen alte Erlebnisse hoch. Wie er als Kind samstags gebadet und danach mit seiner Mutter Filme geschaut hatte, oft mit ihrem Lieblingsschauspieler Paul Newman. Oder wie sie abends beim

Kochen ihre Oldies gehört hatte; Ryan, der Nicky ins Bett brachte, während er selbst bei ihr in der Küche geblieben und beim Schneiden der Tomaten und Zucchini geholfen hatte. Seine Mom hatte ihm von ihrer ersten Liebe erzählt oder wie sie als Teenager ohne Geld nach Los Angeles kam und sich durchschlagen musste. Manchmal hatten sie auch zur Musik getanzt und dabei gelacht, weil sie sich so albern vorkamen. Seine Mutter hatte ihn geliebt, das hatte er in diesen Momenten deutlich gespürt. Nicht nur, weil er ihr Sohn war, sondern weil sie ihn einfach mochte.

Das Auto bremste scharf, Grover entschuldigte sich.

Francis blinzelte, schläfrig von der nicht endenden Fahrt. Er sah auf den Verkehr und dachte an den Morgen, als seine Mom zum ersten Mal apathisch und mit grauem Gesicht im Bett lag. Scheinbar ohne besonderen Grund, als hätte es eben früher oder später einmal damit losgehen müssen. Anfangs war sie nur depressiv gewesen, doch dann hatte es auch diese manischen Phasen gegeben, in denen sie geglaubt hatte, alles schaffen zu können. Sie hatte nur noch gute Laune gehabt, von ihren Plänen geredet und kaum geschlafen, hatte sich bei Sprach- und Theaterkursen angemeldet oder ständig geshoppt, obwohl kein Geld da gewesen war. Die Medikamente hatte sie da jedes Mal längst abgesetzt gehabt, weil sie das Gefühl hatte, damit nicht klar denken zu können – und weil die Manie ihr einredete, die Krankheit im Griff zu haben. Immer hatte es in einem Zusammenbruch geendet. Jedes verdammte Mal. Einmal hatte sie sogar Passanten auf der Straße angepöbelt und war von der Polizei aufgegriffen worden.

Und dann der Tag, als sie in den Trailer gezogen waren. Er

hatte auf seiner Matratze gesessen und mit einem Tennisball gespielt, den er in einem Karton gefunden hatte, während seine Mutter nebenan wirr mit sich selbst redete. Sein Zimmer lag direkt neben der Küche, es roch nach den Bratkartoffeln mit gerösteten Zwiebeln vom Mittag. Auf einmal war seine Mom reingekommen und hatte mit greller Stimme zu ihm gesagt, er allein sei schuld an ihrer Trennung von Ryan. Nichts könne er richtig machen, er sei eine *Enttäuschung*. Francis hatte ihre Beschimpfungen stumm über sich ergehen lassen und dabei weiter den Tennisball gegen die Wand geschmissen, sein Mund begann zu zucken, doch wieder hatte er den Ball gegen die Wand geworfen, und dann noch mal und noch mal, und vermutlich saß ein Teil von ihm noch immer in dem Zimmer und schmiss einen gelben Filzball gegen die Wand.

In Illinois kam es zum ersten Streit mit Grover. Der Chevy hatte Getriebeprobleme, die nächstgelegene Werkstatt befand sich auf einem riesigen Areal nahe des Highways, auf dem es noch einen Haufen Geschäfte, Restaurants, Tankstellen und Supermärkte gab. Der Mechaniker schaute skeptisch und meinte, er brauche sicher ein paar Stunden, um die Kiste zu reparieren.

Anne-May ging einkaufen, sie blieben in der Werkstatt und redeten über sie. Erst machten sie Scherze, aber dann merkte Francis, dass Grover eifersüchtig war; er hatte ihn am Morgen bei ihr im Bett liegen sehen. Ihr Streit wurde heftiger, und als Grover ihm vorwarf, nur ihre Schwäche auszunutzen, winkte Francis ab. »Weißt du was, versuch's ruhig bei ihr, du hast eh keine Chance.«

Der Satz tat ihm sofort leid. Er entschuldigte sich. Aber wenn er ehrlich war, freute er sich, dass es vielleicht doch noch etwas gab, worin er besser war. Am Anfang hatte Grover zu ihm aufgeschaut, doch dann hatte er mitbekommen, wie sein Freund aus seiner Nachbarschaft wegziehen musste, in der Schule schlechter wurde und im Ringen eine Niederlage nach der anderen kassierte. Francis ahnte schon länger, dass ihre Wege sich irgendwann trennen würden. Grover würde in Yale studieren, promovieren und ein angesehener Informatiker werden. Er würde in eine andere Stadt ziehen, erfolgreich werden, viel Geld verdienen, eine Familie gründen und Kinder haben. Und dann würde er sich nur noch selten an den großen Jungen erinnern, mit dem er früher zur Schule gegangen war (wie hieß der noch, Franklin? Nein, Francis). Und er würde sich fragen, was dieser Francis wohl machte und ob er noch in diesem verschlafenen Kaff lebte, bis er ihn dann eines Tages ganz vergessen hatte …

Aber noch ist es nicht so weit, dachte Francis. *Noch bin ich hier!*

Gegen Abend ging's endlich weiter. Grover hatte sich in einer Mall Klamotten gekauft, war allerdings offenbar farbenblind. Er trug eine braune Cordhose, beige Boots, ein dunkelrotes Hemd, einen Gürtel mit Silberschnalle und ein schwarzes Jackett mit lila Kragen. Dazu noch die Brille. Bestimmt wollte er mit diesem Aufzug Anne-May beeindrucken, aber der Schuss würde nach hinten losgehen. Grover wirkte wie ein Streberclown oder ein psychedelischer Kanarienvogel. Doch als sie später seine bizarre Aufmachung sah, sagte sie nur »schickes Jackett« und lächelte, und Grover lächelte ebenfalls und hörte gar nicht mehr damit auf.

Sie übernachteten wieder in einem Motel. Kaum waren sie aus dem engen Chevy raus, besserte sich ihre Laune. Anne-May ließ sich mit einem Seufzer aufs Bett fallen und rief den Lieferservice an, Grover zappte durch die Fernsehprogramme und blieb an einem Schwarzweißfilm hängen, Francis nahm Getränkewünsche auf. Er ging in den Freedom Liquor auf der anderen Straßenseite und stellte zwei Sixpacks und eine Flasche Wodka auf den Bezahltresen. Nervös blickte er zum Kassierer, aber der wollte nicht mal seinen Ausweis sehen. Irgendwie enttäuschend. Dafür empfing man ihn im Zimmer mit lautem Jubel. Er reckte die Tüte mit dem Alkohol in die Luft, als wäre sie die Super-Bowl-Trophäe.

Sie aßen Pizza und fingen an zu trinken. Auf der Fahrt hatten sie meist geschwiegen, nun redeten alle drei durcheinander. Nachdem sie das erste Sixpack und die Hälfte der Wodkaflasche geleert hatten, schlichen sie sich zum Indoor Pool des Motels. Sie hatten keine Badesachen dabei und sprangen in Unterwäsche ins Wasser. Im Becken fiel ihnen auf, dass sie den Alkohol am Eingang hatten stehen lassen. Grover schwamm quer durch den Pool, und in flinken, unbeholfenen Bewegungen tapste er zum Bier. Als er sich umdrehte, konnten die anderen seinen riesigen Schwanz sehen, der sich deutlich durch die nasse Unterhose abzeichnete. Selbst Leute wie Brad Jennings verstummten für einige Momente neidvoll, wenn sie mit Grover nach dem Sport unter der Dusche standen. Francis schaute zu Anne-May. Sie war offensichtlich beeindruckt und beobachtete, wie Grover um den Pool herum lief und neben ihr ins Becken sprang. Zwar lachte sie, als Francis ihr den Mund zuklappte, dennoch störte es ihn.

In dieser Nacht schien alles möglich. Mehr als tausend Meilen von zu Hause entfernt, berauschten sie sich an ihrer Freiheit. Zurück im Zimmer, machten sie den Fernseher an und stellten einen Musiksender ein. Anne-May wollte Grover unbedingt dazu bringen zu tanzen. Als er zögerte, fasste sie ihn am Arm. »Wieso bist du immer so still? Geh doch mal aus dir raus!«

»Ich … Ich weiß nicht. Es sieht bestimmt peinlich aus.«

»Jetzt komm schon. Kann dir doch egal sein, was andere denken. Ich dachte, du bist der Pussymaster.«

Er musste lächeln, stand aber noch immer ungelenk da. »Ich kann das nicht.«

Doch Anne-May ließ nicht locker. Sie versprach ihm einen Kuss auf die Wange, falls er für sie tanzen würde.

Grover schüttelte nur den Kopf. Doch plötzlich kippte er seinen Becher Wodka hinunter und stellte sich in die Mitte des Zimmers. Nur mit seiner weißen Unterhose bekleidet, begann er zur Musik eckige Roboterbewegungen mit seinen Armen zu machen. Es sah merkwürdig aus. Anne-May und Francis lachten und feuerten ihn an. »Yeah, Mann, weiter!«, riefen sie, während Grover auch noch den Moonwalk probierte. Er tanzte immer schneller, der Schweiß rann ihm über den Oberkörper. Er ließ sich völlig von der Musik mitreißen und beachtete die anderen nicht mehr. Nichts war mehr peinlich in dieser Nacht.

Der Song wurde druckvoller: Anne-May gab Grover den versprochenen Kuss auf die Wange – *Beat* –, dann hielt sie Francis die Wodkaflasche hin – *Beat* –, noch ein Schluck für ihn, ein Schluck für sie – *Beat* –, ehe beide nun ebenfalls in Unterwäsche durchs Zimmer tanzten. Francis fasste sie vorsichtig an der Hüfte, sie legte ihre Hand auf seine Brust, beide bewegten sich im Takt. Er spürte ihre warmen Beine, ihre Brüste, ihren Atem auf seiner Haut, sie kam näher und fing an, sich an ihm zu reiben, bis er eine Erektion bekam.

Dann aber sprang sie aufs Bett, das sofort zu ihrer Bühne wurde, und zog die Finger an ihren Augen vorbei, wie Uma Thurman in *Pulp Fiction*. Sie tanzte schlangenhaft, grazil, mysteriös. Ihre schwarzen Haare flogen hin und her. Francis und Grover, dessen Stielaugen einen irren Glanz bekommen hatten, schauten ihr wie hypnotisiert zu. Wenn Anne-May ihnen jetzt befohlen hätte, eine Bank auszurauben, ihr das Geld zu geben und sich danach selbst zu erhängen, sie hätten es getan.

Francis wurde durch Schreie geweckt. Er schlief ohnehin schlecht, immer wieder träumte er, wie sie einen Unfall bauten oder dass seine Mutter starb, weil er sie im Stich gelassen hatte. Manchmal wachte er schweißnass auf und wusste nicht, wo er sich befand.

Diesmal wachte er auf, weil das Licht angegangen war und Grover an ihm rüttelte. »Sie ist verrückt geworden!«

Anne-May stand neben einer Kommode in der Ecke des Zimmers. »BLEIB STEHEN!«, brüllte sie. »Pass auf, da kommt jemand!«

Ihr Mund war blutverschmiert.

»Ich weiß nicht, was ich machen soll«, sagte Grover. »Sie reagiert auf nichts.«

Francis brauchte ein paar Sekunden, um zu begreifen, dass Anne-May sich in einem heftigen Alptraum befand. Er sprang auf und ging auf sie zu.

Sie wehrte sich und trat nach ihm. »Lass mich!«, schrie sie. »Du gehörst zu denen. Lass mich los!«

Er wich ihren Schlägen aus und packte sie bei den Schultern. »Anne-May«, rief er immer wieder. »Wach auf, es ist nur ein Traum.«

Sie spuckte nach ihm und wollte ihn wieder schlagen. Sie war überraschend stark. Francis drückte sie gegen die Wand und hielt ihre Arme fest. »Es ist nur ein Traum!«, sagte er wieder.

Als sie nicht reagierte, schüttelte er sie durch. Und als auch das nichts half, gab er ihr eine Ohrfeige. Sie riss die Augen auf.

Nachdem sie begriffen hatte, was geschehen war, fing sie an zu weinen. Er strich ihr über den Kopf und spürte, wie ihre Hände über seinen Rücken fuhren. Dann ließ sie ihn los und ging ins Bad, um sich den Mund zu waschen. Offenbar war sie gegen die Kommode gestürzt und hatte sich die Lippe aufgeschlagen. Sie wollte nicht sagen, was sie geträumt hatte.

»Ich möchte nicht mehr einschlafen«, sagte sie nur.

Die ganze Nacht ließen sie das Licht an und erzählten sich Geschichten. Aus ihrer Kindheit, aus der Schule, von ihren Familien. Grover lag auf dem Boden, Anne-May hatte sich in ihr Bett gelegt, und Francis saß auf einem Stuhl in der Ecke. Er sah seine Freunde kaum an, aber er mochte es, dass sich jeder etwas von der Seele reden konnte.

Am Ende erzählte er den anderen sogar von seinem wiederkehrenden Traum, in dem er in Las Vegas Roulette spielte und immer gewann. Er sagte, dass er dafür seinen

Ausweis habe fälschen lassen und mit einem Teil von Ryans Geld in Vegas spielen werde.

»Ich weiß, es klingt verrückt, aber ich bin mir absolut sicher, dass ich gewinnen werde. Ich muss es tun!«

Francis hatte befürchtet, dass ihn die anderen auslachen würden, aber sie nickten nur. Bis zur Dämmerung redeten sie kein Wort mehr, dennoch fühlten sie sich einander nahe.

3

Keiner sagte es laut, aber nach dieser Nacht hatte jeder Angst, dass sie der Fahrt nicht gewachsen waren und alles außer Kontrolle geriet. Grover trank drei Becher Kaffee und setzte sich kreidebleich hinters Steuer, Anne-May befühlte ihre geschwollene Lippe, Francis nahm seinen Kapuzenpulli als Kopfkissen und versuchte zu schlafen. Im Traum wurde er durch Erinnerungen gejagt, sah seine tote Katze in der Plastiktüte und Anne-May mit blutendem Mund. Dann saß er mit Ryan im Wohnzimmer und redete vergnügt mit ihm. Zu seiner Erleichterung war es auf einmal, als wäre zwischen ihnen nichts vorgefallen, als wäre wieder alles wie früher. Als er aufwachte, war er von diesem Gefühl noch lange benommen.

Sie fuhren an St. Louis vorbei. Francis dachte an *Die Abenteuer des Huckleberry Finn*, eines der wenigen Bücher, die er zu Ende gelesen hatte. Die Geschichte spielte genau hier, und als Kind hatte er sich oft vorgestellt, wie Huck und Jim auf dem Floß den Mississippi runterzufahren, in die

Freiheit. Dieses Gefühl, dass da draußen etwas war, das auf ihn wartete, hatte er schon als kleiner Junge gehabt.

Und nun war er endlich dahin unterwegs.

Ein Gewitter zog auf. Anne-May hatte sich zu ihm nach hinten gesetzt, sie sprachen darüber, welche Sportarten sein Vater wohl mochte oder was für einen Beruf er hatte. »Theoretisch ist alles, was ich nicht von meiner Mom habe, von ihm.«

»Dann hat er bestimmt blaue Augen.«

»Also auch eher der naive Typ?«, fragte er, und sie musste schmunzeln.

Regen trommelte aufs Dach und klatschte gegen die Fenster. Draußen war es stockfinster, nur wenn es blitzte, erhellte sich die Landschaft, und sie konnten für ein paar Sekunden meilenweit in die Ferne sehen.

Anne-May schien sich unwohl zu fühlen und rutschte näher. »Als ich klein war, hab ich, wenn's geregnet hat und die Tropfen die Scheiben entlangflossen, immer gedacht, dass das Auto traurig ist und weint«, sagte sie. »Bescheuert, oder?«

Sie lächelte ihn an, und er sah die obere Reihe ihrer Zähne. Er hätte ihr gern gesagt, was er für sie empfand, aber das kam ihm lächerlich vor. Außerdem behauptete sein Nachbar Toby, dass man Frauen so was niemals sagen dürfe. Frauen wollten nichts anderes, als die Geheimnisse eines Mannes aufzudecken. Wenn sie alles von ihm wüssten, wäre er uninteressant für sie, und sie würden ihn verlassen. Francis hatte keine Ahnung, woher Toby seine Weisheiten nahm, er war ein Dealer ohne Schulabschluss, aber irgendwie war er auch der klügste Mensch, den er kannte.

Links und rechts von der Straße dehnten sich Weizen- und Maisfelder aus, dazwischen vereinzelt Scheunen und Getreidesilos. Da Anne-May nicht schon wieder in einem Motel am Highway übernachten wollte, überholten sie eine Horde Biker und verließen die Interstate. Eine Weile fuhren sie durch verfallene Kleinstädte wie Brisbee und Grady. Dann überquerten sie die riesige Brücke, die über den Missouri River führte, und landeten in Barberton, einem Dorf mit ein paar altmodischen Läden, Gebäuden und Kirchen.

Sie parkten den Chevy in der Nähe des Flusses und ließen sich auf einem Hügel ins Gras fallen. Grover machte Fotos, Anne-May bohrte sich die Faust ins Auge, und Francis beobachtete, wie parallel zum Fluss ein Zug der Union Pacific die Schienen entlangbretterte. Nach dem Unwetter war die Luft angenehm frisch, und sie schien anders zu riechen als bei ihm zu Hause. Francis rauchte eine Zigarette. Es war friedlich hier draußen, kein Straßenlärm, keine Leuchtreklamen, keine Trailer, nur ein paar spielende Kinder. Das gefiel ihm.

Ziemlich lange saßen sie schweigend am Fluss und beobachteten die Züge, die unten vorbeifuhren. Die Sonne stand tief am Himmel und ließ die Gegend vor Licht und Farben überschäumen, und auf einmal packte Francis eine unbekannte Sehnsucht. Seine Hand griff ins Gras und riss ein paar Halme aus. Er hatte es so unendlich satt, sich nichts mehr vom Leben zu erwarten. Er wollte frei sein, er wollte anders sein, und er hatte auf dieser Reise die Gelegenheit, die Dinge zu ändern.

Die einzige Kneipe des Ortes war versifft, aber immerhin gab's eine Liveband, die Rockklassiker coverte. Sie aßen

Steaks mit Fritten und hörten gedankenversunken zu. Am Tresen saßen ein paar Männer, die ständig zu ihnen rübersahen. Schließlich kam einer zu ihnen an den Tisch. Er trug ein kariertes Hemd, hatte lange braune Haare, Dreitagebart und mehrere Ohrringe. Francis schätzte ihn auf Ende zwanzig, er strahlte ein unfassbares Selbstbewusstsein aus, genau wie diese Ringer, gegen die er am Ende immer verloren hatte. Ohne Grover und ihn zu beachten, begann der Mann, sich mit Anne-May zu unterhalten. Sie flirtete zurück. Grover war wie versteinert, auch Francis unternahm nichts.

Der langhaarige Mann redete weiter auf Anne-May ein. Er wirkte charmant, Francis hatte das Gefühl, ihm unterlegen zu sein. Leute, die gut mit Worten umgehen konnten, hatten ihn immer eingeschüchtert, und er wünschte sich die Situation in der Klinik zurück, als alles so einfach war.

Als der Typ auch noch anfing, seine Hand auf Anne-Mays Schulter zu legen, sagte Francis kaum hörbar: »Verzieh dich.«

Der Mann drehte sich zu ihm rüber. »Wie bitte?« Er sah ihn an, wie man einen kleinen Jungen ansah.

»Ich hab gesagt, du sollst dich verziehen.«

Der Mann schien noch immer gutgelaunt. »Kann sie das nicht selbst entscheiden?«

Francis schaute zu Anne-May und wippte mit dem Fuß. »Was ist?«, fragte er leise. »Wollen wir gehen?«

Sie sah ihn an. »Eigentlich unterhalte ich mich wirklich gerade.« Dann wandte sie sich wieder dem Mann zu und setzte das Gespräch fort.

Francis spürte, wie es in seinem Kopf anfing zu pochen, er stellte sich vor, wie er diesem Typen ins Gesicht schlug, immer und immer wieder. Ein paar Sekunden lang blieb er noch sitzen, dann richtete er sich zu voller Größe auf. Er sah, wie der Mann jetzt doch etwas unsicherer wurde. Anne-May dagegen wirkte gleichgültig, es schien sie auch nicht zu interessieren, dass Francis kurz darauf die Kneipe verließ.

Draußen schrie er ein paarmal. Seine Hände mussten etwas tun, also nahm er einige Steine von der Straße und warf sie, so weit er konnte. Dann zündete er sich eine Zigarette an und trottete runter zum Missouri River. Die Nacht war mild, die Sterne standen gleichmütig am Himmel, der Fluss schimmerte metallen im Mondlicht. Langsam beruhigte er sich.

In der Ferne hörte er jemanden auf der Gitarre spielen. Francis folgte der Musik und beobachtete, wie ein paar junge Leute aus dem Dorf um ein Lagerfeuer saßen und Grillwürstchen über die Glut hielten. Ein Mädchen führte ihre Freunde zu einem Gebüsch, wo sie Leuchtkäfer entdeckt hatte; sie flogen zu Dutzenden grünglühend durch die Luft in Richtung Fluss. Bei diesem Anblick überkam Francis ein Gefühl von Geborgenheit. Er steckte die Hände in die Jeanstaschen und dachte an alles Mögliche. Aber eigentlich dachte er nur an Anne-May.

4

Sie fuhren weiter in die vertrockneten, kargen Eingeweide des Landes hinein. Der Mittlere Westen breitete sich vor ihnen aus, die Straße reichte bis zum Horizont, der Himmel war hellblau und durchsetzt mit weißen Federn. Die anderen redeten über ihre Lieblingsfilme und die Achtziger (Grover: »Ich wette, der Vokuhila kommt irgendwann wieder.« – Anne-May: »Vielleicht, aber dann wandere ich aus.«), und als sie Kansas durchquerten, auch über Thanksgiving und wie sie mit ihren Familien feierten. Er selbst saß wie ein trotziges Kind allein auf dem Rücksitz und schwieg; glückliche Familienfeste waren ein Thema, zu dem er nicht viel beitragen konnte. Hin und wieder hörte er die beiden lachen, es gefiel ihm nicht, dass sie sich so gut verstanden.

Die Straße stieg an, der endlose Wald im Tal war nebelverhangen. Francis versenkte seine Blicke in die Landschaft; Meile um Meile näherten sie sich seinem Vater. Wenn sie durch kleinere Orte fuhren, beobachtete er die Männer zwischen vierzig und fünfzig, die er auf den Straßen sah. Jeder von ihnen hätte sein Dad sein können. Er fragte sich, ob er ihm schon mal, ohne es zu wissen, über den Weg gelaufen war.

Abends saßen sie mit ein paar Sixpacks an einem See neben dem Motel. Grover trug ein Shirt, auf dem »HAN SOLO SHOT FIRST« stand. Er schien die Reise immer mehr zu genießen, die Schule, ein Ort der ständigen Demütigungen, war Tausende von Meilen entfernt. Aus dem Handschuhfach holte er ein paar Drumsticks und trommelte zum Spaß auf einer Tischplatte. Der Rhythmus war so gut, dass die anderen mit den Händen mittrommelten. Am Schluss übernahm Grover wieder allein, er variierte geschickt das Tempo und ging völlig darin auf.

Anne-May war begeistert. »Du bist echt gut. Du solltest in einer Band spielen!«

»Ich war mal in einer Band.« Grover ließ einen Drumstick gekonnt durch seine Finger kreiseln. »Aber sie haben mich vor ein paar Jahren rausgeschmissen.«

»Warum?«

»Ich war ihnen zu hübsch.«

Anne-May lachte. Wieder sah sie ihn mit leuchtenden Augen an.

Francis öffnete zischend eine Dose und beobachtete es. Vielleicht war Grover gar nicht hässlich, sondern sah eher auf eine faszinierende Weise schlecht aus. Und was, wenn auch das nicht stimmte, wenn Grover nie so ein unattraktiver Nerd war, wie er sich immer eingeredet hatte?

Beim dritten Sixpack ließ Anne-May die anderen an ihrem Liebesleben teilhaben. Schon etwas lallend, erzählte sie von einem dunkelhäutigen Basketballspieler und von den weichen Lippen einer Frau, die sie auf einer Party geküsst hatte. Während Francis es sich vorzustellen versuchte, fragte er sich, ob sie überhaupt jemand war, der oft auf Partys ging.

Als Grover sie nach ihrem ersten Mal fragte, überlegte Anne-May lange. »Ehrlich gesagt, will ich diese Frage nicht beantworten«, sagte sie, und Francis musste an ihren Vater denken. Wieso war alles so kaputt? Er beobachtete einen Schwarm Vögel, der über den Wald flog, dann stand er auf und ging auf die Toilette. Er stolperte fast über die Türschwelle, im Spiegel sah er sich nur noch unscharf.

Bei seiner Rückkehr schienen Grover und Anne-May noch näher zusammengerückt zu sein. Er stand hinter den beiden und hörte Grovers Stimme:

» ... mit sieben oder acht. Damals gab's einen Jungen in der Klasse, der mich immer geärgert hat. Er hat mir meine

Brille weggenommen und mir vor allen Mädchen die Hose runtergezogen. Ich hab ihn so sehr gehasst. Die anderen haben auch mitgemacht, alle haben sich lustig gemacht, aber am meisten er. Einmal saß er allein im Klassenzimmer. Ich hab mich von hinten an ihn herangeschlichen, und plötzlich bin ich durchgedreht. Ich hab nur noch Funken und Blitze gesehen, und dann hab ich seinen Kopf genommen und auf die Tischplatte geschlagen. Ungefähr zwanzigmal. Erst hat er sich noch gewehrt, aber irgendwann war er bewusstlos. Ich glaub, ich hätte ihn getötet, wenn in diesem Moment nicht die Lehrerin gekommen wäre.«

»Was ist dann passiert?«, fragte Anne-May.

»Meine Eltern mussten mich von der Schule nehmen. Ich war danach zwei Monate in einem Heim und musste noch drei Jahre lang Medikamente nehmen. Ich weiß nicht …« Grover nahm seine Brille ab, um sie zu putzen. »Es lief einfach nie gut. Damals nicht und jetzt auch nicht.«

Er wollte die Brille wieder aufsetzen, doch Anne-May hielt seine Hand fest. »Es muss nicht immer schlecht laufen«, sagte sie.

Grover sah sie überrascht an. Im nächsten Moment gab sie ihm einen Kuss auf den Mund. Nicht lange, aber lange genug. Francis brauchte ein paar Augenblicke, um zu begreifen. Bilder schossen ihm durch den Kopf; Grover und Anne-May, wie sie im Wagen vorne saßen und lachten, wie Anne-May im Pool seinen Schwanz angestarrt hatte, wie er mit den Drumsticks trommelte. Zu sehen, wie sie einen anderen küsste, machte ihn krank.

»Was soll der Scheiß?«

Beide drehten sich nach ihm um. Grover erschrocken,

Anne-May dagegen ruhig. Sie musste die ganze Zeit gewusst haben, dass er hinter ihr stand. Ein paar Sekunden lang sah er ihr in die Augen, dann ging er weg. Während er allein durch die Nacht lief, machte er sich klar, dass Anne-May einen zerstörerischen Trieb hatte und ihn verletzen oder herausfordern wollte. Grover konnte einfach kein Rivale sein, sie hatte ihn nur aus Mitleid geküsst. Doch sosehr er sich das auch einredete, so sehr musste Francis daran denken, dass Grover nicht in einem Trailer, sondern in einem schönen Haus lebte und dass er bald in Yale studieren würde und ihm nichts davon gesagt hatte, und ohne es zu wollen, wurde er immer wütender.

Am nächsten Abend eskalierte die Situation. Sie ließen die Rocky Mountains hinter sich und landeten bei Anbruch der Dunkelheit in einer Absteige in Arizona. Nur ein Pontiac parkte im Innenhof, am Heck ein »Unterstützt unsere Truppen«-Aufkleber. Auf der Ablage in ihrem Zimmer standen beleuchtete Bilder von Maria, daneben Pokale und Spielzeugfiguren von Battle Cat, G. I. JOE, Boba Fett und Jesus.

Francis wollte die Schranktür aufmachen, doch obwohl er daran zog und rüttelte, ließ sie sich nicht öffnen. Er war kurz davor, die Tür aus der Verankerung zu reißen, da erlöste ihn Anne-May. Sie schob die Tür einfach zur Seite und warf ihm einen langen Blick zu. »Du bist eben eher ein physischer Mensch«, sagte sie lächelnd, auch Grover grinste.

Francis presste die Lippen zusammen und packte stumm aus. Auf Fragen der beiden antwortete er nur noch einsilbig, und als sie später noch eine Kneipe suchen wollten, behauptete er, dass er Kopfweh habe. Sie versuchten nicht, ihn zu überreden. Durchs Fenster sah er, wie sie kurz darauf die einzige Straße entlangliefen und in der Dunkelheit verschwanden.

Er ging zum Münztelefon im Gang und rief die Klinik seiner Mom an. Doch sosehr er auch darum bat, man stellte ihn nicht zu ihr durch. Francis starrte auf den gelben Plastikhörer. Was zur Hölle tat er hier eigentlich? Er fuhr quer durchs Land, war mitten im Nirgendwo, nur wegen ein paar Zeilen seiner Mutter. Aber was, wenn sie sich in ihrem Wahn bloß ausgedacht hatte, dass sie damals ein Teil dieses Projekts gewesen war? Doch nein, das konnte einfach nicht stimmen. Er fühlte es. Sie hätte ihn in ihrem Abschiedsbrief niemals angelogen.

Um sich von dem Elend zwischen seinen Schläfen abzulenken, las er noch mal einen Artikel über Warren P. Monroe, den Gründer der Samenbank der Genies.

Als Bauunternehmer und Börsenspekulant wird Monroe Milliardär, bald gehört ihm ein Imperium aus Kliniken, Fabriken und Fernsehsendern. Sein Lieblingsthema bleibt jedoch die Genforschung. Berühmt das Motto, das Monroe einst einem Journalisten diktierte: »In GEN*ial steckt immer schon das Wort Gen.« Wie so viele Visionäre vor ihm stört auch Monroe der Gedanke, nur in diese Welt geworfen worden zu sein und nicht selbst Schöpfer werden zu können. 1962 kommt es schließlich zu einer folgenschweren Begegnung. Auf dem Ciba-Symposium in London lernt er seinen späteren Geschäftspartner, den österreichischen Eugeniker Dr. Friedrich von Waldenfels, kennen. Von da an ist es nur eine Frage der Zeit, bis die* *beiden beschließen, eine neue genetische Elite zu züchten. Anfang der achtziger Jahre ist es schließlich so weit. Gemeinsam starten sie ein Experiment, das für weltweites Aufsehen sorgen wird.*

Und er selbst war offenbar das seltsame Resultat dieses Experiments. Je mehr Francis darüber nachdachte, desto verrückter kam ihm das Ganze vor. Er legte den Artikel weg und setzte sich draußen auf eine Hängematte. Es dauerte nicht lange, bis die Besitzerin des Motels zu ihm kam. Sie hieß Janis und hatte ihm schon beim Einchecken zugelächelt. Sie war schön, fand er, und groß, bestimmt eins achtzig. Ihm gefielen ihre kurzen blonden Haare.

»Da sieht aber einer nicht sehr fröhlich aus. Alles klar bei dir?«, fragte sie in breitestem Südstaaten-Slang und setzte sich neben ihn auf die Hängematte. Sie bot ihm eine Zigarette an und reichte ihr Feuerzeug.

Er nahm einen Zug und erzählte ihr, dass er seinen Vater suche, und nach einigem Zögern auch noch den Rest. Dabei fiel ihm auf, dass sein Dad ein echter Harvard-Absolvent war, während man Ryan dort abgelehnt hatte.

Als Francis die Samenbank der Genies erwähnte, schüttelte Janis den Kopf. »Das ist ja wie in dem Film *Gattaca*, da kann man ja gleich anfangen zu klonen.« Sie betrachtete ihn und musste dann lachen. »Jedenfalls gut, dass meine Granny nicht hier ist. Sie ist sehr religiös, eine Quäkerin. Sie würde dich wahrscheinlich ein armes, gottloses Wesen nennen.«

Der Satz tat weh, auch wenn Francis sich nichts anmerken ließ.

Sie holten sich von der Tankstelle in der Nähe etwas zu

trinken. Auf einem Sofa in der Lobby stießen sie an. Janis meinte, dass sie eigentlich aus Houston komme und das Motel mit ihrem Mann betreibe, der noch einen Zweitjob in Denver habe und selten da sei. »Ich geh hier noch ein«, sagte sie und hielt sich die Hand vors Gesicht, um ihre rotlackierten Fingernägel zu betrachten.

Aus irgendeinem Grund gefiel sie Francis immer besser. Janis war keine zehn Jahre älter als er, höchstens Ende zwanzig, und hier im Nichts gestrandet. Ihre Zukunft schien öde, einsam und zementiert.

Sie tranken viel und erzählten Geschichten; sie aus ihrer Kindheit in Houston, er von seiner in Jersey City. Francis gestand, dass er als kleiner Junge geglaubt hatte, seine Mom wäre unendlich reich, weil sie sich offenbar immer Geld aus dem Automaten ziehen konnte, wenn sie welches brauchte. Sie begannen zu lachen, Janis lehnte sich an ihn. Schließlich glaubte Francis in seinem Rausch, dass er sie wolle.

»Wie alt bist du?«, fragte sie.

Er antwortete nicht und beugte sich vor, um sie zu küssen, bereute es aber schon in derselben Sekunde. Als seine Lippen ihren Mund berührten und sie seinen Kuss erwiderte, kam er sich falsch vor. Er stand auf. »Tut mir leid«, sagte er und verließ die Lobby. »Tut mir wirklich leid.«

Er traute sich nicht zurückzublicken.

Im Zimmer trank er weiter. Beim Anblick der Pokale auf der Kommode dachte er an seinen Coach bei den Ringern, Oliver Brown; ein zäher älterer Mann, der ihn oft nach der Schule allein trainiert und zu den Turnieren gefahren hatte. Bis Francis vor zwei Jahren bei einem überregionalen Wettkampf ohne große Mühe ins Finale gekommen war. Seiner Mom war es damals schlechtgegangen, vielleicht hatte ihn das angetrieben.

»Du wirst sehen, jetzt fahren wir die Ernte ein«, hatte Coach Brown gesagt.

Troy Saunders, sein Gegner im letzten Kampf, war einer dieser von sich überzeugten Champions gewesen, gegen die er immer den Kürzeren gezogen hatte. Francis hatte alles gegeben, doch Saunders hatte einen Punkt nach dem anderen gemacht.

»Der ist schwächer als du, Dean«, hatte Brown von draußen gebrüllt. »Aber er macht dich verdammt noch mal fertig!«

Francis war erneut von seinem Gegner auf die Matte gepresst worden. Er hatte sich gewehrt, aber ein Blick in die ruhigen, entschlossenen Augen von Troy Saunders hatte genügt, um seinen Widerstand zu brechen. Die Augen hatten gesagt: »Lass es einfach, es hat keinen Sinn«, und er hatte ihnen geglaubt. Er hatte noch die Rufe seines Trainers gehört, dann hatte er aufgegeben.

Später, nach der Siegerehrung, war Francis allein auf der Holzbank in der Umkleidekabine gesessen, die Medaille für den zweiten Platz in der Hand. Sein Coach war reingekommen und hatte sich neben ihn gesetzt. Eine Weile hatten sie geschwiegen, aber dann hatten sie über Ryan geredet, der wieder nicht zum Kampf gekommen war, und über seine Mom. Francis hatte so getan, als wäre ihm das alles egal, aber Brown hatte ihn durchschaut.

»Meine Mutter starb, als ich fünfzehn war«, hatte er gesagt, die sonst rauhe, heisere Stimme ungewöhnlich leise.

»Mein Vater fing damals an zu trinken, es war ein einziger Alptraum. Ich dachte, mein ganzes Leben würde immer so weitergehen, alles wäre aussichtslos. Aber so war's nicht.« Er hatte seine Hand auf Francis' Schulter gelegt. »*Damals* … ich war so unruhig, sah nie nach links, nie nach rechts, sah nur den Zorn. Aber irgendwann hab ich begriffen: Der Zorn ist gar nicht mein Feind. Er *gehört* mir, ich kann ihn nutzen.«

Francis hatte die Blicke seines Coachs gespürt und nach unten gesehen. Er hatte unbedingt etwas antworten wollen, aber nicht gewusst, was. Aus der Nebenkabine war gedämpftes Gebrüll zu ihnen gedrungen, dann wieder Stille. Die Medaille noch immer in seiner Hand. »Immerhin bin ich ins Finale gekommen«, hatte er gemurmelt. »Das ist doch auch gut.«

»Nein, das ist es leider nicht, mein Junge.« Sein Coach hatte den Kopf geschüttelt. »Ich kann nicht hiersitzen und dich anlügen: Nur *fast* gewonnen zu haben tut am meisten weh. Dann lieber in der zweiten Runde ausscheiden. Aber so weit zu kommen, um dann kurz vor dem Ziel alles zu verlieren, das ist das Schlimmste.«

Brown hatte tief ausgeatmet. Schließlich hatte er aufmunternd auf die Medaille getippt und gesagt, dass sie im nächsten Jahr einen neuen Versuch starten würden. Francis hatte genickt. Danach hatten sie nichts mehr geredet, und bald darauf hatte er die Knieverletzung vorgetäuscht und das Ringen aufgegeben.

Er hörte Schritte, draußen war jemand. Einen Moment glaubte Francis, dass die anderen zurückkämen, doch es waren nur die Leute vom Nachbarzimmer. Seine Freunde dagegen waren noch immer aus. *Anne-May und Grover, Grover und Anne-May*. Er trank einen Schluck und redete sich ein, dass sie sich gerade über ihn lustig machten und in ihm nichts anderes sahen als einen großen Typen, der von Glück reden konnte, wenn er ein Buch richtig herum in der Hand hielt. Er dachte an seine früheren Freunde aus Jersey City, die ihn gleich nach dem Umzug fallengelassen hatten. Sie waren alle gleich.

Er starrte auf die leere Dose in seiner Hand und zielte auf den Mülleimer im Bad, doch der Wurf ging daneben. Ohne zu zögern, hob er die Dose auf; er würde es so oft versuchen, bis es klappte. Wie immer, wenn er sich etwas in den Kopf gesetzt hatte. Mit zehn hatte er Ryan mal zu seinem »Schmerzenslauf« begleitet; eine Stunde durch den Park, mit fiesen Intervallen, Steigungen und Sprints. Nach fünf Minuten hatte er erschöpft abbrechen müssen, und Ryan hatte gelacht: »In ein paar Jahren vielleicht.« Aber er hatte es unbedingt früher schaffen wollen. Den ganzen Sommer hatte er trainiert, morgens, mittags, abends. Alle hatten gesagt, er sei verrückt und sein Vorhaben aussichtslos, aber am Ende des Sommers war er noch mal mit Ryan laufen gewesen. Ein unbeirrbares Kind, das überraschend ausdauernd neben ihm durch den Park rannte. Am Ende hatte er es nicht geschafft, nach der Hälfte war ihm schwindlig geworden, und er hatte sich übergeben. Doch das war egal, schon damals hatte er kapiert, dass es nie darum gegangen war. Danach waren sie beide auf einer Bank gesessen, und irgendwann hatte Ryan den Arm um ihn gelegt. Vielleicht der beste Moment.

Wieder zielte er mit der Dose auf den Mülleimer im Bad. Er merkte, wie betrunken er war, doch zu seiner Verwunderung war der Wurf diesmal perfekt. Die Dose segelte quer durchs Zimmer bis ins Bad, wo sie mit einem wunderbaren »Flopp« mitten im Plastikkorb landete.

»Yeahhh …«, sagte er leise und öffnete das nächste Bier.

Eine halbe Stunde später kamen Anne-May und Grover wieder. Sie hatten ihm Süßigkeiten von der Tankstelle mitgebracht.

»Na, was hast du gemacht?«, fragte Anne-May.

Francis torkelte auf sie zu. »Du bist so eine verlogene Schlampe«, lallte er und hatte dabei Mühe, gerade zu stehen. »Dein ganzes Gelaber in der Klinik, dass du mich magst … Du hast nur mit mir gespielt, und kaum bist du draußen, küsst du diesen Idioten. Weißt du, wie scheiße das ist?«

»Du bist besoffen«, sagte Anne-May. »Hör auf, so mit mir zu reden. Außerdem habe ich dir nie etwas versprochen.«

»Was ist denn mit dir los?«, fragte Grover wie unbeteiligt.

In diesem Moment packte Francis ihn am Shirt und schubste ihn so heftig gegen das Regal, dass alle Figuren und Pokale durcheinanderfielen. »Du *Verräter*!«, brüllte er. »Du hast gedacht, ich krieg nicht mit, dass du nach der Schule einfach so abhaust. Ich hab das mit Yale gesehen. Wann wolltest du mir das eigentlich mitteilen, mit 'ner Postkarte aus Connecticut?«

Grover richtete sich auf. »Ich wollte es dir ja sagen, Francis, ich dachte, es ist klar, dass ich studieren werde, ich …«

Francis beachtete ihn nicht und sah nur zu Anne-May.

»Seit fast fünf Jahren hab ich diesen Loser am Hals. Und jetzt lässt er mich einfach im Stich und zieht weg. Aber weißt du was? Scheiß drauf, ich bin's sowieso leid, mir diese pseudoharmonischen Abendessen bei ihm zu Hause reinzuziehen!«

Anne-May wollte ihn unterbrechen, aber Francis war nicht zu bremsen. Er konnte selbst nicht fassen, was er da redete, aber gleichzeitig wurde ihm klar, dass diese Worte – aus welcher Hölle sie auch kamen – ein paar Wahrheiten enthielten.

»Ich find's so unglaublich, dass du diesen Feigling geküsst hast«, sagte er. »Grover traut sich *nie, nie, nie* etwas. Er wollte nicht mal auf die Reise mitkommen, sondern sich lieber zu Hause in seinem Keller verkriechen. Der Typ wird sich niemals ändern. Selbst wenn er später mal Geld und eine Frau hat, wird er immer nur eine erbärmliche, ängstliche Ratte bleiben, ein mieser, kleiner ...«

Es knallte an seiner Wange. Francis fasste sich überrascht an die schmerzende Stelle und blickte zu Grover, der vor ihm stand und auf eine Reaktion wartete. Er zitterte und schien Angst zu haben, für seine Ohrfeige verprügelt zu werden. Francis war darüber so erschrocken, dass er gar nichts tat.

Anne-May wollte schlichten, doch er riss sich los. »Fass mich nicht an!«, sagte er. »Du bist genauso falsch. Wahrscheinlich haltet ihr beide euch für was Besseres, weil ihr bald aus Claymont abhauen werdet. Aber das ist mir egal, ich brauch euch sowieso nicht. Ich *hasse* euch!«

Es wurde still. Francis fuhr sich noch mal über die Wange, dann verließ er das Zimmer, ohne sich umzudrehen.

5

Ein schmaler Lichtstrahl spaltete den Raum und traf ihn mitten im Gesicht. Es war Mittag, als er blinzelnd erwachte, sein Kopf drohte zu platzen. Wie war er wieder zurück ins Motelzimmer gekommen? Francis erinnerte sich nur daran, über den Parkplatz getaumelt zu sein und sich in einen Busch übergeben zu haben.

Er schleppte sich zur Toilette und pisste anderthalb Minuten lang einen neongelben Strahl in die Schüssel. Erst jetzt fiel ihm auf, dass Anne-May und Grover nicht im Zimmer waren. Ihre Betten leer, ihre Sachen weg. Hastig sprang er in seine Jeans und rannte mit nacktem Oberkörper ins Freie. Dort blieb er erleichtert stehen: Der Chevy war noch da, der blaue Lack glänzte im Sonnenlicht.

Er zog sich an und ging die anderen suchen. Draußen war es heiß, die Straße von Sträuchern und Kakteen gesäumt, in der Ferne erhoben sich rötliche Gebirge. An der Tankstelle holte er sich sein Frühstück: Twinkies, Kaffee und Kopfschmerztabletten. Als er durch den Ort trottete, liefen ihm ein paar Hunde nach. Es wurden immer mehr, bald waren es fünf oder sechs. Sie kläfften ihn an und machten einen Riesenlärm. Erst beschleunigte Francis seine Schritte, aber dann blieb er stehen und schrie die Hundemeute an: »Verpisst euch endlich!«

Die Hunde bellten noch immer, aber sie folgten ihm nicht mehr.

Seine Chucks waren vom staubigen Boden schon rot gefärbt. Nach knapp zwei Meilen kam er in eine Kleinstadt, die dem Verfall preisgegeben war. Beim »Willkommen«-Schild am Ortseingang blätterte die Farbe ab, die Fabrik am Stadtrand war eine Ruine, die meisten Schaufenster mit Brettern zugenagelt. Nur die Tankstelle und einige Restaurants hatten noch offen. Endlich entdeckte er in einem Pancake-House Anne-May und Grover.

»Hi«, sagte er, doch keiner antwortete ihm.

Francis setzte sich zu ihnen an den Tisch. »Ich bin so ein Arsch, ich …« Er starrte auf die Speisekarte, wieder mal unsicher, welche Worte er wählen sollte. Alle klangen viel zu banal für das, was er fühlte. »Ich weiß auch nicht, was gestern los war, wieso ich das alles zu euch gesagt hab. Ich hab's echt nicht so gemeint.«

Grover warf ihm einen langen Blick zu. Seine Augen eng und hart, er schien sekündlich älter zu werden. »Doch, genau so hast du's gemeint. Gib wenigstens zu, dass es die Wahrheit war.«

Francis nickte erschöpft. »Okay, es war die Wahrheit. Manchmal denk ich so was. Aber du bist trotzdem mein bester Freund, und ich wollte dich nicht so angreifen. Wenn ich es wiedergutmachen kann, dann sagt mir, wie, und ich tu's.«

Beide reagierten nicht. Im Hintergrund dröhnten die Doors aus der Jukebox. Kurz sah er seine Mom vor sich; ihre Musik.

»Ich weiß, dass ich's nicht mehr ändern kann«, sagte er. »Ich wollt mich einfach nur entschuldigen.«

Sie antworteten noch immer nicht. Als sie ihre Waffeln gegessen hatten, gingen sie zu dritt zum Motel. Auf dem ganzen Weg zurück sprach keiner ein Wort, und stumm stiegen sie in den Wagen und fuhren weiter. Durch die Heckscheibe sah Francis, wie Janis ihnen mit verkniffenem Gesicht nachblickte.

Da Grover noch immer zum Grand Canyon wollte, machten sie den versprochenen Abstecher zum Nationalpark. Die Schlucht erstreckte sich über ein paar hundert Meilen, man hätte gewaltige Städte darin versenken können, und es wäre immer noch Platz gewesen. Francis kickte einen Stein in den Abgrund. Sie standen neben einer Reisegruppe aus Michigan, ein rauher Wind peitschte über das Gelände, einem Touristen wurde die Mütze vom Kopf geweht. Dann fing es auch noch an zu regnen. Fast alle Besucher fotografierten, aber niemand so viel wie Grover. Er knipste jeden Strauch und jeden Felsen. »Seht ihr den da?«, fragte er.

Sie blickten zu einem kleinen Felsvorsprung. Dahinter ging es Hunderte von Yards in die Tiefe. Doch zwei, drei Meter entfernt ragte aus der Schlucht ein weiterer einzelner Turm aus rotem Fels empor.

»Von dem Vorsprung kann man vielleicht auf den Felsturm springen«, sagte Grover. »Von da kriegt man bestimmt tolle Fotos.«

»Bist du wahnsinnig?« Anne-May sah ihn schief an. »Und wenn du danebenspringst? Dann stürzt du ab und bist tot!«

»Sei nicht verrückt«, sagte Francis zu ihm. »Das schaffst du nicht. Es ist zu weit.«

»SAG DU MIR NICHT, WAS ICH SCHAFFE UND WAS NICHT!« Grover ging auf den Vorsprung zu. Er schien Angst zu bekommen, als er da runtersah. Nur wenige Meter entfernt war der Fels, auf den er springen wollte. Dazwischen die Schlucht.

Francis fasste ihn bei der Schulter, doch Grover riss sich los. »LASS MICH! DU HAST GESAGT, DASS ICH MICH NIE WAS TRAUE, JETZT TRAUE ICH MICH WAS!«

»Verdammt, willst du jetzt deswegen sterben oder was?«

»Kann dir doch egal sein.«

Es war zwecklos. Er ließ nicht mit sich reden. Hinter ihnen standen schon ein paar Leute, sie hatten mitbekommen, dass Grover springen wollte, und gafften. Francis sah, dass manche ihre Kameras und Handys in der Hand hielten. Vielleicht konnten sie ja den verrückten Typen fotografieren, der gleich in den Tod sprang.

Anne-May griff nach Grovers Hand und versuchte ihm die Sache auszureden, aber er blieb stur. Er schien sich selbst und vor allem ihr beweisen zu wollen, dass er kein Feigling war. Immer mehr Leute scharten sich um ihn. Sein Blick war starr, vor Angst hatte er Tränen in den Augen, aber er konnte offenbar nicht mehr zurück. Anne-May umarmte ihn. Grover nestelte an seiner Brille, dann hängte er sich die Kamera um und trat ein paar Schritte zurück, um Anlauf zu nehmen. Francis wusste nicht, was er machen sollte. Er begriff, wie sehr Grover all die Jahre gelitten haben musste; unter den Demütigungen der anderen, unter seiner ewigen Mutlosigkeit.

»Du schaffst es!«, rief er.

Grover drehte sich kurz zu ihm um, und schon lief er los. Francis hörte die Leute raunen und sah aus den Augenwinkeln, wie ein paar Touristen das Ganze filmten. Und dann passierte das Unvermeidliche. Grover rannte, aber er war nervös, es sah nicht geschmeidig aus, und der regennasse Boden war rutschig. Kurz vor dem Ende des Vorsprungs blieb er fast stehen vor Panik, gleichzeitig sprang er los. Es würde nicht reichen. Francis sah es sofort. Grover hatte zu wenig Anlauf gehabt, und er hätte nicht kurz abbremsen dürfen. Die Menge schrie auf, weil sie jetzt auch erkannte, dass es schiefgehen würde.

In der Luft unternahm Grover noch einmal alles, um den Felsturm zu erreichen, er ruderte mit den Armen, doch er schaffte es nicht. Er sprang zu kurz, rutschte ab und stürzte in die Tiefe. Francis schloss die Augen.

Als er die Augen wieder öffnete, war Grover noch immer nicht losgesprungen. Während seiner kurzen Horrorvision war Francis der Schweiß ausgebrochen. Als Grover dann tatsächlich sprang, konnte er nicht hinsehen. Sein Herz stockte für einen winzigen Moment.

Die Leute applaudierten. Grover war auf dem Felsturm gelandet. Im ersten Moment schien er nicht zu begreifen, dann reckte er seine Kamera in die Höhe, und die Menge jubelte noch lauter. Grover machte mit zittrigen Händen ein paar Fotos, dann sprang er wieder zu den anderen auf den Felsvorsprung. Es war ziemlich knapp, da er diesmal weniger Anlauf hatte, aber er schaffte es. Ein paar Leute kamen zu ihm gelaufen, sie machten Bilder von ihm oder ließen sich mit ihm fotografieren. Grover wirkte erst euphorisiert, dann wurde er immer stiller.

Schließlich waren sie wieder allein und gingen zu dritt zum Wagen zurück. Obwohl alles gutgegangen war, waren sie niedergeschlagen, und je mehr Francis über die sinnlose Aktion nachdachte, zu der Grover sich gezwungen hatte, desto schuldiger fühlte er sich.

Sie stiegen in den Chevy, Las Vegas war nur wenige Stunden entfernt. Francis nahm sein Geld aus dem Kuvert und zählte noch mal die Scheine durch. Heute Nacht würde er spielen, und er musste gewinnen. Sie ließen den Canyon hinter sich. Eine fiebrige Spannung breitete sich in ihm aus. Auf der Fahrt verschwanden die letzten Sonnenstrahlen, und es wurde dunkel da draußen. Dunkel und kalt.

Las Vegas

1

In der Wüste Nevadas war der Nachthimmel mattschwarz und unendlich, die hügelige Straße stieg immer steiler an und führte auf eine Anhöhe. Plötzlich blickten sie auf ein gigantisches Lichtermeer hinab. Etwas von dem gleißenden Licht schwappte auch zu ihnen ins Auto und erhellte ihre Gesichter. Dort unten im Tal lag Las Vegas und wartete auf sie. Francis spürte in seiner Brust ein Vibrieren, das er seit seinem Traum nicht mehr gehabt hatte.

Sie nahmen ein Zimmer im Zentrum, Anne-May zog sich im Bad um. Als sie herauskam, trug sie ein dunkelgrünes Kleid, ärmellos und rückenfrei, und sah phantastisch aus. »Ist aus Illinois«, sagte sie.

»Steht dir«, sagte Francis und fügte hinzu: »Sehr!«, und zum ersten Mal seit langer Zeit lächelte sie ihn an.

Grover ignorierte ihn weiterhin und sah fern, die größten Duelle der Monstertruckgeschichte. Mit einer Coke in der Hand telefonierte er schon wieder mit seiner Mutter. »Ja, Mom, alles ist gut. Wirklich. Die Vorrunde lief super, haben die Mathletes aus Iowa weggefegt.« Er nippte gelangweilt an seinem Strohhalm und zappte auf den nächsten Kanal. »Klar hab ich euch vermisst, ich denke …«

Er verschluckte sich und hustete. Gerade liefen die Regionalnachrichten, und zu sehen war: *Grover!*

Er hustete noch immer. »Ich ruf dich zurück!« Hastig legte er auf, suchte nach der Fernbedienung und drehte die Lautstärke auf. Der Raum war erfüllt von der Stimme des Nachrichtensprechers: »So, und jetzt noch etwas, was uns ein Zuschauer geschickt hat. Ein wagemutiger junger Mann hat heute am Grand Canyon mehrere Menschen in Atem gehalten, als er versuchte …«

Während der Sprecher seinen Text aufsagte, sah man auf verwackelten Handkamerabildern, wie Grover mit Anlauf über die Klippe sprang und unter dem Jubel der Zuschauer auf dem Felsturm landete. Francis sah gebannt hin. Man konnte es nicht anders beschreiben: Es sah verdammt cool aus.

Der Grover im Fernsehen reckte die Faust hoch. Der Grover im Hotelzimmer machte ein Gesicht, als hätte er sich beim Sterben zugesehen. Vermutlich wurde ihm erst jetzt klar, wie gefährlich sein Sprung gewesen war. Aber als er sah, wie die Leute klatschten und Mädchen mit ihm Fotos machen wollten, fing er an zu grinsen. »Das gibt's doch nicht, Francis?!«

Wie sich herausstellte, kamen die Bilder auch noch auf zwei anderen Kanälen, und die Kommentatoren überschlugen sich. »Der Teufelskerl vom Canyon«, »Wahnsinniger« oder immer wieder: »Der mutigste Fotograf der Welt.« Es war genau die Sorte Video, die sich sofort verbreitete, die man im Büro an Kollegen verschickte, mit dem Kommentar: »Schau mal, Randy, da war so ein Irrer am Canyon, das musst du dir mal ansehen!«

Anne-May klopfte ihm auf die Schulter. »Jetzt wirst du berühmt, Groovy.«

Um das zu feiern, bestellten sie beim Zimmerservice eine Flasche Wein und alles, was die Speisekarte hergab. Kurz darauf klopfte es, und ein Wägelchen mit mehreren Tabletts wurde hereingefahren. Fasziniert starrten sie auf Chateaubriand, Crème brulée und den Lobster-Burger für zwanzig Dollar. Sie aßen alles quer durcheinander, danach liefen sie mit dem Wein die Treppen nach oben aufs Dach. Es war nicht klar, wer als Erster damit anfing oder weshalb, aber am Schluss mussten alle beim Rennen lachen, bis sie völlig erschöpft auf der Dachterrasse ankamen.

Während sie zu dritt nebeneinander am Geländer standen und auf Las Vegas hinunterblickten, diesen riesigen, mit unzähligen brennenden Kerzen dekorierten Geburtstagskuchen, tranken sie abwechselnd aus der Flasche. Dann lehnte Grover sich vor und brüllte etwas in die Nacht, das so ähnlich wie »Wahooo!« klang, er hatte den Mund weit aufgerissen und die Augen hinter den Brillengläsern geschlossen. Francis hatte ihn noch nie so glücklich gesehen.

Zurück im Hotelzimmer, ließ er die anderen allein und ging ins Bad. Minutenlang betrachtete er sich im Spiegel. *Donor James*. Er konnte sich nicht mehr ansehen, ohne an sein Gesicht zu denken. Dann fiel Francis ein, was er jetzt vorhatte, und die Euphorie vom Dach wich einer nervösen Nüchternheit.

»Was ist?« Anne-May war ins Bad gekommen. Sie zog die Tür hinter sich zu.

»Nichts.« Francis wusch sich die Hände im Waschbecken. Er wandte sich zu ihr um. »Wieso hast du ihn geküsst?«

Sie antwortete erst nicht.

»Weil ich es in dem Moment wollte.« Sie machte eine Pause. »Aber vor allem, weil er mir leidgetan hat.«

Francis merkte, dass sich seine Gesichtszüge entspannten.

»Wieso interessiert dich das eigentlich so?« Anne-May stellte sich neben ihn, sie beobachteten sich gegenseitig im riesigen Badezimmerspiegel.

»Kannst du dir denken«, murmelte er nur.

Im Spiegel sah er ihre großen, dunklen Augen, die wie immer, wenn sie unsicher war, flackerten.

Francis kam dieser Moment unwirklich vor. Ob er sich noch in zwanzig Jahren daran erinnern würde, wie er mit Anne-May in diesem Bad gestanden hatte? Was geschah mit all diesen kleinen Augenblicken, wenn es ihn nicht mehr gab? Damals, als er in der stickigen Turnhalle in Jersey City Adam Landis besiegt hatte, den Jugendmeister im Ringen, und seine Mutter und Ryan ihn danach umarmt hatten und er vor Stolz fast geplatzt war. Oder wie er vor seinem ersten Kuss so nervös gewesen war, dass er hatte lachen müssen, und wie er danach mit diesem unglaublichen Glücksgefühl nach Hause gerannt war und es allen erzählen wollte. Was würde aus diesen unbedeutenden, aber für ihn so wichtigen Momenten werden? Niemand kannte seine Gedanken und Erinnerungen. Wenn er starb, würden sie vergessen werden, und ein paar Erdumdrehungen später würde es sein, als hätte es sie nie gegeben. Alles würde verlorengehen, auf dem Flug durchs All.

»Vor zwei Monaten habe ich Tony Gould getroffen«, sagte er. »Ein alter Bekannter meiner Mom. Er arbeitet auf dem Bau und meinte, dass er 'nen Job für mich hätte, falls es mit der Schule nichts werden würde. Als ich danach nach

Hause kam, hab ich gedacht, dass ich das machen werde. Dass wir das Geld einfach brauchen und dass eben nicht mehr drin ist. Doch als wir neulich in Missouri am Fluss saßen, da …« Er schüttelte den Kopf. »Da hab ich mich gefragt, ob's nicht *mehr* für mich gibt als das.«

Er wartete, ob Anne-May etwas sagte, doch sie schwieg.

»Früher hab ich gedacht, es ist besser, wenn man alles mit Humor nimmt … wenn man die Dinge nicht so ernst sieht.« Er hielt kurz inne. »Aber das ist *falsch*. Denn ab einem bestimmten Moment ist einfach nichts mehr lustig, und man kann das Leben nur noch ernst nehmen.« Francis drehte sich vom Spiegel weg und sah Anne-May direkt in die Augen. Er war nie gut mit Worten gewesen, aber jetzt hatte er genau das gesagt, was er fühlte.

Sie wich seinem Blick aus. »Manchmal denk ich, dass ich später gern einen Sohn oder eine Tochter hätte«, sagte sie. »Aber dann denk ich wieder, dass ich all das meinem Kind nicht antun will. Vielleicht ist die Menschheit an sich einfach schlecht, vielleicht kommt trotz der vielen guten Sachen am Ende immer ein kleines Minus raus. Ich meine, es wird immer Krieg geben, immer Hunger, Ungerechtigkeit und Lügen.« Sie lachte. »Andererseits pass ich aber auch ganz gut rein in diese Welt. Ich bin falsch und ungerecht und vielleicht sogar ein schlechter Mensch.«

»Bin ich auch.«

»Nein, Dean, bist du nicht. Du wärst vielleicht gern einer, aber du bist keiner.«

Jetzt lächelten beide.

»Ich mag deine aufgeplatzte Lippe«, sagte er. »Sieht irgendwie verwegen aus.«

»Findest du?« Sie strich ihm über die Schulter und verließ das Bad.

Francis stützte sich aufs Waschbecken. Er drehte den Hahn auf, dann wieder zu. Auf und wieder zu. Gleich würde er spielen. Er suchte in seinem Gesicht nach Zuversicht.

2

Draußen noch über dreißig Grad. Als sie zum Casino des MGM Grand liefen, sah Francis, wie sich auf Anne-Mays nacktem Rücken einzelne Schweißperlen bildeten. Überall blinkte und flirrte es ihnen entgegen, jedes noch so kleine Lichtlein schien um ihre Aufmerksamkeit zu buhlen. Am Straßenrand Ventilatoren und zwielichtige Gestalten, die sie in Nachtclubs einluden. Eine Achterbahn sauste durch eine Nachbildung des Eiffelturms, Touristen fotografierten die spektakulär beleuchteten Gebäude, die Pyramiden, das Taj Mahal. Der mutigste Fotograf der Welt knipste ebenfalls, und das Unglaubliche passierte: Grover wurde erkannt.

»Hey, warst du heut nicht im Fernsehen?«, fragten drei Jugendliche in ihrem Alter, die Grover sonst wahrscheinlich verarscht oder rumgeschubst hätten. »Dürfen wir 'n Foto von dir machen?«

Grover nickte sofort. Die Jugendlichen stellten sich neben ihn, er versuchte cool auszusehen, streckte aber beide Daumen in die Höhe und grinste breit.

Sie waren fast da. Francis wollte bei Rot über die Straße rennen, doch obwohl kein Verkehr war, hielt Anne-May ihn fest am Arm zurück.

Es riss ihn herum. »Verdammt, was soll das?«

»SPINNST DU?« Sie wirkte aufgebracht und zitterte beinahe. »Du kannst doch nicht einfach so über die Straße laufen. Was, wenn plötzlich ein Auto kommt?«

Er sah sie entgeistert an. »Was ist denn auf einmal mit dir los?«

Anne-May antwortete nicht, und als Grün kam, ging sie einfach voraus. Francis und Grover tauschten fragende Blicke aus, dann folgten sie ihr.

Im Casino des MGM erwartete sie eine Symphonie aus billigem Lärm, aus Melodien, Geklacker und Klimpern. Hunderte Bildschirme flimmerten, Menschen irrten durch den Saal, saßen vor den Spielautomaten oder scharten sich um die Black-Jack-, Craps- und Pokertische. Francis beobachtete, wie eine Frau an einem einarmigen Banditen gewann, emotionslos das Geld nahm und weiterspielte.

»Dahinten ist es«, sagte er und führte die beiden anderen zum nächsten Raum.

Auf den Anzeigetafeln der Roulettetische blinkten rote und schwarze Zahlen auf, manchmal auch die grüne Null. *Endlich,* dachte Francis, hier hatte er bei jeder Runde die fast fünfzigprozentige Chance zu gewinnen – im Zweifel eher mehr als im richtigen Leben. Er ging Geld wechseln. Von seinen verbliebenen viertausend Dollar tauschte er zweitausend in Chips. Den Rest brauchte er für die Fahrt und um wenigstens einen Teil der Schulden seiner Mom zu bezahlen. Er fragte einen Angestellten des Casinos, was der höchste Einsatz beim Roulette sei.

»Normalerweise tausend Dollar auf einmal.«

»Wieso *normalerweise*?«

Der Mitarbeiter sah ihn lange an. »Es gibt da hinten noch spezielle Tische, an denen man bis zu hunderttausend Dollar setzen kann.«

»Und wenn man mit noch mehr Geld spielen will?«

Der Angestellte schüttelte amüsiert den Kopf, dann deutete er zum ersten Stock. Hinter den verdunkelten Fenstern seien weitere Roulettetische, an denen man siebenstellige Beträge setzen könne. Mindesteinsatz jedoch hunderttausend Dollar.

Zunächst ging Francis an einen der abseits gelegenen Spezialtische. Anders als beim normalen Roulette, bei dem sich Touristen, abgerissene Typen mit Cowboyhüten oder Hausfrauen tummelten, saßen hier nur Leute in Maßanzügen und Abendgarderobe. Francis dagegen trug seine weißen Chucks, Jeans und ein dunkles Shirt. Im Casino war es kühl, er fror.

Da noch kein Platz frei war, beobachtete er das Spiel. Sah, wie eine Frau an den Nägeln kaute und wie andere lässig ihre Chips auf den Feldern platzierten. Als die kleine Kugel in ein Fach gefallen war, teilte sich das Spielerfeld in Gewinner und Verlierer. Einige setzten achttausend auf eine einzelne Zahl, verloren und setzten, ohne mit der Wimper zu zucken, noch mal achttausend. Andere gewannen siebzigtausend und ließen die Chips auf dem Feld liegen, als ginge es sie nichts an. Diese Verrückten schienen nicht zu wissen, was Geld war.

Als ein Platz frei wurde, setzte sich Francis. Der Croupier wollte seinen Ausweis sehen und studierte ihn. »Mindesteinsatz ist tausend Dollar!«, sagte er endlich.

Francis nickte. Er spürte die Blicke der anderen, vor allem der Spielerinnen. Die meisten waren schon älter und saßen geschminkt und mit unbeweglichen Botoxmienen am Tisch. Er fühlte sich unwohl, doch neben ihm stand Anne-May, das mit Abstand schönste weibliche Wesen in diesem Raum. Trotz ihrer Piercings leuchtete sie geradezu, im Vergleich zu diesen fülligen Gremlins in den Zehntausend-Dollar-Kostümen. Sein Nachbar Toby hatte immer gesagt, wenn man eine hübsche Freundin habe, könne man sich alles erlauben und der größte Freak sein. Mit einer Frau wie Anne-May an der Seite konnte man die Welt erobern.

Grover stand dicht hinter ihnen, er hatte sich noch eine Coke geholt und trank wie immer mit Strohhalm. Francis legte seine zwei Chips auf den Tisch. Jeder tausend Dollar wert. Die anderen Spieler sahen ihn belustigt an, gerade hatte der eine wieder dreißigtausend in den Sand gesetzt. Er konnte ihre Ablehnung fühlen. In diesem Moment beugte sich Anne-May zu ihm runter. Zum ersten Mal spürte er ihre Lippen auf seinem Mund.

»Mach sie fertig!«, sagte sie.

Was nun geschah, nahm Francis nicht mehr richtig wahr. Er war in einem Tunnel aus Lichtern und Lärm, sah nur noch das Blinken auf den Anzeigetafeln. Der Croupier bat um den Einsatz, und schon ging es los. Ohne groß nachzudenken, setzte er tausend auf Rot. Die Kugel rollte. Während die Croupiers an den anderen Tischen bloß eine Handbewegung machten, sagte der an ihrem Tisch: »Rien ne va plus!« Nur kurz begriff Francis, was er da tat, und erschrak. Tausend Dollar hatte er gesetzt! Er dachte an die Mahnungen für den

Trailer und die nicht bezahlten Telefonrechnungen und sah der Kugel dabei zu, wie sie im Kessel umhersauste, langsamer wurde, herabfiel, auf der Zehn landete. Schwarz.

»Nein!«, sagte Anne-May.

Die ersten tausend waren weg. Aber das konnte nicht sein, er hatte doch geträumt, dass er hier gewinnen würde. Francis setzte die anderen tausend, aus Trotz erneut auf Rot. Die Roulettescheibe bewegte sich. Der Croupier warf die Kugel mit Effet und gegen die Drehrichtung in die Schüssel, dann warteten wieder alle gespannt.

»Rien ne va plus!«

Die Kugel wurde langsamer und landete schließlich im Fach der Zweiundzwanzig. Wieder verloren. Francis hörte einen Mann schreien, der auf genau diese Zahl gesetzt und gewonnen hatte. Bei fünftausend Einsatz ein Vermögen.

»Das kann nicht sein«, murmelte Francis. »Das kann einfach nicht sein!« Sein Blick wurde trüb, er verließ den Tisch. Aber nicht, um zum Hotel zurückzugehen. Stattdessen lief er direkt zur Geldwechselstelle, um weitere zweitausend in Chips wechseln zu lassen. Es durfte noch nicht vorbei sein!

Anne-May ging ihm nach und zerrte an seinem Shirt. »Hör auf!«, rief sie. »Du brauchst das Geld. Es ist alles, was du noch hast, du wirst es verlieren.«

»Ich *muss* … das machen. Ich werde gewinnen.«

»Weißt du, wie geringe Chancen du hast?«

Francis blieb stehen. »Ich scheiß auf meine Chancen!«, schrie er plötzlich, selbst erstaunt, wie laut er wurde. »Dass meine Mom gesund wird, dass ich meinen Vater finde und er mich mag oder dass ich kein beschissener Versager werde; was meinst du, wie hoch die Chancen dafür sind?«

»Das hier ist verrückt«, sagte sie nur, während er sein letztes Geld wechselte. Er ging zum Spieltisch zurück und setzte den ersten Chip auf Schwarz. Seine Hand zitterte.

Es kam Rot.

Grover schien etwas zu sagen, aber Francis hörte nicht hin. Er hatte nur noch tausend Dollar, einen einzelnen lilafarbenen Chip. Er wusste nicht mehr, was er tun sollte. In seinem Traum hatte er mehrmals gesetzt, mal auf Rot, mal auf Schwarz, es war immer richtig gewesen. Schließlich hatte er alles auf eine Farbe setzen wollen, doch er hatte nicht gewusst, auf welche. Da hatte er einen Typ im blauen Overall durchs Casino gehen sehen, der ihm mit der Hand ein Zeichen gab. Daraufhin hatte er im Traum alles auf eine Farbe gesetzt und gewonnen.

Doch von einem Typ im blauen Overall war hier nichts zu sehen. Er wandte sich an Anne-May. »Was ist deine Glückszahl?«

»Dreizehn. Wieso?« Dann kapierte sie. Sie sah auf dem Tableau nach. »Dreizehn ist schwarz, setz auf Schwarz!«

Francis schob den letzten Chip auf den grünen Zahlenteppich. Eigentlich hatte er schon keine Hoffnung mehr. Er stellte sich vor, wie er verlor und danach vom Tisch wegging. Als nun tatsächlich Schwarz kam, stieß Anne-May ihn an, doch er freute sich kaum. Stattdessen kaute er auf einem Fingernagel und spielte sofort weiter, ohne ein Wort zu sagen. Von nun an setzte Francis nur noch auf Schwarz, mal bloß einen Chip, dann wieder viertausend auf einmal. Bis auf eine Ausnahme gewann er immer.

Es ging jetzt so schnell, dass er kaum noch mitkam. In einem Augenblick hatte er zehntausend, dann nur noch siebentausend. Dann zwölftausend und schließlich achtzehntausend. Francis wusste nicht, wann und wie es passiert war. Doch ihm war klar, dass er eine Strähne hatte, und die wollte er ausnutzen. Also setzte er die ganzen achtzehntausend auf einen Schlag. Anne-May murmelte, dass sie nicht hinsehen könne.

Auch die ältere Frau neben ihnen – sie trug ein purpurnes Kleid und hatte einen Seidenschal um den Hals – setzte auf Schwarz. Bestimmt fünfzigtausend. »Ich weiß, dass du mir Glück bringst!«, hörte Francis sie von ganz weit weg sagen. Die restlichen Spieler, es waren acht oder neun, setzten ebenfalls. Da drehte sich auch schon das Rouletterad, die Kugel schwirrte wieder in der Schüssel, wurde langsamer, fiel.

Das wird nichts, schoss es Francis durch den Kopf. Um ihn herum war es still geworden. Plötzlich durchströmte ihn ein heißes Gefühl. Er begriff erst nicht, wieso, sah nur, dass Anne-May aufschrie. Sie fiel ihm um den Hals, und jetzt hörte er wieder die Stimmen und den Lärm im Casino. Er hatte gewonnen, er hatte unfassbare sechsunddreißigtausend Dollar!

Vor Freude sprang Francis hoch und jubelte. Dann nahm er die Chips an sich und schaute in die Runde. Ein paar Spieler nickten ihm kumpelhaft zu, und der schwarzhaarige, sehr jung aussehende Typ neben ihm sprach ihn an. Er fragte Francis, woher er komme, und sagte, er selbst sei ein Musiker aus Litauen und würde immer mal wieder zum Spielen nach Vegas fliegen. Sie wünschten sich gegenseitig Glück. Grover klopfte Francis auf die Schulter, Anne-May sagte begeistert: »Du bist einfach nur wahnsinnig«, und er selbst hatte die beste Laune seines Lebens. Er betrachtete die Chips. Was man mit sechsunddreißigtausend Dollar alles machen konnte! Vor allem jetzt, da Ryan ihnen nichts mehr geben wollte. Es war genug, um ihre Schulden zu zahlen, einen Wagen zu kaufen und noch etwas zur Seite zu legen. Francis stellte sich das Gesicht seiner Mutter vor, wenn er sie mit so einem Haufen Geld überraschte. Doch heute Nacht war noch mehr möglich, das wusste er. Er würde die hunderttausend erreichen, nach oben zu den Leuten hinter den verdunkelten Scheiben gehen und mit einer Million hier rausspazieren. Dann würde er nie mehr nach Claymont zurückkehren müssen.

Adrenalin rauschte durch seinen Körper. Er sah kurz zu Anne-May, sie schien zu lächeln, schon setzte er zwanzigtausend auf Schwarz, schob die Chips auf dieses Feld, die Kugel drehte sich wieder, und die Kugel fiel auf Rot.

Es war, als hätte ihm jemand ins Gesicht geschlagen.

Francis schüttelte sich, dann setzte er fünftausend, wieder auf Schwarz. Es kam Rot. Erneut fünftausend, aber auch das ging daneben. *Wieso?* Er fuhr sich über die Stirn und spürte den kalten Schweiß. Dann setzte er zweitausend. *Bitte!* Wieder verloren. Die anderen sagten, er solle aufhören, das sei doch seine Reserve. Aber er konnte nicht mehr stoppen, er wusste, dass er hier gewinnen würde!

Francis setzte zweitausend und gewann. Vor Erleichterung schrie er auf. Jetzt würde er sich wie vorhin alles zurückholen. Doch die nächsten Runden verlor er ausnahmslos. Schließlich hatte er nur noch tausend. Er setzte sie auf Rot und ballte die Faust, bis das Weiße der Knöchel hervortrat.

»Tu's nicht«, hörte er Anne-May neben sich sagen. »Bitte.«

»Ich weiß, dass es klappt!« Er starrte auf die kleine Kugel. »Ich kann es fühlen. Komm schon!«

Es kam Schwarz – verloren, aus.

Er lieh sich von Grover fünfzig Dollar und setzte sie an einem anderen Tisch direkt auf Anne-Mays Glückszahl dreizehn, doch es kam die Sieben. Dann war es endgültig vorbei. Während Francis allein aus dem Casino taumelte, hatte er den Kopf voller blinkender Zahlen.

3

Er stürzte hinaus und stieß gegen einen Wall aus Hitze. Die Wüstenstadt war noch immer fiebrig, unruhig, noch längst nicht fertig mit all den Gestalten, die durch ihre Straßen irrten. Francis streifte umher, winkte ab, wenn ihn Zuhälter und Huren ansprachen, und beobachtete die Touristen, die gutgelaunt vor ihm gingen. Sie hatten es noch vor sich, hatten noch ihre Chance. Er dachte an seinen Vater. In seiner Vorstellung hatte er ihn immer als Gewinner besucht, er hatte erst im Casino abräumen und ihn dann treffen wollen. »Sieh her, Dad, ich hab's geschafft, auch ohne dich.« Jetzt würde er ihm mit leeren Händen gegenübertreten müssen.

Er kam an einer Telefonzelle vorbei und war kurz davor, erneut seine Mutter anzurufen. Auf einmal vermisste er sie sehr. Wie gern hätte er sie in den Arm genommen und über alles geredet; seine Fahrt in den Westen, seinen Vater, ihren

Selbstmordversuch. Aber man würde ihn sowieso nicht zu ihr durchstellen.

Francis betrachtete die Leuchtreklame einer schäbigen Rock-'n'-Roll-Bar. Er hatte früh erwachsen ausgesehen, erwachsen sein *müssen*, aber jetzt, in dieser Nebenstraße irgendwo in Vegas, fühlte er sich wie ein Junge, der sich verlaufen hatte.

Er wählte die Nummer von Nickys Handy.

»Frankie, wo bist du?« Anscheinend hatte er schon geschlafen.

Francis atmete durch, froh, die Stimme seines kleinen Bruders zu hören. »Ach, unterwegs.« Er schloss die Augen und sah für einen Moment wieder den klappernden Tanz der Roulettekugel. »Wollte nur hören, wie's dir geht?«

»Ganz gut.« Nicky klang noch immer verschlafen. »Heute hab ich in Mathe die beste Arbeit gehabt. Obwohl ich gar nicht gelernt habe.«

Das sind deine Gene, dachte Francis. Kurz streifte ein Gedanke sein Bewusstsein; was, wenn er tatsächlich selbst auf irgendeine Weise hochbegabt war und bisher nur zu wenig gefördert wurde? Andererseits störte ihn die Vorstellung, dass alles nur von den Genen abhängen sollte. Nichts läge mehr in seiner Hand. Eventuell hatte er ja auch die psychische Krankheit seiner Mutter geerbt und wusste es nur noch nicht. Dann hatte er vielleicht noch zehn Jahre, bis wie bei ihr plötzlich alles finster wurde; eine tickende Zeitbombe in seiner Seele, gegen die er nichts tun konnte.

»Du, Frankie?« Nicky stellte ihm noch immer so gern Fragen wie früher, als sie zusammen im Stockbett geschlafen hatten. »Bin ich zu klein für mein Alter?«

»Wie kommst du darauf?«

»Alle in der Klasse sagen das. Selbst Linda, das kleinste Mädchen, ist ein bisschen größer als ich. Ich bin wirklich zu klein.«

»Ach, Quatsch, du bist nicht zu klein.«

Natürlich war sein Bruder zu klein, viel zu klein sogar. Er fing ja schon an, sich mit anderen kleinen Menschen zu identifizieren. Nicky hatte mehrere Poster von dem Herr-der-Ringe-Schauspieler in seinem Zimmer, dazu welche von Daniel Radcliffe und auch eines von Malcolm aus *Malcolm Mittendrin*. Sein Zimmer war ein Schrein der Winzlinge.

»Du bist genau richtig«, sagte Francis. »Und ich bin mir sicher, dass du bald in die Höhe schießen wirst.«

»Echt? Das wär schon cool. Weißt du, ich möchte ja gar nicht so riesig werden wie du. Nur ein bisschen größer als Linda. Sie ist wirklich klein, alle nennen sie Maus, und mich nennen sie jetzt auch Maus.«

Francis lächelte und verabschiedete sich. Nach dem Gespräch trottete er über den nächtlichen Strip. Er dachte daran, wie Nicky und er früher Verstecken gespielt hatten. Nicky hatte sich fast immer im Schrank auf dem Speicher verkrochen und jedes Mal angefangen zu kichern, wenn man sich dem Schrank auch nur genähert hatte. Francis erinnerte sich, wie sein Bruder einmal vor dem Fernseher eingeschlafen war. Er hatte ihn in ihr Zimmer getragen, ins Bett gelegt und zugedeckt und diesen kleinen unschuldigen Gnom danach noch eine ganze Weile betrachtet, vor Rührung, dass er sein Bruder sein durfte. Nicky war immer irgendwie gut gewesen, niemals hätte er etwas Schlimmes gemacht oder anderen weh getan. Einmal hatte Francis geträumt, dass er als sein Beschützer arbeitete, als richtiger Fulltime-Job. Danach war er sich sicher gewesen, dass er das wirklich gemacht hätte, wenn so etwas möglich gewesen wäre. Francis hatte immer geahnt, dass sein Leben nicht so viel wert sein würde. Aber Nicky würde mal groß rauskommen, da war er sich sicher. Als Senator vielleicht. Er konnte sich richtig vorstellen, wie sein Bruder später in einer Villa lebte, immer noch winzig, und wie er selbst auch dort wohnte und Nicky Tag und Nacht bewachte. Das war wohl der einzige Job, bei dem er glücklich gewesen wäre. Er hätte immer bei seinem kleinen Bruder sein können und wäre wichtig gewesen, weil er ihn vor dem ganzen Mist beschützt hätte, der ihm selbst widerfahren war.

Vor dem ›Bellagio‹ schossen die Wasserfontänen in den Himmel; majestätisch, unschuldig. Francis lehnte gegen das Geländer und legte den Kopf in den Nacken. Ihm fiel ein, wie Toby mal gesagt hatte, dass sie alle in Ketten lagen und es nur nicht wussten. Er steckte sich eine Zigarette an, schmiss sie aber nach der Hälfte weg. Dann stellte sich jemand neben ihn.

Grover und er nickten sich zu. Sie beobachteten eine Weile die Touristen, die an ihnen vorbeigingen.

»Tut mir leid«, sagte Grover irgendwann. »Ich war sicher, dass du gewinnst.«

»Schon okay … Wo ist Anne-May?«

»Im Zimmer. Sie ist ganz schön wütend auf dich.«

Wieder schwiegen sie. An der Straßenecke stand ein Mann mit Gitarre und spielte *The Lonesome Death Of Hattie Carroll* von Bob Dylan. Francis wusste nicht, wieso, aber das verdammte Lied machte ihn traurig. Er brauchte dringend eine Aufmunterung.

»Kannst du mir noch mal fünfzig Dollar leihen?«

»Sicher, Francis … Wieso?«

Minuten später betraten sie einen Laden in einer Seitenstraße, das ›Acropolis‹. Niemand wollte ihre Ausweise sehen. Drinnen war wenig los, neben einem alten Mann in der Ecke waren sie die einzigen Gäste. Vor ihnen auf der Bühne tanzte eine brünette Stripperin lustlos an der Stange. Sie bestellten zwei Bier und schauten zu, wie die Frau ihren BH auszog. Francis stellte fest, dass es ihn schnell langweilte.

»Bist du eigentlich noch sauer auf mich?«

Grover, der gebannt zugesehen hatte, linste zu ihm rüber. »Warum?«

»Wegen gestern, was ich über dich gesagt habe. Weißt du, wahrscheinlich hatte ich wegen Yale einfach Angst, dass wir uns dann …« Er brach ab und schüttelte den Kopf. »Es war alles nur dummes Gerede, okay? Ich war eifersüchtig.«

Grover zuckte mit den Schultern, während die Frau jetzt wild um die Stange tanzte. »Du hattest aber recht.« Er nahm die Brille ab und säuberte sie mit dem Ärmel. »Ich bin ein Loser, das wusste ich schon immer. Glaub nicht, ich merk nicht, wenn mich jemand auslacht. Aber was soll ich machen? Ich kann das Leben ja nicht hassen, nur weil ich zufällig nicht gut aussehe oder nicht besonders mutig bin. Und ich weiß, dass du und Anne-May meine T-Shirts bescheuert findet, aber ich mag sie eben, und ich will mich nicht für andere ändern. Für die anderen bin ich so oder so ein Nerd, also was soll's.« Er setzte die Brille wieder auf.

»Ich dachte nur, wenigstens du würdest mich verstehen, Francis. Ich dachte wirklich, wir sind Freunde.«

»Soll das heißen, wir sind keine Freunde mehr?«

Grover antwortete nicht.

Beide nippten an ihren Bierflaschen und sahen dann wieder zu der Frau an der Stange, die gelangweilt die Beine spreizte.

Gerade als sie gehen wollten, kamen weitere Stripperinnen in Hotpants, Strapsen und BH auf sie zu. *»Private dance«*, riefen sie und zerrten Grover und Francis in einen Nebenraum. Sie konnten sich kaum wehren, wollten es aber auch nicht wirklich. Francis stellte fest, dass er das Zielobjekt der ältesten Stripperin war, sie war bestimmt über vierzig und sah mit ihrem sehnigen, ausgemergelten Körper nicht gerade blendend aus; vermutlich nahm sie Drogen, was wusste er schon. Nachdem sie ihn in eine Kabine geführt hatte, legte sie ihren BH ab und tanzte erst dicht vor ihm, doch als sie ihm plötzlich einen Preis ins Ohr flüsterte und versuchte, seine Hose zu öffnen, stand er schnell wieder auf. Hoffentlich lief es bei Grover besser.

In diesem Moment hörte er Geschrei.

Er verließ die Kabine. Im Nachbarraum entdeckte er Grover inmitten einer Traube von Stripperinnen, die mit ihm redeten und ihn beklatschten. Erst verstand Francis nicht, dann wurde ihm klar, dass ein paar von ihnen Grovers Sprung über den Canyon im Fernsehen gesehen haben mussten.

Er flüsterte einer blonden Stripperin zu, dass Grover noch Jungfrau sei und ob man da nicht etwas machen könne, doch sie erwiderte, sie seien bloß Stripperinnen. Francis dachte an das Angebot, das er gerade in der Kabine erhalten hatte, und bettelte: Es sei wirklich unendlich wichtig. Sie wechselte daraufhin einen Blick mit dem Mann hinter der Bar, dann besprach sie sich mit ein paar Kolleginnen, und schließlich erklärte sich eine der Stripperinnen bereit; die Brünette, die vorhin schon an der Stange getanzt hatte. Sie sagte, für siebzig Dollar würde sie es machen.

Francis holte aus seiner Tasche sechsundvierzig Dollar in Scheinen, dazu noch ein paar Münzen. »Das ist alles, was ich habe. Bitte!«

Eine Weile starrte sie kaugummikauend auf das Geld. Seufzend nahm sie es. »Mal schauen, für was das reicht.«

Sie packte den verdutzten Grover am Shirt und schleifte ihn in eine Kabine. Minutenlang blieb die Tür geschlossen. Francis musste über die Absurdität dieser Szene den Kopf schütteln. Doch gerade, als er beschloss, Anne-May auf keinen Fall davon zu erzählen, hörte er die Frau stöhnen. Alle hörten es.

»Du hast behauptet, er hat's noch nie getan«, sagte die blonde Stripperin zu ihm.

Francis dachte an Grovers gewaltiges Teil, das selbst für einen Profi wie die Tänzerin eine Herausforderung darstellen musste. Inzwischen warteten sie schon seit einer Ewigkeit, da fing auch noch Grover an zu stöhnen. Er und die Stripperin schienen sich jetzt abzuwechseln, am Ende stöhnten sie gleichzeitig. Eine der Tänzerinnen musste grinsen. Francis war das Ganze peinlich, er hielt den Blick gesenkt und spielte nervös mit dem Feuerzeug.

Endlich ging die Tür zur Kabine auf. Zuerst kam die brünette Stripperin heraus, sie sah so erschöpft aus wie nach einem mehrstündigen Marsch durch die Wüste. Grover folgte ihr, auch er wirkte abwesend, das Gesicht gerötet. Francis hielt ihm scherzhaft die Packung Zigaretten hin, doch er bemerkte es nicht mal.

Sie schlenderten zu zweit den Vegas Boulevard entlang. Keiner sprach ein Wort, aber ab und zu taxierten sie einander; mal grinste Grover, mal Francis. Vor dem Eingang des Hotels blieben sie schließlich stehen. Sie waren beide nicht groß darin, über ihre Gefühle zu reden, doch sie wollten noch nicht hoch ins Zimmer, ehe sie nicht wenigstens kurz über alles gesprochen hatten.

Auf einmal klopfte ihm Grover auf die Schulter und strahlte. »Die Reise war eine gute Idee.«

Francis winkte ab, aber irgendwie machte es ihn glücklich. »Ach was.«

»Doch, danke, dass du mich überredet hast!« Grover fuchtelte mit den Armen, die Augen weit aufgerissen. »Und jetzt sind wir hier in Vegas, und die Frau gerade eben … und die ganze Fahrt, es ist irgendwie alles so verrückt, so großartig, es ist …« Er suchte nach Worten, und schließlich kam er einfach auf ihn zu und umarmte ihn.

Francis war gerührt. »Bist du jetzt übergeschnappt?« Dann hörte er Grover lachen und lachte ebenfalls. So lange hatten sie sich noch nie umarmt. Er haute Grover auf den Rücken und wollte ihm sagen, wie froh er war, dass er auf diese Fahrt mitgekommen war und dass sie auf jeden Fall noch Freunde seien, aber solche Geständnisse fielen ihm nach wie vor schwer.

»Komm, Pussymaster«, sagte er nur, »gehen wir aufs Zimmer.«

San Francisco

I

Im Death Valley waren es fünfzig Grad, mindestens. Absurd heißer Wind wehte durchs Fenster hinein, eine Klimaanlage hatte der Chevy nicht. Francis' Mund war staubtrocken, er beobachtete Anne-May, die sich feuchte Haarsträhnen aus dem Gesicht strich, und Grover, dessen Mundwinkel beim Fahren immer wieder magisch nach oben gezogen wurden. Obwohl höchstens siebzig Meilen pro Stunde erlaubt waren, hatten sie hundertfünf auf dem Tacho. Berauscht von der letzten Nacht, holte er alles aus dem alten Chevy heraus.

»Ich hab dir doch gesagt, du sollst nicht alles setzen.« Anne-May steckte Francis ein paar Scheine zu. Die Ereignisse im Stripclub waren wie ein Vorhang zur Seite geschoben worden und gaben den Blick auf ein paar harte Tatsachen frei: Seit dem Fiasko im Casino war er pleite. Durch Ryans Geld hatte er für kurze Zeit die wahren Verhältnisse außer Kraft setzen können, und er hasste den Gedanken, sich jetzt wieder was leihen zu müssen.

Der Horizont verschwamm im Hitzeflirren, immer wieder dachte er an seinen Traum. Etwas hatte er gestern beim Spielen falsch gemacht. Nur was?

»Wisst ihr, was seltsam ist?« Francis beugte sich zu den anderen. »Da war kein Mann im blauen Overall. In meinem

Traum war immer ein Mann im blauen Overall, aber gestern war da niemand.«

»Hör endlich auf mit diesem Mist!«, rief Anne-May. »Hast du das etwa wirklich ernst gemeint? Dein Traum war nur ein Traum, und du Idiot hast deswegen alles verloren.« Vor Wut zwickte sie ihn in den Arm.

Francis fuhr sich über die brennende Stelle. Dann las er noch mal den Artikel über Alistair Haley, das Samenbankkind mit dem IQ von 189: *Das Genie, das aus der Kälte kam.* Darin stand, dass Alistair inzwischen zurückgezogen in San Francisco lebte. Der frühe Ruhm als Kind, die Talkshow-Auftritte bei Oprah Winfrey, die Erwartungen der Öffentlichkeit: All das habe Spuren bei ihm hinterlassen. Es folgte ein Absatz, in dem beschrieben wurde, wie bereits mehrere Kinder aus dem Projekt Alistair aufgesucht hatten. Da er als Einziger namentlich bekannt war, hatten sie ihn ausfindig gemacht, um sich mit ihm auszutauschen.

»Sie kommen alle zu mir«, sagt Alistair, und es ist nicht sicher, ob er sich darüber freut oder ob es ihn stört.

Francis konnte es nicht erwarten, ihn selbst zu treffen. Er gab den Artikel Anne-May zu lesen. »Vielleicht ist dieser Alistair ja mein Halbbruder«, sagte er spöttisch zu ihr. Aber dann wurde er still, denn es konnte ja wirklich stimmen.

Die restliche Fahrt schrieb Anne-May in ihr Notizbuch. Bei einem Halt telefonierte sie mit ihren Eltern. Die anderen standen abseits und konnten hören, wie sie mit Grovers Handy anfangs noch normal redete und dann immer lauter wurde. Sie stapfte auf und ab, und einmal schrie sie: »Nein, ich sage euch *nicht,* wo ich bin … Nein … Ich komme wieder, wann *ich* will!«

Als sie auflegte, wirkte sie niedergeschlagen. »Ich hab mich noch nie so mit ihnen gestritten. Ich muss bald wieder nach Hause.«

Francis versuchte sie zu trösten, und als das nicht gelang, redete Grover mit seinem riesigen Mund wieder gestenreich wie ein Zuhälter oder Ghettorapper, und da musste sie schließlich gegen ihren Willen lachen.

»Sind deine Eltern wirklich so schlimm, Anne-May?«, fragte er, als sie weiterfuhren.

Sie blickte aus dem Fenster. »Seit ich mich erinnern kann, kontrollieren sie einfach alles. Ich weiß noch, wie ich das erste Mal eine Freundin mit nach Hause gebracht habe, Stella. Ihre Eltern waren ein bisschen esoterisch, und Stella trug seltsame Kleider, die wie Gewänder aussahen. Mir war das egal, ich war einfach nur aufgeregt, weil zum ersten Mal jemand bei mir übernachten wollte. Aber meine Eltern haben sich vor Stella über ihr Kleid und ihre Familie lustig gemacht. Es klang immer höflich und nett, aber in Wahrheit haben sie sich das Maul zerrissen. Und später haben sie mich gefragt, ob es nicht *andere Mädchen* in meiner Klasse gebe, die ich mit nach Hause bringen könne. Damals war ich acht, und mein Bruder hat noch gelebt. Nach seinem Tod sind sie dann völlig durchgedreht. Sie haben einfach eine genaue Vorstellung davon, wie mein Leben sein muss, und alles, was nicht in diese Vorstellung passt, wird gnadenlos aussortiert.«

Francis hörte aufmerksam zu. War nicht schwer, sich

vorzustellen, wie die Gardeners sich ihm gegenüber verhalten würden.

Gegen Abend kühlte es endlich ab. Vor ihnen erstreckten sich die Getreidefelder Kaliforniens. Sie aßen Sandwiches und beobachteten, wie das Licht der untergehenden Sonne auf Heuballen traf und sie rötlich aufleuchten ließ. Dieses so unfassbar weite Land! Im Radio kam *Highway To Hell*, Anne-May und Grover summten mit. Francis fand es erst albern, machte dann aber doch mit, bis sie beim Refrain alle drei lauthals mitsangen und ihre Köpfe hin und her warfen. Während er den Songtitel brüllte, ihn nun richtig herausschrie, betrachtete er immer wieder die euphorischen Gesichter der anderen. Vor ihm die endlose Straße im Abendlicht, hinter ihm alles andere, und auf einmal spürte er ein fast vergessenes Gefühl von Zuversicht in sich glühen.

Sie checkten in einem ›Best Western‹ ein und zahlten mit Grovers Kreditkarte. Seine Eltern hatten sie ihm zwar nur für das Benzin gegeben, aber das brauchten sie ja nicht zu wissen. Nachdem sie ihre Klamotten in einen Waschautomaten geworfen hatten, setzten sie sich in den Outdoor Jacuzzi. Francis drückte den Knopf am Beckenrand: Das Wasser fing an zu sprudeln, Dampf stieg auf. Mit einem übertriebenen Seufzer lehnte er sich zurück. Sie waren seit sieben Tagen unterwegs, unglaublich, wie viele Meilen sie gefahren waren. Claymont schien Lichtjahre entfernt.

»Der Trailerpark ist am anderen Ende des Kontinents«, murmelte er.

»Die Klinik ist am anderen Ende des Kontinents«, sagte Anne-May.

»Meine Mutter ist am anderen Ende des Kontinents«, sagte Grover.

Sie tranken Alkohol aus Plastikbechern und stießen an. Der Sternenhimmel über ihnen wuchtig und klar, das Wasser angenehm warm, ein Grauhörnchen flitzte über den Rasen und verschwand im Gebüsch.

»Hey Dean, was machst du eigentlich, wenn dein Dad wahnsinnig reich ist?«, fragte Anne-May.

Francis trank einen Schluck. »Das wär cool.«

»Und wenn er ein fieser Arsch ist, der dich nicht sehen will?«

»Dann zünd ich sein Haus an!«

»Weißt du, was mir auffällt?« Sie musterte ihn interessiert. »Jedes Mal, wenn du von deinem Vater oder der Samenbank der Genies redest, hast du so ein Leuchten in den Augen und lächelst die ganze Zeit vor dich hin.«

»Quatsch, ich lächele überhaupt nicht vor mich hin.«

»Jetzt gerade tust du's ja schon wieder.« Sie schnipste ihm Wasser ins Gesicht. »Ich glaub langsam, dir gefällt's, ein Teil von diesem kranken Projekt zu sein. Gib's zu, insgeheim freust du dich doch, dass du zu dieser elitären Samenbank gehörst, du willst es nur nicht ...«

In diesem Moment tauchte Francis einfach unter und biss Anne-May in die Wade. Er hörte sie oben quieken.

Später saßen sie auf einer Bank auf dem Balkon, links Francis, rechts Grover, in der Mitte Anne-May. Sie hatten alle drei die Füße aufs Geländer gelegt und redeten über die Fahrt und peinliche Erlebnisse, doch irgendwann blickten sie einfach nur wortlos in die Nacht und lauschten dem Zirpen der Zikaden. Als Anne-May einschlief, lehnte sie ihren Kopf an Grovers Schulter. Grover versuchte ihn vorsichtig rüber an Francis' Schulter zu schieben, doch Sekunden später lag ihr Kopf wieder auf seinem Arm. Er und Francis sahen sich an und mussten kichern, dann schauten sie auf das Tal vor ihnen. Für eine Weile schienen alle Streitereien vergessen, und Francis wurde bewusst, wie wunderbar es eigentlich war, mit den beiden zusammen durchs Land zu fahren.

Als er am nächsten Tag in San Francisco vor Alistair Haleys Türschild stand, war er nervös. Grover und Anne-May waren nicht mitgekommen, sie wollten ihm Zeit geben und sich die Stadt ansehen. Francis drückte die Klingel. Mit etwas Glück traf er gleich den Mann, der ihm den Namen seines Vaters sagen konnte. Im Treppenhaus war es dunkel, er wartete schon eine halbe Minute.

Dann klingelte er noch mal.

Laut Telefonbuch lebten in der Stadt zwei Alistair Haleys, aber in einem Artikel hatte gestanden, dass das ehemalige Wunderkind im Sunset District wohnte, und dort gab es nur einen. Francis war gespannt, wer ihm aufmachen würde. Vielleicht ein Typ im Anzug, der ihm sofort die Tür vor der Nase zuknallte. Vielleicht war Alistair aber auch gar nicht da.

Da hörte er Schritte.

Es öffnete ein Mann Ende zwanzig mit langen, fettigen Haaren, Brille und einem ziemlich beeindruckenden Vollbart. Er war bleich wie die weißen Wände seiner Wohnung, und in seinem Apartment roch es dermaßen nach Gras, dass Francis das Gefühl hatte, schon vom bloßen Luftholen high zu werden.

»Was willst du?«

»Bist *du* … Alistair Haley?«

Der Mann mit den langen Haaren musterte ihn kühl. Ein langsames Nicken. Francis hielt ihm den Artikel über die Genies aus der Kälte hin.

»Und? Ich gebe keine Interviews mehr.«

»Deshalb bin ich nicht hier. Ich bin wie du!«

Alistair starrte ihn an. Er stieß einen Seufzer aus.

»Okay, das ist was anderes. Komm rein.«

Im Apartment schien es nichts außer Unmengen von Büchern, zwei Laptops, einer Matratze und einer Sammlung seltsamer Musikinstrumente zu geben. An der Wand ein einziges Poster, darauf stand in roter Schrift die Zahl *137*. Der Rest der Wohnung war karg und unmöbliert, offenbar war Alistair gerade erst hier eingezogen.

»Das ist eine Sitar.« Er deutete auf das Instrument, das Francis in die Hände genommen hatte. »Sie kommt aus Indien. Man muss täglich stundenlang üben, um sie perfekt zu beherrschen.«

»Wie lange lebst du schon hier?«

»Vier Jahre.« Alistair holte aus einer Schublade Stoff und drehte sich einen Joint. »Willst du auch?«

»Nein«, sagte Francis und setzte sich. »Obwohl, doch.«

Er erzählte von dem Abschiedsbrief seiner Mutter und wie sie die Identität seines Vaters herausbekommen hatte. Kurz hatte er Angst, Alistair könne ihn verständnislos ansehen und seine Befürchtung bestätigen, dass seine Mom sich das alles nur ausgedacht hatte.

»Das war *deine* Mutter?«, unterbrach er jedoch sofort.

»Ich weiß noch, wie wütend Monroe damals war, als einer seiner Spender aufgedeckt wurde.«

»Jep, meine Mom«, sagte Francis und erzählte weiter von der Reise nach L. A., wie er in einem Artikel auf ihn gestoßen war und dass er unbedingt seinen Vater finden müsse, aber seinen Namen nicht kenne.

Schließlich fragte er Alistair geradeheraus, ob er vielleicht wisse, wer sich hinter Donor James verberge. Francis wollte nicht, dass Alistair merkte, wie viel von seiner Antwort abhing, trotzdem zitterte seine Stimme. Er krallte die Finger ineinander und schaute sich im Zimmer um, in der Ecke standen zwei große Pakete.

»Ich hatte leider nie Einsicht in die Spenderakten«, sagte Alistair. »Ich kenne auch nicht die Codes für die Decknamen der Spender.«

Francis legte sich auf den Boden und stöhnte vor Enttäuschung.

»Aber ich weiß trotzdem den Namen deines Vaters.«

Francis richtete sich sofort wieder auf. »Und?«

Alistair hatte die Augen geschlossen und schien intensiv nachzudenken, als würde sein Gehirn etwas vor- oder zurückspulen. »Ich war ein Kind, als die Akte aus Monroes Büro gestohlen wurde. Ich erinnere mich noch genau an die Aufregung, die es deswegen gab. Und einmal stand ich an der Tür und lauschte einer Unterhaltung zwischen Monroe und einem Assistenten. Es ging um einen Dr. *Doble* und darum, ob man ihn anrufen solle. Monroe meinte, das wäre nicht nötig, *sie* würde schweigen. Im Laufe der Unterhaltung kam ich dahinter, dass Doble der Name des Samenspenders sein musste, dessen Akte gestohlen worden war.«

Francis starrte ihn an, unfähig, etwas zu sagen.

Alistair reichte ihm den Joint und gab ihm Feuer. »Monroe bemerkte, dass ich gelauscht hatte. Wir standen uns gegenüber, er wusste genau, was ich dachte. Schließlich sagte er nur: ›*Doble ist nicht dein Vater.*‹ Mehr nicht. Diesen Satz habe ich bis heute nicht vergessen.« Er blies Rauch durch die Nase. »Wie auch immer, dafür ist er mit ziemlicher Sicherheit *dein* Dad.«

2

Beide rauchten schweigend. Nach einiger Zeit ging der Joint aus. Francis zündete ihn noch mal an, doch er war mit seinen Gedanken so abwesend, dass es ihm erst beim dritten Anlauf gelang. So lange hatte er darauf gewartet, den Namen seines Vaters zu erfahren, und jetzt fühlte er sich nur fremd an.

»Was denkst du?«, fragte Alistair.

»Weiß nicht. Was, wenn du dich irrst?«

»Er heißt Doble, da bin ich mir ganz sicher.« Alistair griff nach dem Feuerzeug. »Was wirst du jetzt tun? Du weißt, dass die Samenbank nach Monroes Tod geschlossen wurde?«

»Ja. Aber in L.A. gibt's doch noch eine Klinik von ihm, da kann ich nachfragen. Wenn mein Vater wirklich Doble heißt, geht da vielleicht was.«

Alistair zuckte mit den Schultern, das schien er oft zu tun. Wieder rauchten sie wortlos. *Doble, Doble, Doble*. Je öfter Francis den Namen in seinem Kopf vor sich hin sagte, desto passender klang er auf einmal. Unter Dr. Doble stellte er sich einen gutaussehenden, smarten Typen vor. Er hätte gern mit klarem Verstand über alles nachgedacht, merkte aber, dass er dafür schon zu stoned war.

»Kommen eigentlich viele von *uns* zu dir?«, fragte er.

»Ein paar. Anfangs hat es mich genervt, aber inzwischen ist mir klar, dass es nicht anders geht. Für euch nicht, und für mich ebenfalls nicht.«

Francis konnte mit diesen kryptischen Worten nicht sofort etwas anfangen.

Alistair musste lächeln. »Hier, da drin ist alles, was ich über die Samenbank gesammelt habe.« Er ging zu einer Kommode und holte einen Stapel Zeitungen heraus. »Ich nenne es die *Schublade des unnützen Wissens*. In gewisser Weise ist es ein Segen, dass das alles vor dem Internet passiert ist, so gibt es nur ein paar alte Artikel.«

Francis griff nach dem TIME *Magazine*, das zuoberst lag. Auf der Titelseite war Alistair als Kind abgebildet. »Der neue Mensch?«, lautete die Überschrift. Francis begann sofort zu lesen. Der siebenjährige Alistair Haley war ein Medienstar, er hatte gerade ein Theaterstück über eine Hundefamilie geschrieben, spielte auf hohem Niveau Schach und diskutierte mit seinem Mentor Warren P. Monroe über komplizierte Probleme der Mathematik und Physik.

»Wie war denn dieser Monroe so? Wahnsinnig?«

»Nicht unbedingt«, sagte Alistair. »Er war allerdings besessen von der Idee, Genies in die Welt zu setzen. Frag mich nicht, wieso. Er meinte, bei der Züchtung einer Pflanze nehme man auch nicht die schwächsten Samen, sondern die stärksten.« Er ging zum CD-Player und legte Musik auf. »Alles Blödsinn, wenn du mich fragst. Eugenikprogramme gab es schon früher, auch hier in den Staaten, und man hat Monroe damals ja stark kritisiert und Dr. Frankenstein genannt oder den Hitler der Gene. *Fair enough.* Der Punkt ist nur, dass er einfach der Erste war, der diese Idee hatte. Wäre er nicht gewesen, hätte es eben jemand anders gemacht.«

Francis nickte verhalten.

Alistair schien nun völlig in seinem Element. Den Joint in der Hand, redete er von Wissenschaftlern wie Robert Edwards und Craig Venter und meinte, dass alle immer so weit gehen würden wie möglich. »Die Leute vergessen nur, dass jede Entdeckung und Erfindung unumkehrbar ist«, sagte er. »Was machbar ist, wird auch getan, egal, wie gefährlich es ist. Und irgendwann hast du dann auch in der Genetik deine Atombombe und wirst sie nie wieder los.«

»Und wie hast du dich mit Monroe verstanden?«, fragte Francis, um wieder aufs Thema zurückzukommen.

»Gut. Wir sind jede Woche essen gegangen. Er hat mich mit seinem weißen Studebaker Cabrio abgeholt, dann haben wir stundenlang diskutiert. Ich habe das verkörpert, wonach er strebte.«

»Dann hat er dich in all die Talkshows gezerrt?«

Alistair bleckte die Zähne. »Nein, das war Mom.«

Er erzählte, wie er aufgewachsen war. Mit zwei bereits perfekt gesprochen, im Alter von vier den *König Lear* auswendig gekonnt. Und mit sieben habe er bei einem Test einen IQ von 189 gehabt.

»Ab da ging es los. Monroe meinte, jetzt beginne die nächste Stufe der Menschheit und der Evolution. Für ihn war ich ein Prototyp, das Beste aus seiner Züchtung.«

»Du musst ihn hassen.«

»Wenn ich die Art und Weise meiner Zeugung in Frage stellen würde, müsste ich mich selbst in Frage stellen. Ein Paradoxon. Wir können beide froh sein, dass es uns überhaupt gibt. In der Natur wären wir nicht vorgekommen. Also *fair enough*«, sagte er wieder.

»Was ist eigentlich mit *deiner* Mom?«

Alistair fuhr sich durch den Bart und schien sich an etwas halb Vergessenes, Schmerzhaftes zu erinnern. »Weiß nicht so genau«, sagte er schließlich. »Wir haben nicht mehr viel Kontakt. Außerdem lebt sie weit weg.«

»An der Ostküste?«

»In Goa.« Er warf Francis einen langen Blick zu. »Und deine Mom?«

»Sie ist gerade in der Klinik, aber wir haben noch viel Kontakt. Ich wohn ja bei ihr.« Er machte eine Pause. »Vielleicht blöde Frage, aber … Weißt du, wer dein wirklicher Vater ist? Hast du ihn jemals sehen wollen?«

Alistairs Gesicht blieb ausdruckslos, doch es war Francis, als ob sich dahinter Bitterkeit und Leere verbargen. »Nein. Mich interessiert nicht, wer mein Vater ist. Ich bedeute ihm ja schließlich auch nichts. Ich war in allen Zeitungen und Fernsehsendungen; wenn er an mir interessiert gewesen wäre, hätte er sich gemeldet. Damals, als Monroe mir sagte, dass Doble nicht mein Vater sei, habe ich das einzige Mal darüber nachgedacht, wer er wohl sein könnte. Aber das ging vorbei.« Alistair legte sich auf den Boden und verschränkte die Arme hinter dem Kopf.

Francis ging unruhig im Zimmer umher. Er versuchte nicht mehr an Doble zu denken und schaute sich die unzähligen Bücher an, deren Titel ihm nichts sagten; Romane und wissenschaftliche Fachliteratur. Dann entdeckte er den Bücherstapel direkt neben der Matratze. »So was liest du?«

Auf einmal bekam Alistairs Gesicht Farbe. »Ich liebe *Harry Potter*«, sagte er, noch immer auf dem Boden liegend. »Ich hab die Bücher bestimmt zwanzigmal gelesen. Am liebsten mag ich Dumbledore!«

Als Francis seinen aufgeregten Blick sah, musste er lachen. »Was ist eigentlich da drin?« Er deutete auf die beiden großen Pakete in der Ecke.

»Ein Bett und ein Regal. Hab ich schon vor Ewigkeiten bestellt, ich bin aber noch nicht dazu gekommen, alles aufzubauen.«

Sie machten sich sofort an die Arbeit, Alistairs handwerkliches Geschick hielt sich jedoch in Grenzen; aus Versehen hämmerte er zwei falsche Teile zusammen und brach dabei in bekifftes Gelächter aus. Er steckte Francis an, beide lachten, bis sie heiser waren und sich auf den Boden setzen mussten. Francis konnte sich allerdings auch in diesem Zustand auf seine geschickten Hände verlassen. Als er alles fertiggeschraubt und aufgerichtet hatte, betrachtete er stolz sein Werk.

Alistair kam mit zwei Dosen Bier aus der Küche, eine warf er Francis zu. »Hier, Heimwerker-King, hast du dir verdient.«

Sie stießen an, dann räumte Alistair sein Regal ein. Er ging hoch auf den Speicher und schleppte mehrere Kisten mit Vinylplatten herunter. »Sind von meinem Onkel, ich hab mir immer vorgenommen, sie mal durchzusehen und bei mir ins Regal zu stellen. Ich glaube, ich könnte so ein cooler Vinyltyp werden, was meinst du?« Er grinste.

Francis war sich nicht sicher, ob er diese Art von Humor ganz verstand, und nickte ihm freundlich zu. Dann las er wieder in den Zeitungsartikeln. Die meisten handelten von Alistair, sein ganzes Leben war festgehalten worden. Anfangs hatte man in ihm einen angehenden Nobelpreisträger gesehen, sie nannten ihn *Designerkind* und *Baby Einstein*.

Am besten gefiel Francis die Beschreibung von Alistairs Zeugung. Seine Mutter war ein Hippie, sie hatte vor dem Senat gegen den Vietnamkrieg demonstriert, Drogen ausprobiert, war in Woodstock gewesen und nach Indien gereist. Doch in all den Jahren hatte sie nie den Mann zum Heiraten getroffen. Als eine der Ersten hatte Paula Haley sich dann auf Monroes Anzeige beworben, und als Monate später endlich die Paketsendung mit der stickstoffgefüllten Sperma-Ampulle eintraf, veranstaltete sie eine rauschhafte Party mit Drogen, Gesang und wilden Tänzen. Sie ließ sogar einen Gynäkologen zu sich nach Hause kommen und die Zeugung von Freunden mit einer Super-8-Kamera filmen. Halleluja!

Dass das Sperma auch per Post verschickt wurde, störte Francis. Er stellte sich eine alleinerziehende Mutter vor, bei der die Ampulle mit einem möglichen Geniekind – präpariert für die Ewigkeit – noch irgendwo in einer Kühltruhe zwischen uralten Packungen mit Fischstäbchen und Erbsen vor sich hin frostete, bis ihre Besitzerin beschloss, die Sache durchzuziehen.

Er stieß auf einen Artikel, der von anderen Kindern aus der Samenbank der Genies handelte: *Seelen aus dem Eis*. Vor ein paar Jahren hatte eine Journalistin einige der inzwischen erwachsenen Geniekinder aufgesucht, um zu sehen, was aus ihnen geworden war. Francis las so gespannt, dass er mit den Zähnen knirschte. Am interessantesten war für ihn die Geschichte eines Mädchens namens Laura. Ihre Mutter hatte ebenfalls den echten Namen ihres Spendervaters ausfindig gemacht. Allerdings hatte sie sich dabei geschickter angestellt, denn die Sache war nicht aufgeflogen.

Als Laura sechzehn ist, kommt ihre Mutter bei einem Autounfall ums Leben. Ihr Stiefvater ist ein cholerischer Trinker. Er weiß von der Samenbank der Genies und kann nicht damit umgehen, dass seine Frau damals von einem Mann schwanger wurde, der offensichtlich schlauer, gesünder und attraktiver ist als er. Laura leidet unter seinen Gewaltausbrüchen und sehnt sich zunehmend nach ihrem leiblichen Vater, Donor Oswald.

Nach der Schließung der Samenbank macht sie sich auf die Suche nach ihm. Da er ein anerkannter Wissenschaftler ist, der bereits mehrfach für den Nobelpreis vorgeschlagen wurde, hat Laura keine große Mühe, ihn ausfindig zu machen. Sie ruft ihn zweimal an, doch er legt jedes Mal sofort wieder auf.

»Am Ende hat er mir sogar mit der Polizei gedroht. Er schrie: Sie sind nicht mein Kind.*« Laura sieht zu Boden. Sie ist nun Anfang zwanzig, eine hübsche Frau, die gern lacht und trotzdem ernsthaft wirkt. »Und da wurde mir klar, dass er vermutlich eine Familie hat, die nicht weiß, dass er seinen Samen gespendet hat«, erklärt sie. »Er hatte sicher panische Angst davor, dass ich in diese Idylle einbrechen könnte. Dennoch musste ich ihn sehen. Ich hatte*

das Gefühl, da wäre sonst immer ein Loch in meinem Leben.«

Und so fährt Laura mit dem Auto in zwei Tagen bis nach Oregon. Dort, in einer Seitenstraße am Stadtrand von Portland, sieht sie zum ersten Mal ihren Vater. Ehrfürchtig beobachtet sie, wie Donor Oswald zur Arbeit geht und Stunden später zurückkommt. Abends steigt er mit seiner Frau und den beiden Töchtern in den Wagen, Laura folgt ihnen kurz entschlossen. Sie fahren zu einem Restaurant in die Innenstadt.

»Ich war unglaublich nervös. Sie saßen zu viert an einem Tisch in der Ecke, ich habe mich an den Tisch daneben gesetzt. Ich kam mir vor wie in einem Detektivfilm. Anfangs habe ich mich nicht getraut, zu ihnen rüberzusehen. Mein Vater schien ein lustiger, liebevoller Mann zu sein, ich sah, wie er seine Frau küsste und mit seinen Kindern herumalberte. Meinen Halbgeschwistern, wenn man so will. Die ältere Tochter sah mir tatsächlich zum Verwechseln ähnlich, die gleiche Nase, der gleiche Mund. Ich hörte, wie sie über einen Kinofilm sprach, den ich auch gesehen hatte. Es war ein surrealer Moment. Sie wirkten alle so glücklich da drüben. Je länger ich neben dieser Familie saß, desto größer wurde mein Wunsch, zu ihnen zu gehen und mich mit ihnen zu unterhalten. Aber ich konnte einfach nicht, ich gehörte nicht dazu. Schließlich zahlten sie. Ich sah ihnen nach, war noch völlig überwältigt von diesem Abend. Da kam plötzlich mein Vater zurück, er hatte seine Brille liegenlassen. Als er sie aufsetzte, blickte er direkt zu mir. Ich konnte kaum atmen, war wie paralysiert. Ich dachte, er muss doch erkennen, wie ähnlich ich seiner Tochter sehe,

er muss doch begreifen, dass da sein Kind vor ihm sitzt. Aber er sah nur kurz her und ging dann wieder raus.«

Der Artikel endete damit, dass Laura nach dieser Begegnung ihr Leben geändert habe. Sie sei von Minneapolis nach Oregon gezogen, um ihrer Schattenfamilie näher zu sein. Sie habe ihrem leiblichen Vater einen Brief geschrieben und warte jetzt voller Hoffnung auf eine Antwort von ihm.

»Er hat sich nie bei ihr gemeldet«, sagte Alistair.

Francis schreckte hoch. Er hatte nicht bemerkt, dass er beim Lesen beobachtet worden war. »Kennst du diese Laura?«

»Ja, ganz gut sogar. Sie war schon oft bei mir.«

»Und wie ist sie so?«

Alistair nahm den Basketball, der auf dem Boden lag, und dribbelte damit herum. »Liebenswürdig«, sagte er. »Ein wirklich nettes Mädchen, aber die Sache mit ihrem Vater hat sie verändert. Laura ist dadurch irgendwie … *gebrochen* worden. Sie wird bis an ihr Lebensende darauf hoffen, dass ihr richtiger Vater sich meldet, aber er wird es niemals tun.«

Alistair warf ihm den Basketball zu.

»Kann man da nichts machen?« Francis warf den Ball wieder zurück.

»Nein, was denn? Ihr Leben ist einfach schlecht gelaufen, von Anfang an. Sie hat sich dann zu sehr an diese Sache mit ihrem Vater geklammert. Wirklich schade, denn ich mag sie sehr. Sie schreibt mir manchmal Mails, immer mit so komischen Links zu spielenden Katzen oder Songs, die sie gerade gern hört.«

Alistair dribbelte noch ein paarmal mit dem Basketball

durchs Zimmer, dann setzte er sich aufs Bett und klappte einen Laptop auf.

Francis konnte sich einige Momente lang nicht rühren. In dem Artikel stand, dass man Samenbankkinder auch *Frozen Angels* nannte. Er starrte auf diese beiden Wörter, bis sie vor seinen Augen verschwammen und er das Gefühl hatte, sich hinlegen zu müssen. Das Türklingeln nahm er kaum wahr.

Alistair, der eine Schachpartie gegen einen Großmeister aus Tschechien spielte und nebenher im Netz surfte, stand auf und öffnete. »Scheint für dich zu sein«, rief er Francis vom Gang aus zu.

3

Die erste Begegnung zwischen Alistair Haley und Grover Chedwick brachte Francis zum Lachen. Sie hatten beinahe das gleiche Brillenmodell, waren gleich schlecht angezogen und begannen bizarrerweise sofort eine Art kurze Abfrage über mathematische Probleme. Wie zwei Hunde, die sich beschnüffelten. Francis hörte nur noch ein paar blitzschnell hin- und hergeworfene Wortfetzen wie »Collatz-Problem« oder »Hasse-Algorithmus«, hatte dabei allerdings den Eindruck, als könne sich Grover nur mit Mühe im Spiel halten, während Alistair nebenher noch seine Schachpartie weiterführte und, wie's aussah, gewann.

Anne-May machte mit Grovers Kamera ein Foto von den beiden, wie sie diskutierten; Grover konzentriert, Alistair lässig rauchend, mit dem Laptop auf dem Schoß. In vierzig

Jahren, wenn beide den Nobelpreis gewonnen hätten, wäre es vermutlich mal sehr viel wert.

»Einen interessanten Freund habt ihr da«, sagte Alistair in die Runde. Er wandte sich wieder Grover zu. »Wo studierst du?«

»Ich hab noch nicht angefangen. Aber wahrscheinlich in Yale.«

»Ach, ist ganz nett da, die haben mir ein Stipendium angeboten.«

»Und wann warst du dort, Alistair?«

»Ich war nicht da.«

»Wo dann, in Harvard?«

»Ich hab auf dem Mills College studiert!«

»Nie gehört«, sagte Grover.

»Das ist in Oakland.«

Es entstand eine Pause.

»Aber wieso warst du denn auf einem völlig unbekannten College, wenn du doch überall hättest studieren können?«

»Weiß nicht, ich hatte vermutlich einfach keinen ... *Ehrgeiz*. Ja, das war's, glaube ich.« Alistair lächelte. Er bemerkte die Blicke der anderen, es schien ihm zu gefallen, der spleenige Außenseiter zu sein. Mit der Zigarette im Mund griff er nach seinem Handy. »Noch jemand Lust auf Chinesisch?«

Sie aßen auf dem Boden. Grover nahm schockiert zur Kenntnis, dass Alistair *Unreal Tournament* nicht kannte, und empfahl es ihm eindringlich, Anne-May schaute sich währenddessen die Bücher und Instrumente an. Als sie einen Joint angeboten bekam, lehnte sie ab. »Danke, das hab ich hinter mir.«

Francis stocherte in den Nudeln. Immer wieder dachte er daran, dass er und die anderen Kinder am selben Ort produziert und in Kältetanks aufbewahrt worden waren, nur wenige Zentimeter voneinander entfernt. Womöglich hatte er unzählige, im ganzen Land verstreute Halbgeschwister, von denen er nichts wusste. Und bestimmt hatten sich auch Alistair und diese Laura aus dem Artikel tausendmal eingeredet, es sei ihnen egal, wer sie waren oder woher sie kamen, und dann hatten sie doch nächtelang darüber nachgedacht.

Er schaute zu Alistair, aber der rauchte gerade Bong und sagte vor sich hin: »Objektiv gesehen ist der Tod das Beste, was den Menschen passieren konnte. Er zwingt sie, sich dem Leben zu stellen, jede Sekunde davon zu genießen und sich zu verwirklichen. Er ist das einzig richtige Ende, notwendig und ein starker Antrieb.« Er machte eine Pause. »Subjektiv gesehen ist der Tod natürlich scheiße.«

Am Nachmittag musste Alistair zur Arbeit. Er machte keine Anstalten, seinen Job zu verraten, also fragte auch niemand nach. Grover und Anne-May verabschiedeten sich von ihm und gaben ihm ihre E-Mail-Adressen. Francis blieb noch einen Moment zurück.

»Danke für das Bett und das Regal«, sagte Alistair zu ihm.

»Gern geschehen … Danke für den Namen meines Vaters.«

»Gern geschehen.« Alistair drückte ihm einen Zettel in die Hand, auf dem eine Adresse in Carpinteria notiert war. »Dort wohnt Dr. Friedrich von Waldenfels«, sagte er. »Ich weiß nicht, ob du ihn sehen willst. Er war der Eugeniker bei der Samenbank der Genies, er hat fast alles allein gemacht. Inzwischen ist er ein wenig *alt,* wenn du verstehst, aber vielleicht hat er noch die Akten mit den Daten der Spender. Außerdem freut sich seine Frau sicher über Besuch, sie ist ziemlich einsam. Ich würd's versuchen.«

Francis bedankte sich und ließ den Zettel in seiner Hosentasche verschwinden. »Da ist nur eins, was ich nicht kapiere.« Was er sagen wollte, machte ihn verlegen. »Es ist ... Wieso bin ich so schlecht in allem? Bei meinen Genen müsste ich doch viel besser sein!«

»Vielleicht. Aber schon mal daran gedacht, dass du dein Potential erst entfalten kannst, wenn du weißt, wer du bist?«

»Fair enough.« Francis grinste. Sie gaben sich die Hand.

»Ich hoffe, das Treffen mit deinem Vater läuft gut«, sagte Alistair. »Ich musste bei Laura mit ansehen, was passieren kann, wenn so was schiefgeht. Sie hatte einfach zu hohe Erwartungen, sie ...« Er brach ab. »Ich hoffe, dass bei dir alles besser läuft.«

»Danke!« Francis ging zur Tür, blieb aber noch mal stehen. »Sag mal, was hast du eigentlich auf dem Mills studiert?«

Alistair zuckte mit den Schultern. »Religionswissenschaften.«

4

Nach dem Besuch konnte Francis an nichts anderes denken als an den Namen seines Vaters. Inzwischen war er sich sicher, dass Alistair recht hatte. Er sah einfach nicht aus wie jemand, der sich irrte. Auch die anderen waren der Meinung, dass es plausibel klang. Vorhin hatten sie im Internet nach Doble gesucht, doch es hatte zu viele unterschiedliche Einträge gegeben. Zudem bestand ja auch die Möglichkeit, dass Francis' Vater ein eher zurückgezogen lebender Forscher war, zu dem es keine Treffer im Netz gab. Auf jeden Fall benötigten sie seinen Vornamen und deutlich mehr Informationen.

Zu dritt schlenderten sie durch die Innenstadt. Grover, der sich mit seiner Kamera zunehmend in den klassischen Kleinstadttouristen verwandelte, wollte unbedingt mit dem Cable-Car fahren, Anne-May kaufte sich im italienischen Viertel für den Besuch bei ihrer Großmutter eine Bluse und hellblaue Jeans. Sie zog sich um und nahm auch ihre Piercings raus. Francis fand, dass sie besser aussah als je zuvor. Wie ein liebes, unglaublich hübsches Mädchen von nebenan. Die Sorte Mädchen, die normalerweise eben nie nebenan wohnen.

Am späten Nachmittag gingen sie runter zum Strand. Sie zogen ihre Schuhe aus und spazierten barfuß am Wasser entlang, jeder für sich allein. Nach Tagen des Reisens hatte Francis das Gefühl, innehalten zu müssen. Er blieb stehen, grub seine Zehen in den Sand und atmete tief durch. Schließlich streckte er die Arme aus. Wer hätte gedacht, dass er mal hier am Pazifik stehen würde? Die Sonne funkelte hinter der Golden Gate Bridge hervor und schien ihm ins Gesicht, eine leichte Brise kam auf. Er ahnte, dass das ein glücklicher Moment in seinem Leben war, und minutenlang blickte er einfach nur in die Weite des Ozeans.

Grover telefonierte mit seiner Mom und ging angespannt im Kreis, Francis und Anne-May setzten sich ans Wasser.

Er fragte, ob sie nicht befürchte, dass ihre Großmutter ihre Eltern benachrichtigen würde, doch sie schüttelte den Kopf. »Meine Nana ist spitze, die würde so was niemals tun. Sie hat schon früher zu mir gehalten, wenn ich Probleme mit meinen Eltern hatte.«

Eine Weile beobachteten sie die Möwen, die dicht über den Wellen flogen, und die Jugendlichen, die am Strand Volleyball spielten.

»Denkst du gerade an deinen Dad?« Anne-May nahm Sand und ließ ihn auf seinen Arm rieseln. »Hast du Angst?«

Sie rückte eine Winzigkeit näher und war jetzt so dicht neben ihm, dass er Mühe hatte, sie nicht zu berühren. Ihre weiße Haut leuchtete im Licht. Francis betrachtete seinen gebräunten Unterarm und hielt ihn zum Vergleich gegen ihren.

»Es geht«, sagte er. »Du bist ja dabei und passt auf mich auf.«

Anne-May lächelte. »Als du das erste Mal neben mir im Fernsehraum in der Klinik gesessen bist und dich entschuldigt hast, dachte ich: Der ist eigentlich ganz süß.«

»Wirklich? Obwohl du die ganze Zeit geschwiegen hast?«

»Ja, du bist groß, und mir gefiel deine tiefe Stimme. Und wenn du nicht dauernd vor dich hin grübelst, bist du sogar witzig. Ich mag Jungs, die Humor haben.«

»Und ich dachte schon, du bist nur hinter meinem Geld her.«

Sie lachte. Dann sprang sie auf und lief ins Wasser. Francis blieb zurück und strich mit der Hand über den Abdruck, den sie im Sand hinterlassen hatte.

Am Abend besuchte Anne-May ihre Großmutter. Francis und Grover streiften zu zweit durch die Stadt. San Francisco wirkte überraschend klein und entspannt, die untergehende Sonne warf ihr letztes Licht auf die hügeligen Straßen, die Restaurants und Bars füllten sich mit Menschen. Sie landeten in einem irischen Kellerpub, auf den Bildschirmen an der Wand lief ein europäisches Fußballspiel. Francis erzählte, dass Anne-May in ihr Tagebuch Comics mit sprechenden Mäusen gemalt habe, die alle seltsame Namen hätten. Grover hatte die Zeichnungen auch gesehen, und sie fingen an, über Anne-Mays sprechende Mäuse Witze zu reißen.

Danach stellten sie sich die schlimmstmöglichen Szenarien mit Francis' Vater vor. Etwa, dass Dr. Doble in Wahrheit ein durchgeknallter buckliger Wissenschaftler war, der ständig mit schriller Stimme *» ... nicht waaaaahr?«* sagte und auf seinem Anwesen unheimliche Experimente an Schimpansen durchführte. Und natürlich sprachen sie auch noch mal über Vegas und den Stripclub. Francis fragte sich noch immer, ob das laute Gestöhne vielleicht doch nur gespielt gewesen war. Aber dann sah er, wie Grover beim Erzählen die ganze Zeit strahlte, und es war ihm egal.

An diesem Abend waren der Brief aus Yale und alles andere weit weg. Für ein paar Stunden verstanden sie sich endlich wieder wie früher, und als Anne-May später zu ihnen stieß und sie Billard spielten, bildeten er und Grover »das absolut unbezwingbare Team« – allerdings hatten sie gegen sie keine Chance.

Gegen Mitternacht nahmen sie zwei winzige Zimmer in einer familiären Pension. Grover ging schlafen, Francis und

Anne-May unterhielten sich noch eine Weile in der Lobby. Sie erzählte von ihrem Bruder und dass Jerome Pilot werden wollte. »Wir haben uns damals leider oft gestritten. Er durfte immer viel mehr machen als ich in seinem Alter, das hat mich total geärgert.«

Francis wollte sie wieder fragen, wie ihr kleiner Bruder gestorben war, doch da hatte Anne-May bereits das Thema gewechselt. Sie schwärmte vom jungen Marlon Brando (»Er war für ein paar Jahre Gott«) und erzählte auch von ihren Eltern, die sie früher zum Fechtunterricht und zu Ferienkursen gezwungen hätten, und wie sehr sie es hasse, so unter ihrer Fuchtel zu stehen. Francis lehnte sich mit verschränkten Armen zurück und nickte verständnisvoll, spannte dabei allerdings seinen Bizeps an und schaute cool, um möglichst Brando-mäßig rüberzukommen.

»Denkst du oft an deine Mom?«, fragte Anne-May in diesem Augenblick.

Sein Körper verlor auf einen Schlag jegliche Spannung. Er nickte. »Als sie da so in der Klinik auf dem Boden lag und die Ärzte sie wiederbelebt haben, da …« Francis steckte die Hände in die Taschen. »Da hab ich für einen kurzen Moment gehofft, sie würde nicht mehr aufwachen, damit das alles endlich vorbei ist.«

Kurz sagte niemand etwas, er hörte das Ticken der Uhr in der Ecke. Anne-May trat einen Schritt auf ihn zu.

»Ich wollte das gar nicht denken«, sagte er leise. »Es war einfach in meinem Kopf, ich wollte das nicht. Ich schäme mich dafür, ich …«

»Ich weiß.« Sie fuhr ihm tröstend über den Arm. »Komm, lass uns rausgehen.«

In der Stadt war nur noch wenig los, die Straßen von den Laternen hell erleuchtet. Während sie nebeneinandergingen, hakte Anne-May sich bei ihm ein. Francis liebte das. Sie redeten über alles Mögliche, und am Ende beichtete er ihr sogar, dass er von ihren sprechenden Mäusen wusste.

Anne-May reagierte überrascht. »Woher?«

»Hab gesehen, wie du sie in dein Tagebuch gemalt hast. Was waren das denn für seltsame Namen? Sir Aldous Pettigrew? Miss Ella Knoxley?«

»Sie heißt *Elaine* Knoxley«, sagte sie. »Und es ist nur ein alberner Comic. Ich hab damit als kleines Mädchen angefangen, als ich total begeistert von England war. Damals habe ich mir diese Figuren ausgedacht, und manchmal male ich die Mäuse immer noch, wenn mir langweilig ist. Da ist wirklich nichts dabei, okay?« Anne-May warf ihm einen strafenden Blick zu. »Und hör auf, so blöd zu grinsen.«

Auf dem Rückweg waren sie ausgelassen, mal rempelte er Anne-May an, dann sie ihn, manchmal lehnte sie sich an seine Schulter. Während sie redete und gestikulierte, sah Francis runter auf ihren Kopf und genoss es, dass sie da war.

»Meine Nana ist arm dran«, sagte sie gerade. »Du hättest mal sehen sollen, wie sehr sie sich über meinen Besuch gefreut hat. Sie hat niemanden mehr, seit mein Grandpa gestorben ist … Und ich mag die Stadt, ich würde am liebsten hier wohnen, dann könnte ich sie auch oft besuchen. So was wie das hier wär schön.«

Sie kamen zu einem tatsächlich ziemlich hübschen Häuschen in einer teuren Wohngegend. Es stand zum Verkauf, Francis schätzte den Preis auf sieben- oder achthunderttausend Dollar. Er überlegte, wie es wohl wäre, in diesem

Haus aufgewachsen zu sein und ein anderes Leben zu führen, ohne Geldsorgen, ohne die Krankheit seiner Mutter, ohne Probleme. Ein Leben, in dem er wohl bald an einem College studieren würde und danach einfach einen normalen Job hätte, ein paar Freunde und vielleicht eine Frau wie Anne-May.

Francis konnte seinen Blick nicht von dem Haus abwenden. »Wenn ich in Vegas gewonnen hätte, würd ich's jetzt kaufen und mit meiner Mom sofort hierherziehen.«

»Ich würde mitkommen.«

»Wer sagt, dass du auch da wohnen dürftest?«

»Ich.« Anne-May lächelte. »Ich meine es übrigens ernst. Ich würde *wirklich* mitkommen.«

»Und ich mein's auch ernst. Ich würde es *wirklich* kaufen.«

Einen Moment schien sie sich dieser Vorstellung hinzugeben, dann winkte sie ab. »Komm schon, Dean …«, sagte sie und ließ ihn stehen. »Red keinen Unsinn.«

Als sie zurück in die Pension kamen, war die Nacht halb vorbei. Er hielt ihr die Tür auf, der Duft von Apfelkuchen strömte ihnen aus der verlassenen Lobby entgegen.

»Weißt du, wie lang es her ist, dass ich so viel Spaß wie auf dieser Reise hatte?« Anne-May sah ihn lange an. »Danke, dass du mich mitgenommen hast.«

Francis sah zurück und verspürte ein sanftes Ziehen in der Magengegend. Sie stiegen stumm die Treppen nach oben, ihre Schritte federten auf dem dicken Teppich. Schließlich standen sie im Flur. Er war unsicher, wie es jetzt weitergehen würde. Links ging es zu seinem und Grovers Zimmer, rechts zu ihrem.

»Okay, was ist?«, fragte er. »Zu dir oder zu mir?«

Er hatte es eigentlich witzig gemeint, aber jetzt konnte er kaum noch atmen, so sehr war er auf ihre Reaktion gespannt.

»Zu mir«, sagte sie ohne jede Ironie und nahm ihn bei der Hand.

Im Zimmer ließen sie das Licht ausgeschaltet. Nur der Mond erhellte den Raum, als Anne-May sich auszog. Francis stand im Dunkeln und sah ihr zu. Sie bemerkte es, doch es schien sie nicht zu stören.

Dann verschwand sie im Bad. Es dauerte lange, er stellte sich ans Fenster und blickte auf die Straße. Ein streunender Hund bog um die Ecke, in den Hauseingängen Obdachlose, die auf Kartons oder Decken schliefen. In der Ferne sah er die roten und weißen Lichter der Autos und den Strand. Plötzlich hatte er das Gefühl, dass die Reise ein schlimmes Ende nehmen würde.

Anne-May kam nackt ins Zimmer, in der Hand eine Packung Kondome. »Was schaust du?«

Francis drehte sich um und ging auf sie zu. »Nichts. Da draußen war nur …«

Sie fasste ihn am Arm, und er spürte ihre kalten Lippen auf seinen.

Alles lief viel bewusster und langsamer ab als beim ersten Mal. Anne-May zog ihm das Shirt aus und streifte mit ihrem Mund seine Schulter. Im Zimmer roch es nach den staubigen Polstermöbeln und ihrem Parfüm. Sie küsste ihn, im Dunkeln sah er ihre Zähne schimmern. Francis warf seine Boxershorts auf den Boden und legte sich aufs Bett. Anne-Mays

Finger fuhren über seinen Bauch. Es kitzelte ihn, während sie weiter runterwanderten. Sie nahm ihn in die Hand und ließ ihre Zunge langsam über die Spitze gleiten. Er atmete unruhig, sagte ihren Namen, wusste nicht, wohin mit seinen Händen, und hielt sie in die Luft.

Schließlich drehte er Anne-May auf den Rücken. Sie küssten sich wieder, dann nahm sie seinen Kopf und führte ihn zwischen ihre Beine. Er schloss die Augen und ließ sich treiben, ihre Hände griffen nach seinem Haar.

Nach einer Weile hörte er, dass sie etwas sagte, aber er verstand nicht, was. Hastig suchte er die Kondome. Aber erst bekam er die Verpackung nicht auf, dann gelang es ihm nicht, es sich überzuziehen. Er schaute so hilflos zu Anne-May, dass sie anfing zu lachen. Mit ihren Zähnen riss sie die Verpackung eines weiteren Kondoms auf und streifte es ihm über, dann legte sie sich wieder auf den Rücken. Sie hatte noch immer ihr typisches, überlegenes Lächeln im Gesicht, selbst als er in sie eindrang. Doch je länger und schneller er sich in ihr bewegte, desto ernster wurde sie, bis sie anfing, unkontrolliert zu atmen. Wieder flackerten ihre Augen unruhig hin und her, bis sie sich endlich schlossen.

Sie schliefen mehrmals miteinander. Nach dem zweiten Mal wehrte Anne-May erst ab, ließ sich aber noch mal überreden. Doch als er erneut angekrochen kam, lachte sie. »Gott, Dean, wirst du denn nie müde?« Sie nahm ihn mit ihren Beinen in eine Schere.

»Ich weiß, was du denkst.« Er strich ihr die Haare aus dem Gesicht. »Du stellst dir gerade vor, wie's mit Grover wäre.«

Ihre Beine umklammerten ihn noch fester. Es tat beinahe schon weh. »Das muss ich mir nicht vorstellen. Ich weiß, dass es großartig wäre.«

»Ich kann ihn holen, wenn du willst.« Er wollte sie küssen, doch sie wich zurück und sah ihn ernst an.

Dann lächelte sie, und sie schliefen noch ein letztes Mal miteinander.

Anschließend lagen sie im Bett. Draußen hellte es auf, sie sprachen kein Wort. Francis fuhr mit den Fingern über die Narben an Anne-Mays Handgelenken. Sie beobachtete ihn nachdenklich. Ihm fiel wieder ein, dass Frauen angeblich nur die Geheimnisse eines Manns aufdecken wollten und dass Anne-May nun alles von ihm wusste, er aber noch immer kaum etwas von ihr. Doch er machte sich deshalb keine Sorgen. Sein Nachbar Toby hatte zwar gesagt, wenn eine Frau einen lange anschaue und dabei nachdenke, bedeute das nichts Gutes, aber da musste er sich geirrt haben. Anne-May und er waren sich so unglaublich nahe, er hatte sich noch nie so sehr als Mann gefühlt wie in diesem Moment. Alles war plötzlich ganz einfach.

»Ich liebe dich«, sagte er.

Sie antwortete nicht.

Los Angeles

I

Anne-May war verschwunden. Als Francis aufgewacht war, hatte sie nicht mehr neben ihm gelegen. Erst hatte er gedacht, sie sei nur kurz weggegangen, vielleicht Frühstück holen oder eine rauchen. Aber sie war einfach nicht mehr aufgetaucht. Er saß mit Grover in der Lobby und wartete. Eine Putzfrau wischte den Boden vor ihnen, im Fernseher an der Decke liefen Nachrichten.

»Hat sie deine Handynummer?«

Grover schüttelte den Kopf. Beide blickten immer wieder zur Tür und spekulierten, was wohl los war und ob ihre Eltern schuld daran waren. Vielleicht hatte ihre Großmutter ja doch bei ihr zu Hause angerufen. Insgeheim befürchtete Francis aber, dass es etwas mit ihm zu tun hatte.

Stunde um Stunde verging, es war schon später Nachmittag. Allmählich bekamen sie echte Angst, dass Anne-May sich etwas angetan hatte. Francis machte sich Vorwürfe, dass er sie aus der Klinik geholt und mitgenommen hatte. Doch als sie gerade überlegten, zur Polizei zu gehen, tauchte Anne-May wie aus dem Nichts wieder auf. Sie trug ihre Sonnenbrille und kam mit schnellen Schritten ins Foyer. Als sie die anderen sah, nahm sie die Ray-Ban ab.

»Wo warst du denn?« Francis lief ihr entgegen. »Wir wollten schon vor Stunden losfahren.« Trotz seiner Wut und

Sorge wollte er sie umarmen, doch sie wich ihm aus. Ihre Augen wirkten mit einem Mal abweisend, fast feindselig.

»Ich musste mal für mich sein«, sagte sie tonlos und ohne ihn anzusehen. »Wir können sofort los.«

Rechts glitzerte der Ozean, das Radio spielte mexikanische Volksmusik. Sie fuhren an der zerklüfteten Felsküste Kaliforniens entlang in Richtung Süden; in der Luft der Geruch von Salz und Algen, die Sonne tauchte die Serpentinenstraße in goldenes Licht. Doch Francis hatte keinen Blick dafür, er dachte nur an Anne-May. Einmal wollte er ihre Hand nehmen, aber sie zog sie sofort weg.

»Hab ich dir irgendwas getan?«

Sie schüttelte den Kopf. Und als er versuchte mit ihr zu reden, sagte sie nur: »Da ist wirklich nichts. Ich bin einfach müde.«

An einer einsamen Bucht machten sie Rast, und da der Tag ohnehin verloren war, beschlossen sie zu baden. Francis hatte erst nicht schnell genug in den Westen kommen können, doch jetzt war er insgeheim froh über jede Pause auf dem Weg zu seinem Vater. Was, wenn er ihm nicht genügte, wenn er abgelehnt wurde? Am liebsten wäre er einfach nur sein ganzes Leben lang unterwegs zu ihm gewesen, ohne jemals anzukommen.

Sie stürzten sich in Unterwäsche in den Pazifik, aber es war kalt, Grover und er rannten sofort zum Strand zurück. Nur Anne-May blieb noch im Wasser. Francis beobachtete, wie sie da draußen in die eisigen Wellen tauchte, wieder auftauchte, sich die nassen Haare aus dem Gesicht strich. Er betrachtete ihren halbnackten, im Sonnenlicht glänzenden

Körper. Einmal sah sie kurz zu ihnen. Dann wendete sie sich wieder ab und schwamm in die andere Richtung.

»Ich verliere sie«, murmelte Francis.

Grover antwortete nicht.

»Sie hat all meine Geheimnisse.« Francis schob seine Finger in den Sand. »Und jetzt hab ich sie verloren.«

Für die Übernachtung suchten sie ein Motel in Strandnähe. Francis lag noch lange wach, aus dem Zimmer nebenan hörte er Musik und Gelächter. Sicher die braungebrannten Surfer, die er schon beim Einchecken gesehen hatte. Sie waren einige Jahre älter als er und hatten die ganze Zeit Anne-May angestarrt. Bei ihrem Lärm konnte er einfach nicht einschlafen, die Musik war zu laut, die Wände zu dünn, sogar das Klirren der Bierflaschen konnte er hören. Ihr Partylärm war Sirenengesang, sie wollten damit Anne-May zu sich locken. Doch die lag in ihrem Bett und schlief. Wenigstens das. Francis schloss wieder die Augen, und endlich nickte er ein.

Und dann, es war vielleicht zwei Uhr morgens, wachte er auf und spürte überraschend einen dumpfen Schmerz in der Brust, wie er ihn noch nie gehabt hatte. Francis wusste erst nicht, wieso. Er schaute sich im Zimmer um.

Anne-Mays Bett war leer.

Er stellte sich vor, wie sie drüben, ein Bier in der Hand, gerade von einem dieser Westküstenwichser angemacht und begrapscht wurde. Vermutlich ließ sie es sich gefallen, blies ihm auch noch einen. Francis hörte wieder, wie nebenan laut gelacht wurde. Sie lachten ihm da drüben alle ein bisschen zu viel und zu laut! Wenn er in diesem Augenblick eine Waffe gehabt hätte, wäre er damit ins Nachbarzimmer gegangen. Die Typen hätten gerade einen Witz gerissen, da wäre die Tür aufgeflogen und ein großer Kerl mit einer Shotgun hereingekommen. Einer der Surfer hätte noch gesagt: »Hey, mach keinen Scheiß«, doch da hätte er ihm schon eine Ladung reingeballert und dann auch den anderen, er hätte nachgeladen und geschossen, nachgeladen und geschossen, selbst den einen, der gerade von der Toilette kam, hätte er erwischt.

Er hatte aber leider keine Shotgun. Und wenn er ehrlich war: Er hätte auch nichts getan, wenn er eine gehabt hätte. Das mit Anne-May hatte eh keinen Sinn. Sie war fast zwei Jahre älter als er, erfahrener, sie war unerreichbar für ihn. Und trotzdem, Francis bekam eher das Gefühl, dass sie ihn nicht liebte, weil ihm etwas Bestimmtes *fehlte*. Als Ryan ihn damals fallengelassen hatte, hatte er sich das zum ersten Mal gedacht. Etwas musste mit ihm doch nicht stimmen, er verdiente es offenbar nicht besser, verdiente es nicht, geliebt zu werden. Dieser Gedanke war wie Gift in ihn eingesickert, war ihm bei jedem verlorenen Ringkampf gekommen und bei jeder Zurückweisung. Aber was war es, das ihm fehlte? Die Fähigkeit, andere Menschen zu berühren? *Ach Schwachsinn,* dachte er, doch es ließ ihn nicht los.

Mit einem Satz sprang er auf und suchte in Anne-Mays Sachen nach dem Tagebuch. Er wollte sehen, warum sie ihn nicht wollte, schwarz auf weiß, und wühlte sich durch ihre Tasche, durch ihre Bettdecke und sah auch unter dem Kopfkissen nach. Plötzlich schnarchte Grover einmal laut. Francis erschrak. Er begriff, was er da tat, und legte sich schnell ins Bett zurück. Als Anne-May gegen Morgen ins Zimmer gewankt kam, stellte er sich schlafend.

2

Carpinteria war ein kleines Städtchen bei Santa Barbara, das sich mit fünf Worten ganz gut beschreiben ließ: Palmenalleen, mexikanische Restaurants, Eisdielen, Strand. Dr. Friedrich von Waldenfels wohnte in einem Anwesen am Stadtrand. Francis stieg aus dem Chevy, der um die Ecke geparkt war, und trat an das große Gittertor.

Er drückte die Klingel. Nichts geschah. In der Nachbarschaft kläffte ein Hund sinnlos vor sich hin. Die Sonne brannte ihm im Nacken, er war todmüde. In diesem Moment traf ihn die Hoffnungslosigkeit wie nie zuvor. Was wollte er hier nur? Das einzig Sinnvolle wäre, die Reise zu beenden. Jetzt gleich. Er blickte zur Straßenecke, der Chevy war nicht zu sehen. Für einen Moment war er bereit, die beiden anderen zu verraten. Er konnte abhauen und Ryan bitten, ihm über Western Union Geld für einen Rückflug zu schicken. Zur Not konnte er sich die Kohle für ein Greyhound-Busticket auch erbetteln oder trampen. Die Begegnung mit seinem Vater würde sowieso in einer Enttäuschung enden.

Da bewegte sich das Kameraauge. »Ja, wer ist da?«, fragte eine Frauenstimme.

»Ich möchte zu Dr. Friedrich von Waldenfels«, hörte Francis sich sagen.

»Tut mir leid, er empfängt keinen Besuch mehr!«

Das Tor blieb geschlossen.

Francis wendete sich ab und ging ein paar Schritte im Kreis. *»Fuck, fuck, fuck!«* Er trat nach einem Stein, der auf dem Boden lag, traf ihn aber nicht richtig. Aus einer verzweifelten Wut heraus drückte er noch mal auf die Klingel. Wieder sekundenlang nichts, dann bewegte sich das Kameraauge erneut.

»Hören Sie, es ist wirklich wichtig. Bitte!«

Rauschen.

»Wieso möchten Sie ihn denn so dringend sprechen?«

»Es ist etwas sehr Persönliches. Ich bin mit dem Auto extra aus Jersey gekommen.« Nichts tat sich. »Alistair Haley hat mir Ihre Adresse gegeben, er hat mich geschickt und ...«

Das Tor sprang auf.

Die weißgetünchte Villa war riesig. Im Garten zwitscherten die Wassersprinkler, in der geöffneten Garage standen ein Sting Ray aus den Sechzigern und ein silberner Mercedes. Der alte Waldenfels schien seine letzten Tage nicht gerade in Armut zu fristen. Als Francis zur Eingangstür kam, erwartete ihn eine kleine Dame, vielleicht Mitte siebzig. Sie hatte streng nach hinten gebundenes Haar, aber ein freundliches Gesicht und stellte sich als Waldenfels' Frau vor.

»Sie müssen entschuldigen, dass ich vorhin an der Sprechanlage so abweisend war«, sagte sie und führte ihn ins Foyer. »Früher war in diesem Haus immer Betrieb. Aber seit es Fritz schlechter geht, empfangen wir nur noch selten Gäste. Und es gab auch ein paar unschöne Besuche von Journalisten. Doch für Freunde von Alistair mache ich gern eine Ausnahme ... Wie geht es ihm?«

»Gut, denke ich. Ich hab ihm geholfen, seine Möbel zusammenzubauen.«

Mrs. von Waldenfels lachte auf. »Ja, handwerklich ist er nicht gerade geschickt. Dafür das klügste Kind, das ich je kennengelernt habe, ein mathematisches Genie. Zu schade, dass er nichts draus gemacht hat. Ich hab gehört, dass er inzwischen als Geschäftsführer in einem vegetarischen Restaurant arbeitet. Ist das nicht verrückt?«

Francis wusste darauf nichts zu antworten.

»Ich geh dann mal meinen Mann holen.« Mrs. von Waldenfels ließ ihn allein und stieg die Treppen nach oben. Er betrachtete das prunkvolle Foyer im Kolonialstil mit den antiken Holzmöbeln. Auf dem Abstelltisch neben ihm lagen Lifestyle-Magazine, Fotobände und ein schwarzer Geldbeutel, im Leder »FVW« eingenäht. Francis begann in einem der Magazine zu lesen, doch schon nach kurzer Zeit schwirrten die Buchstaben vor seinen Augen und bildeten nur noch das Wort »Doble«.

Ein lautes Summen ertönte.

Irritiert blickte er sich um, dann sah er, wie Mrs. von Waldenfels ihren Mann oben im ersten Stock auf den Treppenlift setzte. Wie in Zeitlupe kam er, auf dem fahrbaren Stuhl thronend, heruntergeschwebt. Dr. von Waldenfels trug einen dunklen Cordanzug, war allerdings schlecht rasiert, das graue Haar dünn, der Mund schief, die Schnürsenkel an seinem linken Schuh waren offen.

Francis konnte nicht aufhören, ihn anzustarren. Auch der Alte musterte ihn von seinem Stuhl aus neugierig, ihre Blicke trafen sich immer wieder. Die Fahrt ins Foyer schien eine Ewigkeit zu dauern.

Als der Treppenlift endlich unten zum Stehen kam, wandte Dr. von Waldenfels sich sofort an Francis. »Dass Sie in meinem Haus noch mal auftauchen, kommt einer Unverschämtheit gleich. Das alles ist eine Verleumdung, das wissen Sie genau!«

Francis blickte fragend zu Mrs. von Waldenfels, die nun die Treppe herunterkam. Gemeinsam halfen sie ihrem Mann in den Rollstuhl. »Leider verwechselt Fritz oft die Menschen«, sagte sie entschuldigend. »Sie erinnern ihn wohl an jemand.«

Sie schob den Rollstuhl ins Wohnzimmer, Francis folgte ihnen und setzte sich auf die Couch. Mrs. von Waldenfels fasste ihren Mann beim Arm. »Das hier ist Francis, ein Freund von Alistair.«

Dr. von Waldenfels runzelte die Stirn. Er dachte lange nach. »Alistair Haley?«, fragte er schließlich.

»Ja, genau«, antwortete Francis. »Er hat mir gesagt, ich soll Sie besuchen.«

Mrs. von Waldenfels schien gerührt. »Das hat er gesagt, wirklich? Sie müssen wissen, früher, als Warren noch gelebt hat, hat er Alistair manchmal mitgebracht, er und Fritz haben dann stundenlang im Arbeitszimmer diskutiert. Leider ist der Kontakt nach Warrens Tod abgerissen. Fritz' Gesundheitszustand ist ja dann auch immer schlechter geworden. Aber dass er Sie zu uns geschickt hat … Hast du das gehört, Fritz?«

Dr. von Waldenfels nickte wohlwollend. »Alistair war ein sehr intelligenter Junge, mathematisch hochbegabt«, sagte er mit nun verblüffend fester Stimme. »Hätten wir doch mehr von seinem Schlag gehabt. Aber es kam zu viel *Schrott* dabei heraus.« Auf einmal schien er hellwach. »Alle anderen Kinder waren eher durchschnittlich. Und dann gab es sogar noch Nieten. Mir völlig unverständlich. Man nimmt die besten Zutaten und züchtet Versager. Kein Wunder, dass wir den Laden schließen mussten.«

Bei diesen Worten sah er Francis an, dass es ihn durchzuckte. Doch wenige Augenblicke später sackte Waldenfels wieder in sich zusammen und schwieg.

Seine Frau beugte sich zu Francis. »Haben Sie nicht gesagt, dass Sie ebenfalls ein … wie soll ich sagen … ein Retortenkind sind?«

»Ja, meine Mutter hat an dem Projekt teilgenommen … Stimmt das denn, was Ihr Mann sagt? Waren die anderen Kinder außer Alistair tatsächlich nur durchschnittlich? Und wurde die Samenbank deshalb geschlossen?«

»Nun, es stimmt, die meisten Kinder waren nicht außergewöhnlich. Aber geschlossen wurde die Samenbank nicht deshalb. Es gab einfach zu viel Kritik. Man hat Mr. Monroe und meinen Mann beschimpft und ihnen vorgeworfen, dass sie eine neue Herrenrasse züchten wollten! Dabei brauchen wir nun mal eine experimentierfreudige Wissenschaft, wenn wir Krankheiten heilen oder auch in Zukunft genug Wasser und Energie haben wollen, ohne Kriege zu führen und den Planeten zu zerstören.«

Sie blickte Francis kurz an, als suche sie seine Zustimmung. »Allerdings gab es auch ein paar unglückliche Zwischenfälle. So wurden einige Spender gegen ihren Willen bekannt. Und dann kam auch noch der Vorwurf auf, mein Mann habe während des Zweiten Weltkriegs für die Nazis gearbeitet.« Sie wirkte verbittert. »Das sind alles Lügen. Fritz hat die Nazis doch aus tiefster Seele gehasst, niemals hätte er für sie gearbeitet. Ich habe ihn kennengelernt, kurz nachdem er in den Fünfzigern nach Amerika ausgewandert war, und ich lebe mit ihm seit nunmehr achtundvierzig Jahren zusammen. Ich kann Ihnen versichern, an diesen Gerüchten ist absolut nichts dran.«

Francis wich ihrem Blick aus und schaute nur zu ihrem Mann. Der stierte ins Leere, es wurde peinlich still. Dann richtete sich Mr. von Waldenfels plötzlich in seinem Rollstuhl auf und griff nach seiner Tasse. Er trank hastig einen Schluck Tee und sah auf die Uhr. »Nun, ich muss die beiden Herrschaften leider verabschieden«, sagte er zu seiner Frau und Francis. »Ich habe gleich ein Meeting mit Warren P. Monroe.«

Mrs. von Waldenfels strich ihm liebevoll über die faltige Hand. »Schatz, Warren ist seit vier Jahren tot.«

Ihr Mann, eben noch voller Elan, brauchte Zeit, um diese Information zu begreifen. Sie nahm ihm sichtbar den Wind aus den Segeln. Er nickte nur, dann schaute er in Gedanken versunken aus dem Fenster.

Francis hielt das für den geeigneten Zeitpunkt, um zu fragen, ob es im Haus noch alte Spenderakten gebe und ob ihnen der Name Doble bekannt sei.

»Da muss ich Sie leider enttäuschen.« Mrs. von Waldenfels schüttelte den Kopf. »Fritz besaß ohnehin nie Akten, die waren alle bei Mr. Monroe gelagert. Kurz vor seinem Tod hat er die Unterlagen verbrannt, um die Spender zu schützen. Und von einem Dr. Doble habe ich noch nie gehört.«

Francis spürte, wie sich seine Hoffnungen zu einer letzten Frage verengten. »Und kennen Sie vielleicht sonst jemand, der etwas weiß oder mir helfen kann?«

»Leider nein. Ich fürchte, ich kenne wirklich niemanden, der …«

Ihr Mann hustete. »Zu diskutieren wäre«, begann er einfach, »wie man das volle Potential des Menschen nutzen kann. In einem einzelnen Menschen steckt die Energie von dreißig Atombomben, doch es fehlen die Mittel, um diese Energie freizusetzen. Wenn man doch nur einen Weg finden könnte, dann wäre das Energieproblem der Welt gelöst. Man könnte einfach die Minderleister als Batterien verwenden.«

Er sah die anderen fragend an, doch noch bevor diese verlegen wegblicken konnten, schien er alles wieder vergessen zu haben. Er tätschelte seiner Frau das Knie und sagte mit überraschender Liebenswürdigkeit: »Könnte ich einen Tee haben, Schatz? Ich habe seit Stunden nichts mehr getrunken, bei diesen Temperaturen trockne ich sonst noch aus.« In seiner linken Hand schwankte die halbvolle Tasse von vorhin.

3

Der Chevy schoss über den Highway One, noch hundert Meilen bis Los Angeles. Francis pulte mit dem Finger an der abgewetzten Ledergarnitur der Rücksitze herum. *Alle Unterlagen verbrannt …* Der Gedanke zermürbte ihn. Denn wenn er ehrlich war, wusste er noch immer nichts, nicht mal, ob sein Vater wirklich Doble hieß. Nun war er mehr denn je darauf angewiesen, dass sie ihm in der Monroe-Klinik weiterhalfen. Aber was, wenn sie das nicht konnten oder wollten?

»Das wird eh nichts«, murmelte er, mehr zu sich selbst.

»Hör auf, Francis«, sagte Grover mit überraschender Entschlossenheit und drehte sich kurz zu ihm nach hinten. »Wir finden ihn.«

Francis nickte. Er lehnte sich zurück und schloss die Augen. Wie immer, wenn die Dinge schwierig waren und er aufgeben wollte, dachte er an das, was sein Nachbar Toby mal zu ihm gesagt hatte, als er bekifft gewesen war.

»Das Wichtigste ist, dass du deine ganzen beschissenen Träume und Hoffnungen packst und sie nie mehr loslässt«, hatte er gesagt. »Du kannst schreien, du kannst verzweifeln, du kannst winseln. Doch selbst wenn du schon kaum mehr an dich glaubst, du darfst sie nicht *loslassen*. Denn wenn du's tust, dann ist's aus, Kleiner. Ab dem Zeitpunkt ist dein Leben vorbei. Dann kannst du zwar noch jahrelang durch die Welt wandeln, aber innerlich bist du längst tot ... so wie die meisten hier.«

Sie erreichten L. A. am Nachmittag. Die Stadt war brutal heiß, grau, versmogt, der mehrspurige Verkehr kam nur schleppend voran. Grover rammte einmal fast einen Chrysler und schimpfte laut. Im Radio lief ein Song von Eric Burdon und den Animals. Francis horchte auf, es war eines der Lieblingslieder seiner Mutter. Er erinnerte sich, wie sie in der Küche gestanden und mitgesungen hatte:

When I was young
it was more important.
Pain more painful,
the laughter much louder
When I was young.

Francis fühlte sein schlechtes Gewissen, wenn er an all die Momente auf der Reise dachte, in denen er seine Mom völlig vergessen hatte. Er wusste, dass sie viel lieber hier im Westen leben würde, wo sie geboren war. Doch jetzt, da er das ganze Geld verspielt hatte, waren das nur noch Hirngespinste.

Auf der Fahrt beobachtete er wieder alle Männer, die sein Vater hätten sein können. Als sie an einer Ampel standen, entdeckte er das Profil eines großen, kantigen Mannes Ende vierzig, das ihm ähnlich sah. Er trug einen Anzug und hatte eine randlose Brille. *Das ist er,* durchfuhr es Francis. Aber dann wandte ihm der Mann das Gesicht zu – er hatte sich getäuscht.

Die Monroe-Klinik befand sich downtown, neben einer spanischen Bank. Als Francis auf das Gebäude zuging, zog sich etwas in ihm zusammen. Seltsam, an den Ort seiner Zeugung und Geburt zurückzukehren. Er stellte sich seine Mom vor, wie sie noch ganz jung war und sich hier mit anderen Frauen einen Vortrag von Monroe anhörte. Oder Dr. Doble, wie er vor zwei Jahrzehnten über genau diesen Parkplatz lief, um seinen für das Experiment so dringend benötigten Rohstoff abzugeben. Alles, was vor kurzem noch beruhigend weit weg schien, war plötzlich ganz nah.

»Tut mir wirklich leid, Mr. Dean.« Die bildschöne Frau an der Information reichte ihm einen Hochglanzprospekt. »Aber die Monroe-Klinik hat sich in den letzten Jahren auf kosmetische Eingriffe spezialisiert.«

Konsterniert blätterte Francis durch die Broschüre, in der das vielfältige Angebot an Schönheitsoperationen aufgelistet war. Durch die Lobby rauschte ein künstlich angelegter Bach, aus Lautsprechern erklang sanfte klassische Musik, in der Ecke Gingkobäume und Aloe-vera-Pflanzen. Schnell wurde ihm klar, wie aussichtslos sein Plan war. Das Gebäude glich einem Labyrinth, er irrte von einer Vorzimmersekretärin zur nächsten. Alles, was er vorzuweisen hatte, waren ein paar Artikel über die Samenbank der Genies, doch die existierte ja nicht mehr.

Über eine Stunde wurde er kreuz und quer durch die Klinik geschickt, aber einen Arzt aus früheren Zeiten traf er nicht an. Kein Wunder; die meisten waren nach Monroes Tod ausgewechselt worden. Nun arbeiteten hier junge Männer mit gebräunter Haut und muskulösen Körpern, sicher mit einem beachtlichen Wissen zu Fettabsaugungen und Wangenknochen-Korrekturen. Doch den Namen Doble hatten sie noch nie gehört.

Endlich stieß Francis doch noch auf einen Mitarbeiter, der die Samenbank der Genies kannte. Der Arzt musterte ihn von oben bis unten. Dann sagte er, dass man ihm hier nicht helfen könne. Selbst wenn es noch Akten gäbe, würden sie der Schweigepflicht unterliegen.

»Aber ich suche meinen Vater!«

»Da ist wirklich nichts zu machen.« Ohne ihn eines weiteren Blickes zu würdigen, ging der Arzt weiter.

Francis lief ihm noch einige Schritte nach, ehe er schließlich stehen blieb und sich gegen eine Wand lehnte. *Das war's also.* Er musste sich zusammenreißen, um nicht vor Enttäuschung zu schreien. Wie hatte er auch nur eine Sekunde lang glauben können, dass man ihm hier einfach so weiterhalf? Wie naiv war es gewesen zu hoffen, man könne mal eben in diese Klinik hineinspazieren und an Unterlagen kommen, die es vermutlich längst nicht mehr gab?

In der Empfangshalle traf er auf Grover und Anne-May. Er schüttelte nur den Kopf. Es war alles schiefgegangen, er hatte im Casino verloren, und seinen Vater würde er auch nicht finden. Er war Tausende von Meilen gefahren. Umsonst. Aber vielleicht war es ja auch besser so, vielleicht war ihm damit einfach nur die bittere Begegnung mit jemandem erspart geblieben, der ihn sowieso nicht sehen wollte.

»Kommt, wir hauen ab«, sagte Francis.

In dem Moment, als sie die Klinik verlassen wollten, schien die Sonne so grell durch die Fenster, dass es Francis blendete. Er hielt sich die Hand vor die Augen und wandte den Blick ab. Da sah er einen dunkelhäutigen älteren Arzt aus dem Aufzug treten; alt genug, um schon zur Zeit der Samenbank hier gearbeitet zu haben. Francis zögerte, dann rannte er auf ihn zu.

»Da hat es aber einer eilig«, sagte der Mann, nicht unfreundlich.

Francis reichte ihm einen der Artikel über die Samenbank der Genies. Der Arzt warf einen längeren Blick darauf, es schien, als wäre ihm das Thema tatsächlich vertraut. »Und, wie kann ich Ihnen weiterhelfen?«

Francis schilderte ihm seinen Fall und redete dabei fast schon so schnell wie sein kleiner Bruder, wenn er aufgeregt war. »Haben Sie hier gearbeitet, als die Samenbank noch existierte?«, fragte er schließlich.

»Nein, tut mir leid.« Ein Stirnrunzeln. »Ich bin erst seit

zwei Jahren hier und war auch vorher nicht in das Projekt involviert.«

Als der Arzt sah, dass Francis der Verzweiflung nahe war, fügte er hinzu: »Aber ich werde mal sehen, was ich für Sie tun kann.«

Sie liefen den Flur entlang, unterwegs traute sich Francis vor Nervosität nicht zu sprechen. Vor einer der letzten Türen blieb der Arzt stehen. »Fünf Minuten«, sagte er, dann verschwand er. Auf dem Türschild stand: *Dr. Elias Robertson.*

Auf der Wartebank vor dem Zimmer saßen zwei Mädchen. Die eine las in einem Modemagazin und warf ihm einen kurzen Blick zu, die andere sah wie hypnotisiert auf den Flachbildschirm an der Wand gegenüber. Präsident Bush hielt auf CNN gerade eine Rede, offenbar waren wieder acht Soldaten getötet worden. Francis setzte sich neben das Mädchen, das fernsah.

»*Fuck you,* Bush«, sagte sie. »Ich meine, angeblich hat ihn keiner gewählt, trotzdem hat er die Wiederwahl gewonnen.«

»Meine Eltern haben ihn gewählt, weißt du doch«, sagte ihre Freundin gelangweilt und noch immer in das Magazin vertieft.

»Echt? Dachte immer, sie sind gegen den Krieg.«

»Ist ihnen völlig egal. Bush macht für sie gute Steuergesetze, das ist alles.«

»Kann ich euch was fragen?«, unterbrach Francis die beiden. Er war so angespannt, dass er einfach mit jemandem reden musste.

Sie blickten zu ihm. »Und was?«

»Wieso seid ihr hier?«

Das eine Mädchen rollte mit den Augen und las weiter, das andere schaute ihn an. »Meine Nase«, sagte sie. »Und du?«

»Ich wurde hier gezeugt!«

Sie starrte ihn mit offenem Mund an. In diesem Moment öffnete Dr. Robertson seine Bürotür und winkte ihn zu sich.

»Es gibt einen Kollegen, der müsste Ihnen weiterhelfen können, er hat damals beim Projekt in der Buchhaltung gearbeitet.« Er drückte Francis einen Zettel in die Hand, darauf ein Name: Andy Kinnear.

Ein unscheinbarer Typ namens Andy, der in mich verliebt war …

»Ist er hier, kann ich ihn sprechen?«

»Soweit ich weiß, ist er noch auf einer Tagung in Chile und kommt erst heute Nacht wieder. Versuchen Sie es am besten morgen früh bei ihm, er arbeitet vormittags in der Regel zu Hause. Seine Adresse darf ich Ihnen offiziell leider nicht geben, aber …« Dr. Robertson zog eine Augenbraue hoch, »es steht Ihnen natürlich völlig frei, mal einen Blick ins Telefonbuch zu werfen, in das von Hollywood zum Beispiel. Doch das haben Sie natürlich nicht von mir.«

Francis hätte den alten Arzt am liebsten umarmt.

Dieser wich vorsichtshalber einen halben Schritt zurück, lächelte aber. »Mich hat die Geschichte der Samenbank der Genies immer fasziniert. Darf ich Ihnen eine Frage stellen? Sind Sie hochbegabt?«

Die beiden Mädchen blickten nun ebenfalls in seine Richtung.

»Ich … ich weiß nicht.«

»Nun, war reine Neugierde. Sie müssen wissen, dass es

bei uns Ärzten zwei Meinungen gibt. Die eine lautet, es sei unverantwortlich, die Namen der Samenspender zu verraten, man würde ihr Leben zerstören. Ich bin jedoch der Meinung, dass man sonst das Leben der Kinder zerstört. Der Samenspender wusste immerhin, was er tat, er kannte sein Risiko. Die Kinder dagegen wurden ungefragt in die Welt gesetzt und müssen nun mit ihrem vaterlosen Schicksal leben. Ich halte das für unverantwortlich. Sollte es mit Andy also Probleme geben, werde ich für Sie ein gutes Wort einlegen. Einverstanden?«

Francis nickte. Sein Grinsen reichte von Los Angeles bis nach Claymont.

4

Nachdem er sich bei Dr. Robertson bedankt hatte, rannte Francis wie ein Kind durch die Gänge der Klinik und kam zu den anderen nach draußen. Ihm war sogar egal, dass Anne-May sich nur kurz mit ihm freute und danach wieder abweisend war.

Ich werde ihn finden.

Triumphierend sprang er auf eine Wartebank und blickte auf seine grenzenlos wirkende Geburtsstadt. Helles Sonnenlicht fiel auf die Straße vor der Klinik, die Dächer der Autos glitzerten, all seine Zweifel lösten sich auf.

Ich werde ihn finden, finden, finden.

Sie checkten in einer Pension in der Nähe des Zentrums ein. Es roch nach alter Wäsche und Putzmitteln, die Frau an der Rezeption trug eine schmetterlingsförmige Brille und beäugte sie misstrauisch. Während die anderen zahlten, betrachtete Francis die bunten Flyer, die im Foyer auslagen.

Als Anne-May später duschen ging, stupste er Grover an. »Ich würde heut Abend gern was mit ihr allein machen. Okay?«

Grover sah ihn durch seine Brille an. »Sicher, Francis.«

Eine Weile lagen sie stumm auf dem Bett. Francis spürte, dass ihre Freundschaft in den letzten Tagen gelitten hatte. Er wollte etwas sagen, was sie einander wieder näherbrachte, doch er war einfach nicht gut in diesen Dingen; als müsste er von einem leeren Blatt ablesen. Er lauschte, wie nebenan in der Dusche das Wasser niederprasselte.

»Ich weiß nicht, ob ich nach Yale will«, murmelte Grover.

»Was?« Francis richtete sich auf dem Bett auf. »Aber niemand hat das mehr verdient als du. Dann kommst du endlich aus unserem Kaff raus.«

»Ja, schon. Aber vielleicht will ich das gar nicht. Mir hat's immer gut in Claymont gefallen. Und du hattest recht. Ich hab Schiss.«

»Bullshit, Yale wird super. Du wirst auf einem Campus leben, hast deine Vorlesungen, und am Wochenende gehst du mit Freunden was trinken oder auf Partys.« Francis konnte kaum aufhören, sich das vorzustellen. Schon als Kind hatte ihn das Collegeleben fasziniert. »Und dann erst die Mädchen ...« Er holte eine Tüte Chips aus der Minibar und riss sie auf. »Die sind da hübsch *und* gleichzeitig wahnsinnig schlau. Also genau richtig für dich.«

Grover musste lächeln und griff in die Tüte. »Vielleicht«, sagte er kauend. »Aber was, wenn mich auch in Yale niemand leiden kann und ich da völlig allein bin? In Claymont hatte ich immer dich.« Er senkte den Kopf. »Was, wenn wir uns dann nicht mehr sehen?«

»Natürlich sehen wir uns dann noch. Einfach, wenn du Semesterferien hast, oder ich komm dich besuchen.«

Es war einer dieser Filmsätze, die man leichtfertig dahinsagte und schon im selben Moment spürte, dass sie in der Wirklichkeit vermutlich nicht stimmten.

Auch Grover wirkte nicht ganz zufrieden. Er trug ein Shirt aus *Napoleon Dynamite*, auf der Vorderseite stand rot und fett »VOTE FOR PEDRO«. Francis wollte ihn gerade aufmuntern, da klingelte das Handy.

»O nein, mein Dad«, sagte Grover. »Er ruft sonst nie einfach so an ... Die haben bestimmt was gemerkt.«

Er wollte nicht rangehen, doch Francis überredete ihn.

Zu Beginn des Gesprächs wirkte Grover noch nervös, dann grinste er plötzlich breit. »Echt?«, fragte er immer wieder. »Klar, mach ich ... hab euch auch lieb!«

Er legte auf und stieß Francis an. »Du hast es ihm schon in Claymont gesagt?!«

»Ja. Und er fand's cool.«

»Er lügt meine Mom an, dass ich noch immer bei den Mathletes bin. Wenn die wüsste ...« Grover starrte sekundenlang ungläubig auf das Handy. Dann nahm er ein paar Chips und schmiss sie einfach auf Francis.

»Spinnst du?!« Francis warf ein paar Chips zurück und stürzte sich auf ihn. Sie rangen miteinander, doch schließlich hatte er den lachenden Grover unter Kontrolle gebracht und stopfte ihm weitere Chips in den Mund.

Anne-May hatte sich umgezogen und stadtfein gemacht. Als sie zum Aufbruch bereit war, sagte Grover, dass er Kopfschmerzen habe und den Abend lieber in der Pension verbringen und früh schlafen wolle. Francis nickte ihm heimlich zu und bildete mit Zeigefinger und Daumen einen Kreis, dann fuhren er und Anne-May allein mit dem Bus in die Stadt.

»Hm, mal schauen, was wir heute machen«, sagte er, als sie am Civic Center ausstiegen. Anne-May nickte kühl, und ihm dämmerte, dass sie das nicht gerade geniale Manöver mit Grover sofort durchschaut hatte und ihn das jetzt büßen ließ. Sie war wirklich zu schlau für ihn.

Unzählige Autos sausten an ihnen vorbei, sie schienen die Einzigen zu sein, die in dieser Stadt zu Fuß unterwegs waren. »Hast du auf was Bestimmtes Lust?«, fragte er.

»Nein.«

»Komm, irgendwas. Wir machen auch, was du willst. Wir können wieder Billard spielen oder in einen Club gehen oder in ein Restaurant oder ins Kino.«

»Entscheide du«, sagte sie, und er merkte, dass sie auf all diese Sachen keine Lust hatte. In der Klinik hatte er sie für sich gehabt. Er hatte nicht viel machen müssen, außer täglich in ihr Zimmer zu kommen und da zu sein. Hier draußen aber hatte er keine Chance, denn sie hatte ihn als Langweiler abgeschrieben. Anne-May brauchte überhaupt nichts zu tun, und er liebte sie immer stärker. Sie hätte einen Apfel essen können, und er wäre begeistert gewesen. Er selbst dagegen musste sich ungeheuer anstrengen. Und an diesem Abend würde er das verdammt noch mal tun!

Sie gingen an Cafés, Kliniken und Banken vorbei und bogen in die Grand Ave ein. Starrten nun auf das stählerne

Gebäude, das er vorhin auf einem Flyer in der Pension gesehen hatte und das mit seinen geschwungenen Bögen einem gigantischen silbernen Segelschiff glich. Dutzende Menschen strömten darauf zu, Francis ging einfach mit. Anne-May folgte eher widerwillig.

»Du weißt, von wem das Ding hier ist?«, fragte er.

»Von Gehry. Ein Freund meines Vaters.«

Als sie ihren Vater erwähnte, zuckte er zusammen. »Ja, aber weißt du auch, was in diesem Gebäude drin ist?«

»Sicher. Wieso?« Endlich erkannte er in ihrem Blick eine erste Spur von Aufregung.

Und dann standen sie auch schon vor einem Aufsteller mit dem Plakat: *Los Angeles Philharmonic Orchestra.*

Francis schleppte Anne-May zur Abendkasse. Er hatte hohe Preise erwartet, doch was er nun sah, übertraf seine Vorstellungen bei weitem.

»Francis, was machst du da?«

»Es war doch immer dein Wunsch, mal die Philharmoniker in Los Angeles zu hören, oder? Hab zufällig gesehen, dass heute eine Aufführung ist.«

»Aber du hast doch gar kein Geld dafür.«

Francis zog einen schwarzen Geldbeutel aus der Tasche.

»Wo hast du den her?«, fragte sie sofort.

»Willst du nicht wissen.« Er öffnete Dr. von Waldenfels' Lederportemonnaie. Schon vor ein paar Stunden hatte er enttäuscht feststellen müssen, dass weder Kreditkarten noch wichtige Telefonnummern darin zu finden waren. Dafür aber knapp sechshundert Dollar. Eine kleine Entschädigung für den Wahnsinn seiner Zeugung.

Er nahm ein paar Scheine in die Hand und kaufte zwei der teuersten Konzerttickets.

»Tschaikowsky«, murmelte Anne-May, als sie hineingingen.

Der Saal war brechend voll, die Luft erfüllt von gedämpftem Stimmengewirr. Die Zuschauerplätze waren rund um die Bühne angeordnet, sie saßen nur wenige Meter von den Musikern entfernt. Francis genoss Anne-Mays Blicke, auf einmal sprudelte es aus ihr heraus. Sie erzählte, wie sie als Kind vor dem Einschlafen die L. A.-Philharmoniker gehört und wie oft sie sich diesen Moment vorgestellt habe. Als die Musiker ihre Instrumente gestimmt hatten und der Dirigent die Arme erhob, stieß sie Francis vor Aufregung kurz in die Seite und schaute gebannt auf die Bühne. In diesem Moment kam ihm Anne-May sehr kindlich vor, und er sah das zehnjährige Mädchen vor sich, das sie einmal gewesen war.

Die Musik breitete sich im Saal aus. Im Orchester war etwas Unsichtbares, Namenloses entstanden, es flog von der Violine zu den Oboen und Trompeten, es streifte die Hörner, Klarinetten und die Pauken und wehte dann nach oben zu der Decke aus Holzbögen. Schließlich flog es zu den Zuschauern, es traf sie nicht unerwartet und dennoch stark, es berührte jeden auf andere Weise. Als es Anne-May erwischte, bekam sie glänzende Augen, und als es in Francis fuhr, blickte er zu der Hand, die neben seiner lag. Vorsichtig tastete er nach Anne-Mays Fingern. Erst reagierte sie nicht, dann schien ihre Hand zu erwachen und nach seiner zu greifen.

Nach der Vorführung schwärmte Anne-May von der einzigartigen Akustik und bedankte sich überschwenglich für die

Einladung. »Als Kind hab ich Tschaikowskys Violinkonzert nicht gemocht«, sagte sie. »Aber jetzt hat's mir gefallen. Der Geiger war großartig!«

Francis nickte, aber ihn interessierte mehr, dass sie sich wieder bei ihm eingehakt hatte. In einem nahegelegenen italienischen Restaurant bestellten sie Spaghetti mit Meeresfrüchten, dazu tranken sie Rotwein. Zum ersten Mal fiel Francis das Reden leicht. Der Erfolg mit den Philharmonikern und die Tatsache, dass er vielleicht bald seinen Vater sehen würde, versetzten ihn in einen Rauschzustand. Er hatte das Gefühl, noch nie so gut gewesen zu sein, er war schlagfertig und witzig, und ihm war, als könne er dabei zusehen, wie Anne-May sich in ihn verliebte. Beim Dessert nannte sie ihm ihre Lieblingsgedichte. Sie konnte ein paar von einem Typen namens »Whiteman« oder so auswendig und trug sie ihm vor. Er selbst hatte keine Lieblingsgedichte, nur Filme und Serien. Doch an diesem Abend gelang ihm alles, das spürte er, und er hatte etwas, das noch viel besser war als die Gedichte von diesem »Whiteman«.

»Kennst du *Blade Runner,* mit Harrison Ford?«, fragte er. »Die Szene, in der der Replikant stirbt und man erkennt, dass er eigentlich menschlicher als alle Menschen war? Seine letzten Worte sind zwar kein Gedicht, aber ziemlich philosophisch. Wird dir gefallen.«

Anne-May schüttelte den Kopf und sah ihn gespannt an.

»Also, Replikanten sind künstlich gezüchtete Menschen. Manche wissen aber nicht, dass sie Replikanten sind, sie glauben, echte Menschen zu sein. Die meisten werden gejagt und getötet. Und am Schluss des Films gibt es eine Szene, in der Harrison Ford den Anführer der Replikanten erwischt hat. Es ist Nacht, der Replikant liegt im Sterben. Während der ganzen Geschichte dachte man, er sei nur ein gefühlskalter Roboter. Aber dann sagt er – es regnet in Strömen – im Moment seines Todes noch ein paar Worte:

Ich habe Dinge gesehen, die ihr Menschen niemals glauben würdet. Gigantische Schiffe, die brannten, draußen vor der Schulter des Orion. Und ich habe C-Beams gesehen, glitzernd im Dunkeln, nahe dem Tannhäuser Tor.

All diese Momente werden verloren sein in der Zeit, so wie … Tränen im Regen.

Zeit zu sterben.

Francis konnte das Zitat auswendig, weil ihn die Szene ziemlich berührt hatte, als er den Film das erste Mal sah. Er wusste nicht, wieso, aber als er diese Worte hörte, hatte er feuchte Augen bekommen. Er hatte damals das Video immer wieder zurückgespult und sich gedacht: *Das ist es … Genau das ist es!*

Er strahlte Anne-May an.

»Ist das etwa schon das ganze Gedicht gewesen?«, fragte sie.

Francis nickte.

»Das ist doch bescheuert, du kannst doch Walt Whitman nicht mit *Blade Runner* vergleichen«, sagte sie. Aber er sah genau, dass es ihr gefallen hatte.

Als sie ins Motel kamen, schlief Grover schon in seinem Bett. Francis blickte Anne-May kurz an, dann ging er auf sie zu und küsste sie. Sie liebten sich im Badezimmer, und obwohl das ziemlich kompliziert war, wusste er, dass jetzt wieder alles gut würde. Endlich hatte er sie für sich. Im Bett legte sie ihren Arm auf seinen Bauch, und er schlief so schnell ein wie seit Monaten nicht mehr.

Um vier Uhr morgens wachte er auf, weil er jemanden schluchzen hörte. Anne-May lag nicht neben ihm. Francis fand sie im Bad. Dort saß sie auf dem Boden und heulte. Blut rann aus den Schnittwunden an ihrem linken Arm und tropfte auf die weißen Kacheln.

5

»WAS MACHST DU DA?!« Francis richtete sie auf. Die Schnittwunden waren zu seiner Erleichterung nur am Unterarm und nicht am Handgelenk. Am Boden lag ein aufgeklapptes Messer, er nahm es an sich.

»Ich kann nicht mehr.« Sie weinte noch immer.

»Was ist denn los?«

»Ich liebe dich nicht, Francis. Ich liebe dich einfach nicht.«

Getroffen von der simplen Wucht dieser Worte, sagte er sekundenlang nichts. Dann murmelte er geistesabwesend, dass sie sich deshalb doch nichts anzutun brauche.

Anne-May sank wieder auf den Boden, er setzte sich neben sie.

»Es war alles gelogen, was ich dir gesagt habe«, sagte sie.

»Was war gelogen?«

»Mein Vater hat mich nie vergewaltigt.« Sie schneuzte sich mit Toilettenpapier. »Ich bin nicht deshalb in die Klinik gekommen.«

»Aber warum sonst?«

»Ja, *warum* …« Anne-May lächelte, aber es wirkte falsch, wie eine schlechte Nachahmung. »Ich wollte nicht sterben, wirklich nicht. Aber ich wollte auch nicht mehr so weiterleben.«

Sie bemerkte seinen irritierten Blick und schüttelte den Kopf. »Ich war elf, als mein Bruder totgefahren wurde. Er war damals sieben, und es war meine Schuld; ich hätte auf Jerome aufpassen sollen …« Ihr Finger fuhr eine Fliesenfuge nach. »Mein Vater war wegen seinem Job oft in New York und meine Mutter viel beschäftigt. Also haben sie mir Jerome anvertraut. Einmal sollte ich ihn zur Mall mitnehmen, was mich genervt hat. Außerdem war ich eifersüchtig auf ihn, weil ihm meine Eltern so viel erlaubt haben, in seinem Alter durfte ich nie ohne Erwachsene zur Mall. Ich ging deshalb absichtlich ein paar Meter vor ihm und beachtete ihn nicht. Wir waren schon auf dem Rückweg. Jerome war immer zappelig und ließ sich leicht ablenken, und dann wollte er plötzlich wegen irgendwas auf die andere Straßenseite. Ich hab mich noch umgedreht, doch ich stand viel zu weit weg, er war schon losgerannt. Ich hab gebrüllt, dass er aufpassen soll, dann hat es einen dumpfen, scheußlichen Knall gegeben. Ich sah ihn auf der Straße liegen und bin zu ihm hin. Er sah so schrecklich aus ...« Sie schloss die Augen und schien die Bilder abschütteln zu wollen.

Francis lehnte den Kopf gegen die Wand. »Das ist nicht deine Schuld«, sagte er, aber es klang leer. »Es war ein Unfall, du warst doch selbst noch ein Kind.«

Anne-May reagierte kaum darauf. »Sie haben sein Zimmer genau so gelassen, wie es war, sogar jetzt noch. Mein Vater hat nur noch gearbeitet und war fast nie zu Hause, und meine Mutter wurde übertrieben religiös. Sie hat viel geweint, auch mein Vater manchmal, nur ich selbst nie. Es gab über den Tod meines Bruders einen Zeitungsartikel, und den hab ich oft durchgelesen und mich dafür verflucht, dass ich nicht so traurig war, wie ich es hätte sein müssen. Mir kam es in den Jahren danach immer mehr so vor, als ob ich einfach nicht richtig fühlen kann. Nicht lieben, nicht weinen und auch nicht glücklich sein. Ich war einfach nur kalt. Das hat mich krank gemacht. Ich meine, wer will schon so sein? Ich hab mich in der Schule zurückgezogen und mit dem Klavierspielen aufgehört. Wenn ich Menschen gezeichnet habe, hatten sie Augen ohne Pupillen, ganz leer. Ich fand es schöner so, *richtiger*, aber ich wusste, dass das nicht normal war. Danach hab ich angefangen, Mäuse zu zeichnen, da ist das nicht so aufgefallen.«

Sie richtete sich auf. »Es wurde mit der Zeit immer schlimmer. Es kam noch der Druck dazu, den meine Eltern ausgeübt haben, weil sie jetzt wenigstens eine scheiß perfekte Tochter haben wollten, was weiß ich. Ich war dann mal kurz wegen Magersucht in Behandlung und hab zu viel gekifft. Ich hab mich gehasst. Dafür, dass ich nie traurig oder zumindest wütend gewesen bin. Dafür, dass meine Eltern mit mir immer tun konnten, was sie wollten. Dann hab ich mich jedes Mal gefragt, wo Jerome jetzt ist und was nach dem Tod passiert. Und schließlich gab es da diese eine Nacht, in der ich zu viel geraucht und zu viel düstere Musik gehört habe und wohl zu weit gegangen bin.« Sie schneuzte sich noch mal. »Aber egal. Ich bin jedenfalls nicht vergewaltigt worden, und ich will, dass du das weißt.«

Francis streckte seinen Rücken, das Sitzen auf dem Boden war unbequem. Er legte seinen Arm um sie. »Es ... Das alles tut mir leid.«

»Nein, mir tut's leid.« Sie strich über seine Hand. »Du bist der beste Mann, den ich mir vorstellen kann, und manchmal fühl ich mich auch wirklich zu dir hingezogen. Aber ich liebe dich einfach nicht – und deshalb hasse ich dich vielleicht sogar. Ich dachte, das hätte ich dir in den letzten Tagen klargemacht. Doch dann kamst du heute mit den Philharmonikern, und das war so wunderbar von dir. Ich wollte es wirklich noch mal mit dir probieren und hab so getan, als ob ich das Gleiche für dich empfinde wie du für mich … Aber ich kann einfach nicht.«

Francis betrachtete den tropfenden Wasserhahn. Er versuchte immer dann die Augen zu schließen, wenn der nächste Tropfen fiel. An diesem Abend in L. A. hatte er alles gegeben, was er hatte, und es war offenbar immer noch zu wenig gewesen.

Sie saßen eine Weile einfach nur da.

»Das mit deinem Dad beruhigt mich«, sagte er in die Stille. »Als du neulich die Frage nicht beantworten wolltest, wer dein erstes Mal war, dachte ich, es wär dein Vater gewesen …«

Sie schüttelte den Kopf. »Du warst mein erstes Mal.«

»Was?«

»In der Klinik, auf dem Flügel. Ich war noch Jungfrau.«

»Was?«

»Ich hasse die meisten Männer, ich wollte auch nie einen Freund. Es hat mich immer angewidert, wie die Typen mich angesehen haben. Du hast mich zwar auch so komisch angesehen, aber du warst trotzdem anders, ich weiß nicht, wieso. Verdammt, ich weiß gar nichts mehr.«

»Und wozu dann die Nymphomaninnen-Nummer?«

»Zum Schutz. Lieber die größte Hure der Welt als die seltsame Frau, die keine Männer mag.«

Francis biss sich auf die Lippe und dachte nach. »Okay, ich sag dir jetzt mal was. Ich *weiß,* dass wir gut zusammenpassen. Mehr, als du denkst. Dann kannst du mich halt nicht lieben, mir egal, ich lieb dich so sehr, das reicht für uns beide! Und du brauchst mir auch nichts mehr vorzuspielen oder Gefühle zu heucheln. Ich weiß jetzt, wer du bist, ich kenn deine Geheimnisse, und du kennst meine.«

Sie kaute an einem Fingernagel. »Das geht alles trotzdem nicht, allein meine Eltern würden dich nie, nie, nie akzeptieren. Sie würden dich nicht ausstehen können und dir das Leben zur Hölle machen. Du kennst sie nicht, du weißt nicht, wie sie sein können. Außerdem sind wir einfach nicht gut füreinander. Du wohnst mit deiner Mom im Trailerpark, und ich bin eine selbstmordgefährdete Patientin, die nicht richtig lieben kann. Du bist verkorkst, ich bin verkorkst.«

»Minus mal minus ergibt plus, Anne-May.«

Sie musste lächeln, während ihr die Tränen herunterliefen. *»Minus mal minus ergibt plus«*, wiederholte sie. Sie nahm seinen Kopf in ihre Hände und küsste ihn auf den Mund. »Ich hab in den letzten Tagen oft an dieses Haus in San Francisco gedacht. Wenn wir da einfach hinziehen und alles andere zurücklassen könnten ... Ich würd's machen. Sofort. Aber das Leben ist nicht so einfach.«

»Aber ich ... WILL!« Er schrie es fast.

»Du willst immer zu viel, Dean!«, sagte sie und drückte seine Hand. Das war der Moment, in dem Francis ahnte, dass er auch Anne-May verlieren würde.

Sie wischte sich über die Augen. »Du hättest im Casino deine Million gewinnen müssen, dann wäre jetzt alles einfacher.«

»Ja, das war dumm, dass ich das nicht geschafft habe. Die Spieler neben mir waren schuld, die haben mich nervös gemacht.«

Er lächelte, während Anne-May das Blut von den Wunden an ihrem Unterarm tupfte und sich ein Pflaster draufmachte. Danach gingen sie zu Bett, sie schmiegte sich unter der Decke an ihn. Seltsamerweise schliefen sie gut.

6

Der Chevy hielt vor einem kleinen Haus in Hollywood. In den Gärten spielten Kinder, in den Einfahrten standen gewaschene Autos, die Gegend wirkte friedlich und familiär. Der leergeträumte und zu Tode fotografierte Hollywood Boulevard mitsamt seinem Walk of Fame war nur wenige Meilen entfernt, doch hier war davon nichts zu spüren.

Schwungvoll stieg Francis aus. Obwohl die letzte Nacht heftig und zu kurz gewesen war, fühlte er sich energiegeladen. Während Anne-May und Grover im Wagen blieben, stand er um Punkt halb neun vor der Haustür der Kinnears und läutete. Es öffnete eine rothaarige Frau, kaum älter als dreißig.

»Hi! Ich würde gern Andy Kinnear sprechen, ist er da?«

»Worum geht's?«

»Um die Samenbank der Genies. Ich wollte ihm ein paar Fragen stellen.«

Die Augen von Mrs. Kinnear wurden eine Winzigkeit schmaler. »Ich wüsste nicht, wie Ihnen mein Mann da weiterhelfen kann.«

»Aber er arbeitet doch in der Monroe-Klinik.«

Aus dem Haus drang Kindergeschrei. Mrs. Kinnear fuhr herum. »Schluss jetzt«, rief sie, dann wandte sie sich wieder Francis zu. »Ich fürchte, da irren Sie sich.«

»Aber in der Klinik hat man mir gesagt: *Andy Kinnear in Hollywood.* Und im Internet und im Telefonbuch stand nur diese Adresse.«

Das Kindergeschrei wurde wieder lauter.

»Das muss ein Missverständnis sein«, sagte Mrs. Kinnear. »Es wird sicher mehrere Kinnears in der Gegend geben. Guten Tag.«

Sie schloss die Tür.

Francis wollte gerade zum Wagen zurückgehen, da hörte er, wie sie drinnen rief: »*Katherine,* hör endlich auf, deinen Bruder zu ärgern.«

Beim Namen seiner Mutter zuckte Francis kurz. Einen Moment blieb er unschlüssig an der Türschwelle stehen, dann ging er zur Garage der Kinnears, vor der ein dunkelgrüner Ford parkte. Einem inneren Instinkt folgend, sah er hinein. Auf dem Beifahrersitz lagen Zeitungen und ein Lichtbild-Ausweis. Er erkannte gerade noch ein Foto und den Namen Andy Kinnear. Die Türen waren verschlossen, dafür ein Fenster nicht ganz hochgekurbelt. Francis steckte den Arm hinein und versuchte die Tür von innen zu öffnen. Er hatte es fast geschafft, als ihn jemand von hinten packte und brutal gegen den Wagen presste.

»Haben wir dich, du Ratte!«

Francis versuchte sich zu befreien, doch sein Widersacher drückte auf seinen eingeklemmten Arm. Er schrie vor Schmerzen auf.

»Jane, ruf die Polizei«, rief der Mann, der einen Bürstenhaarschnitt hatte und offenbar ein Nachbar der Kinnears war. Francis spürte seinen warmen Atem in seinem Nacken. »Du hast hier das letzte Auto aufgeknackt, du Hurensohn.«

Wieder drückte er heftig auf Francis' Arm. Anne-May kam herbeigerannt, und nach einem kurzen Zögern sprang auch Grover aus dem Chevy und folgte ihr. Beide versuchten, den Nachbarn wegzuzerren, der nun seinerseits schnaufend seine Frau und seinen ältesten Sohn zu Hilfe rief. Als auch noch der Familienhund dazukam und an Grover hochsprang, entstand ein unübersichtliches Gewühl aus Rangeleien, Gebell und hitzigen Anschuldigungen.

Da kam ein Mann in die Einfahrt gelaufen, im Arm eine Tüte von Trader Joe's. Fassungslos betrachtete er die seltsame Szenerie. »Pete, was ist hier los?«

Der Mann mit dem Bürstenhaarschnitt packte Francis am Shirt. »Das Früchtchen wollte gerade euren Wagen stehlen. Jane hat die Polizei gerufen ... Müssten jeden Moment da sein.«

Francis sah in seiner Panik erst zu ihm, dann zu Andy Kinnear. *»Katherine Dean«*, rief er. »Ich bin ihr Sohn, ich bin Katherines Sohn. Ich suche meinen Vater.«

Andy Kinnears Gesichtszüge entglitten für einen Moment. Er warf seinem Nachbarn einen kurzen Blick zu. »Lass ihn los.«

Das Wohnzimmer der Kinnears war hell und gemütlich eingerichtet, allerdings herrschte eine ziemliche Unordnung. Überall lagen Spielsachen verstreut, und wie angekündigt kam ein kleiner Junge ins Zimmer. Er hatte wie seine Mutter rote Haare und war vielleicht drei oder vier.

»Mein Sohn Miles«, sagte Andy Kinnear.

Sie waren allein im Wohnzimmer, vor ihnen zwei Gläser

und eine Kanne mit Saft. Francis rieb sich seinen schmerzenden Arm.

»Du musst Pete entschuldigen, er war dreißig Jahre bei der Navy. Und bei uns im Viertel wurden zuletzt immer wieder Autos geklaut.« Andy schenkte ihnen ein. Er war ein freundlich aussehender Matthew-Perry-Typ Mitte vierzig und wirkte noch recht fit, sein braunes Haar noch immer dicht, keine Spur von Grau.

Francis nahm sein Glas. »Wieso hat Ihre Frau an der Tür gelogen?«

Andy seufzte. »Die Samenbank der Genies ist nichts, worauf ich stolz bin. Ich will damit nichts zu tun haben. Aber die Vergangenheit ist hartnäckiger, als man denkt.« Er musterte Francis interessiert. »Wie ähnlich du ihr siehst!«

»Haben Sie Ihre Tochter nach ihr benannt?«

Andy blickte zur angelehnten Wohnzimmertür. Er sprach leise. »Deine Mutter war die erste große Liebe meines Lebens. Als ich sie damals bei dem Projekt kennenlernte, war ich sofort verrückt nach ihr. Und dann hat sie mit mir … Sie hat sich an mich rangeschmissen, um an diese Akten zu kommen. Das hätte sie nicht tun brauchen, ich hätte auch so alles für sie getan. Jedenfalls wurde es danach noch schlimmer. Deine Mutter hatte so viel Feuer, sie konnte einen zum glücklichsten oder traurigsten Mann dieser Welt machen. In meinem Fall leider beides.«

Francis dachte an die vierzigjährige Frau, die Tausende von Meilen entfernt in einem Klinikbett lag. Als er Andy fragte, ob er wissen wolle, was seine Mutter jetzt mache, sagte der zu seiner Überraschung nein. »Ich habe ein bestimmtes Bild von ihr, und das ist eingefroren und Vergangenheit.«

»Eingefroren«, sagte Francis. »Das ist ja auch schon das Stichwort.«

Andy lachte. »Immerhin nimmst du es mit Humor. Es gibt genügend Geniekinder, die mit ihrem Schicksal nicht fertiggeworden sind.«

»Na ja, am Anfang war es schon seltsam. Aber wenn ich ehrlich bin, finde ich's mittlerweile sogar gut, dass ich zu diesem Projekt gehöre.« Er wich Andys überraschtem Blick aus. »Ich kann das nicht mal meinen Freunden sagen, weil die mich sonst für verrückt halten. Aber durch die Samenbank der Genies und meinen Vater bin ich endlich mal Teil von etwas und weiß, was ich tun muss. Plötzlich hat alles irgendwie eine Bedeutung … einen Sinn.«

Andy musterte ihn nachdenklich. »Ich gebe dir am besten erst mal die Unterlagen zu deinem Vater.« Er verschwand in einem Nebenzimmer.

Francis blieb zurück und bemerkte, dass ihn der Junge mit seinem Blick fixierte. Er starrte zurück und zog dabei ein fröhliches Gesicht. Miles rührte sich nicht. Francis machte eine böse Grimasse, und das Kind lachte.

Andy kam mit einer Akte wieder. »Dr. Ian Doble, oder auch bekannt unter dem Decknamen Donor James.«

Ian, dachte Francis. Sein Vater hieß Ian!

Er stand kurz auf, setzte sich aber sofort wieder hin. Unzählige Gedanken stürzten auf ihn ein, er wollte schreien, rennen, lachen. Er riss sich zusammen und versuchte ruhig zu bleiben.

»Hier der offizielle Teil, der dir bekannt sein dürfte.« Andy las aus der Akte vor. *»Donor James machte seinen Doktortitel in Harvard, er hat einen IQ von 170, ist sport-*

lich und ein überzeugter Nichtraucher, spielt Cello und Lacrosse.«

Francis starrte auf die Unterlagen. Andy bemerkte es und drückte sie ihm in die Hand. Es waren wenige Seiten, sie enthielten medizinische Angaben zum Sperma sowie Informationen über Ian Doble und seine Mutter. »Unseren Klienten gaben wir natürlich nur kurze Charakterisierungen der Spender, hier alles Weitere, was wir über Doble angelegt haben.«

Francis betrachtete das Foto seines Vaters und spürte, wie sich ein kribbelndes, warmes Gefühl in seiner Magengegend ausbreitete. Zum ersten Mal *sah* er ihn!

Sein Vater war sehr gutaussehend, wie er fand. Ein bisschen wie Paul Newman in *Die Katze auf dem heißen Blechdach,* er begriff, wieso seiner Mutter ausgerechnet dieser Mann gefallen hatte. Doble trug einen Anzug, seine Augen leuchteten verschmitzt, und er hatte exakt das gleiche markante Kinn mit dem Grübchen wie sein Sohn. *Dr. Ian Doble,* las Francis, und vielleicht konnte er es erst jetzt richtig glauben, wo er es tatsächlich schwarz auf weiß sah. Unter dem Foto stand, dass sein Vater eine Koryphäe auf dem Gebiet der Neurochemie sei.

»Ein Neurochemiker«, sagte Francis kopfschüttelnd, aber fasziniert. Es klang wie aus einer anderen Welt.

Er las weiter in der Biographie dieses ihm bis vor zwei Wochen völlig unbekannten Mannes, der auf einmal zur wichtigsten Person in seinem Leben geworden war: 1,89 groß, athletisch, Abschluss in Harvard, Doktorarbeit summa cum laude, ein exzellenter Forscher. Sehr wohlhabend. Sein gegenwärtiger Aufenthaltsort Santa Monica war jedoch durchgestrichen. Francis grinste wie verrückt, er versuchte es abzustellen, aber es ging nicht. Er war einfach so verdammt, verdammt glücklich, zum ersten Mal fühlte er sich als richtiger Sohn von jemand. Noch dazu von jemand, auf den man stolz sein konnte.

»Scheiße, mein Dad ist ja der absolute Superheld«, rutschte es ihm heraus. Vor kurzem hatte er noch befürchten müssen, von einem Versager oder Kriminellen gezeugt worden zu sein, stattdessen hatte er nun offenbar den besten aller Väter. Er fühlte sich phantastisch.

Andy deutete auf die Akte. »Ian Doble war damals einer unserer gefragtesten Spender. Insgesamt sieben Frauen haben sich für ihn entschieden.«

Francis fühlte sich noch immer phantastisch, bis er kapierte: Auf einen Schlag hatte er sechs weitere Geschwister.

Andy bemerkte seinen Fehler und schüttelte den Kopf. »Die Namen deiner Geschwister und alles, was dazugehört, kriegst du von mir nicht. Bei deinem Vater kann ich dir helfen, aber das ...«

»Schon okay, mir geht's nur um meinen Dad.« Vielleicht würde er diesen Satz später mal bereuen, im Moment war Francis jedoch nur an Doble interessiert.

»Und selbst wenn ich wollte«, sagte Andy, »ich könnte dir die Namen deiner Geschwister nicht geben. Niemand kann das mehr. Monroe hat alle Unterlagen verbrennen lassen. Das hier«, er deutete auf die schmale Mappe über Mr. Doble und Ms. Dean, »habe ich nur, weil ich es damals für deine Mutter aus Monroes Aktenschrank gestohlen habe. Ich habe es all die Jahre nie weggeworfen. Aus verschiedenen Gründen. Aber, wenn ich ehrlich bin, vor allem, weil ich die Seite über deine Mutter so gern gelesen habe.«

Francis legte die Unterlagen zu Ian Doble weg und sah sich die Angaben zu Katherine Angela Dean an. Es hieß, dass sie hervorragend für das Projekt geeignet sei und ein Stipendium der Samenbank der Genies erhalten werde. Ihr IQ lag über dem Durchschnitt, auch in allen weiteren Tests hatte sie blendend abgeschnitten. Bei »Beruf« stand: Jurastudentin sowie ein Vermerk über ihr Cheerleading bei den Lakers. Als Hobbys waren Lesen, Musikhören und Tanzen notiert. Auf dem Bild war sie zweiundzwanzig und das schönste Mädchen der Welt. Francis kam wieder der Lieblingssong seiner Mutter in den Sinn:

When I was young.
My faith was so much stronger then.
I believed in fellow men.
And I was so much older then.
When I was young.

Er wusste nicht, was seiner Mom in ihrer Kindheit widerfahren war, ob sie missbraucht, geschlagen und gedemütigt worden war, wie offenbar fast jeder in dieser kranken Scheißwelt, er wusste nur, dass sie es irgendwann nicht mehr ausgehalten hatte und als Teenager von zu Hause abgehauen war. Zeit ihres Lebens hatte sie versucht, alles besser zu machen. Sie hatte ein kleines Genie als Kind haben und sich mit ihm etwas »Neues« aufbauen wollen. Genau so hatte sie es gesagt. Sie war von diesem »Neuen« immer so fasziniert gewesen, als wäre es das Geheimnisvollste, Aufregendste, was es gab.

Francis betrachtete lange das Foto seiner Mutter, und auf einmal bekam er eine Riesenwut, dass das Leben einen Menschen so zugrunde richten konnte. Dass es aus dem strahlenden Mädchen auf dem Foto die von Medikamenten zitternde Frau aus dem Trailer machen konnte, die sich noch immer nach dem »Neuen« sehnte, während die Vergangenheit sie längst eingeholt hatte.

7

Francis legte das Blatt über seine Mom beiseite. »Was geschah eigentlich mit dem Sperma nach dem Ende der Samenbank? Ich meine, ich hatte ja noch unzählige potentielle Geschwister.«

»Sie wurden alle entsorgt.«

Er richtete sich auf. »Was? Einfach so?«

»Das Experiment schlug fehl, wie du weißt. Die meisten Geniekinder waren zwar leicht überdurchschnittlich begabt, aber so genial wie Alistair Haley war sonst keiner. Von einer genetischen Elite konnte keine Rede sein. Warren P. Monroe verlor zusehends die Geduld. Er verbrannte nicht nur die Unterlagen, nach seinem Tod wurde auch seine Samenbank geschlossen. Denn da war noch etwas ...«

Francis sah Andy fragend an.

»Dass die Kinder nicht Monroes Erwartungen entsprachen, war nicht allein der Grund für die Schließung. Es gab auch einen Skandal, als einer unserer Spender der Presse bekannt wurde und herauskam, dass er ein überzeugter Rassist war. Dazu kam der Wirbel um Dr. von Waldenfels, den Eugeniker der Samenbank. Es gab Gerüchte, er habe als junger Arzt für die Nazis gearbeitet. Waldenfels hat seine Mitarbeit immer bestritten, und es konnte ihm auch nie etwas nachgewiesen werden. Als er sich dann allerdings vierzig Jahre später in den USA der Menschenzucht widmete, sorgte das für viel Kritik. Nach Monroes Tod fand sich dann niemand mehr, der die Samenbank finanzieren oder übernehmen wollte.«

Francis dröhnte der Kopf. Einerseits blickte er immer wieder auf das Bild seines Vaters und spürte diese unglaubliche Vorfreude, andererseits erdrückte ihn der Irrsinn seiner Herkunft. Als Andy ihm die Hand auf die Schulter legte, war er froh darüber. Er dachte daran, wie er noch vor kurzem nichtsahnend mit seinen Freunden in der Schulcafeteria gesessen hatte. Es schien Jahre her zu sein.

»Aus heutiger Sicht wirkt die Samenbank der Genies ohnehin antiquiert. In der synthetischen Biologie stellt man bereits künstlich Gene her, es kann gut sein, dass man eines Tages Menschen komplett im Labor züchten kann …«

Andy sprach nun über Präimplantationsdiagnostik und optimierte Kinder und begann darüber zu philosophieren, ob ein im Labor gezüchteter, synthetischer Mensch eine Seele hätte und wie die anderen Menschen denken, fühlen und träumen würde oder doch etwas ganz Eigenes wäre.

Francis versuchte zuzuhören, doch seine Gedanken schweiften immer wieder ab. »Hat die Samenbank der Genies eigentlich überhaupt was gebracht?«

»Schwierig zu sagen. Denn natürlich war auch das Erbgut der Mutter ein erheblicher Faktor, und das wurde damals kaum beachtet. Am ehesten brachte das Experiment noch die Erkenntnis, dass die genetische Herkunft nicht alles ist. Zwar hatten wir in unserer Spenderkartei später auch brillante Musiker und Sportler, deren Kinder dann ebenfalls im musischen und athletischen Bereich sehr begabt waren. Und man geht auch in Kreisen der Wissenschaft davon aus, dass Intelligenz tatsächlich vererbbar ist. Aber das ist eben nicht alles, wie bei einem in die Erde gepflanzten Samen. Die Erziehung, die Familie und die Umwelt, in der ein junger Mensch aufwächst, spielen genauso eine Rolle, sie sind der Dünger. Sonst wären ja alle Kinder so genial geworden wie Alistair Haley.«

»Er arbeitet als Geschäftsführer in einem Restaurant«, warf Francis ein.

»Ich weiß. Ein faszinierender Junge. Alle dachten damals, er würde die Mathematik revolutionieren. Jetzt sorgt er eben dafür, dass Gäste ihren Tofuburger kriegen.«

»Aber warum?«

»Seine Intelligenz hat ihn nie glücklich gemacht, er konnte mit den Erwartungen nicht umgehen. Für ihn war es ein bedauernswerter Zufall, dass von allen Kindern ausgerechnet er so begabt war.« Andy lehnte sich zurück. »Weißt du, es heißt ja immer, dass man mit harter Arbeit und Fleiß alles erreichen kann, aber dabei vergisst man, dass Glück und Pech eine oft noch viel größere Rolle spielen. Wenn man sich die Geschichte eines Lebens ansieht, reichen meist winzigste Ausschläge, um eine Unwucht entstehen und alles auf die eine oder andere Seite kippen zu lassen. Und am Ende entscheidet viel öfter der Zufall, als wir es wahrhaben wollen.«

In Francis' Erinnerung blitzte die Münze auf, die er damals in der Klinik seiner Mutter in die Luft geworfen hatte und die entscheiden sollte, wie es für ihn ausgehen würde. Kopf oder Zahl, gut oder schlecht. Ihn ärgerte, dass er nicht mehr nachgesehen hatte, was am Ende herausgekommen war.

Der kleine Miles, der bisher friedlich mit einem Holzlaster auf dem Teppich gespielt hatte, wurde unruhig. Francis sah zu, wie Andy seinen Sohn nun auf den Schoß nahm, ihm über den Kopf strich und ihn auf die Wange küsste. Diese simple Vertrautheit traf ihn unerwartet hart.

»Schon verrückt«, sagte er. »Mich hat lange Zeit nie interessiert, wer mein richtiger Vater ist, und jetzt denke ich an nichts anderes mehr.«

»Das ist ganz normal.« Andy verlagerte seinen Sohn, um bequemer sitzen zu können. »So wie dir geht's vielen Retortenkindern. Die Samenbank der Genies war zwar einzigartig – es gingen auch nur 217 Kinder daraus hervor –, aber normale Retortenkinder gibt es viele. Jedes Jahr kommen allein in diesem Land dreißigtausend auf die Welt, inzwischen leben hier gut eine Million.«

»So viele?«

»Es ist ja kein schwieriger Prozess. Ein bisschen Handarbeit in einer Kabine. Dazu flüssiger Stickstoff in Metalltanks, um das Sperma bei minus 196 Grad einzufrieren, fertig. Das Sperma ist dann nahezu unbegrenzt haltbar.«

Francis nickte. Eine Weile blickte er zu Andy, der mit seinem Sohn spielte. »Was ich bei der ganzen Sache nicht verstehe …«, hörte er sich plötzlich mit hohler Stimme sagen. »Hat sich von euch denn keiner gefragt, was bei diesem Experiment eigentlich mit uns ist, wie ich und die anderen Kinder uns später mal *fühlen* werden?«

Andy schaute erst ihn an, sah dann zur Decke und überlegte. »Wir hatten damals alle so viel Begeisterung …«, fing er an.

Danach sagte er einfach gar nichts mehr.

Nachdem sie die Gläser in die Küche gebracht hatten, fragte ihn Andy, ob er Geschwister habe. Francis erzählte von Nicky und dass sein kleiner Bruder nicht richtig wuchs und wie gern er ihn habe. Als er erwähnte, dass sie beide Fans der Knicks seien, rief Andy begeistert: »Ich liebe die Knicks! Ich hab sogar noch irgendwo ein Trikot, das von Ewing signiert ist. Meine Mutter kommt aus Forest Hills, sie war regelrecht fanatisch, was Basketball anging.«

»Bei mir war's mein Stiefvater«, sagte Francis. »Total besessen von den Knicks, er hat uns oft zu den Spielen mitgenommen. Einmal saßen wir sogar ganz vorne, in der ersten Reihe, so dass wir die Bankspieler hätten berühren können.«

»Du machst Witze.«

»Nein, wirklich. Mein Stiefvater kannte jemanden vom Management.«

Ryan hatte immer behauptet, er sei früher selbst ein Spieler der Knicks gewesen, einer der kleinsten in der Geschichte der NBA. Als Francis alt genug gewesen war, hatte Ryan ihn eingeweiht. Danach hatte er ebenfalls behauptet, Ryan wäre früher ein berühmter Basketballspieler gewesen. Nicky hatte damals einfach alles geglaubt, was man ihm erzählte. »Echt?«, hatte er voller Ehrfurcht gefragt und danach den Mund nicht mehr zubekommen.

Obwohl Francis seinem eigenen Vater so nah war wie nie

zuvor, wünschte er sich für einen Moment, dass es wieder so wäre wie früher, mit dem gutgelaunten Ryan, der seine John-Deere-Mütze trug und Kaugummi kauend und Geschichten erzählend am Steuer saß, während er sie alle zum Madison Square Garden fuhr.

Er sah auf die Uhr. Schon Viertel vor zehn.

Andy bemerkte es. »Du musst wohl langsam los, oder?«

Francis nickte. Er deutete auf das Blatt mit der Adresse seines Vaters. »Santa Monica ist durchgestrichen.«

»Ja, das ist nicht mehr aktuell. Es gab bei der Abwicklung des Projekts noch mal ein paar Probleme mit der Buchhaltung, und ich hatte damals so lange herumtelefoniert, bis ich jemanden erwischt habe, der wusste, wo sich dein Vater inzwischen aufhält. Du kannst mir glauben, das waren eine Menge Anrufe. Doble lebt zurzeit in Tijuana, Mexiko. Im ersten Moment kam mir das komisch vor, aber dann habe ich im Internet gesehen, dass in Tijuana gerade ein großes Institut für Bio- und Neurochemie gebaut wird. Das ist ein Prestigeprojekt eines Pharmakonzerns, und da wird dein Vater vermutlich mitwirken. Das hier …«, Andy deutete auf einen eingehefteten Zettel in der Akte, »ist jedenfalls die Adresse von jemandem, der dir zumindest weiterhelfen müsste. Ich weiß nicht, ob sie noch stimmt, aber ich würde es dort oder in dem Institut versuchen. Das ist leider alles, was ich für dich tun kann.«

Francis nahm das Blatt und legte es in die Akte. »Danke für Ihre Hilfe!«

»Hab ich gern gemacht.« Andy brachte ihn zur Tür. »Eines muss ich dich aber doch noch fragen. Hat deine Mutter in all den Jahren von mir gesprochen?«

»Ja, oft.«

Andy lächelte. »Lügner.«

Francis musste ebenfalls lächeln. »Sie haben ja gesagt, ich soll Ihnen nichts über meine Mutter erzählen. Nur eines: Ich glaube, sie wäre deutlich glücklicher in ihrem Leben geworden, wenn sie mit Ihnen zusammen gewesen wäre.«

Andys Lächeln verschwand, er wirkte aufgewühlt, und Francis beschlich das Gefühl, dass er noch immer etwas für seine Mutter empfand.

Kurz schien Andy etwas antworten zu wollen, doch schließlich nickte er nur. Sie gaben sich die Hand. Francis bedankte sich noch ein letztes Mal, dann verließ er das Haus und stieg zu den anderen in den Chevy.

Tijuana

I

Die Ledersitze glühten in der Hitze. Sie parkten am Rand von Los Angeles; Anne-May und Grover waren in der Tankstelle, Francis saß im Chevy und wartete. Sein Blick fiel auf die Insekten, die an der Windschutzscheibe klebten. Seit elf Tagen waren sie nun schon unterwegs, und gleich würden sie endlich das Ziel der Reise erreichen. Vor Nervosität griff er wieder nach den Artikeln, die er dabeihatte, und füllte seinen Kopf mit Fakten und Zahlen.

… Die Zukunft scheint jedoch ungewiss. Denn noch immer lagern allein in unseren Kliniken über 200 000 potentielle Kinder auf Abruf, wohl für immer eingesperrt in blankpolierten Metalltanks. Allein die California Cryobank in Los Angeles, die größte ihrer Art, beheimatet Spermien, mit denen man noch in Tausenden Jahren Babys in die Welt setzen könnte. Für Prof. Dilbert vom technologischen Institut in Cambridge eine bizarre Vorstellung:

»Man denke sich ein Kind, das im Jahr 2005 angelegt wurde, aber erst im Jahr 3005 auf die Welt kommt und dessen Vater schon seit 950 Jahren tot ist. Allerdings war bereits der Nobelpreisträger Muller der Ansicht, dass dies wohl der einzige Weg wäre, den Vaterkonflikt eines Retortenkindes zu umgehen.«

Schließlich gebe es momentan viele solcher Kinder, die an ihrem Schicksal zerbrechen. »Aus dem Reagenzglas zu kommen und den eigenen Vater nicht zu kennen, das gibt niemand gern zu«, sagt Dilbert. »Das ist eine Wunde, die sich nie ganz schließt.«

Francis nickte bei diesem Satz unmerklich; so war es. Während andere wussten, wo sie herkamen und wer ihre Eltern waren, war er sein ganzes Leben lang mit dieser Wunde herumgelaufen. Aber jetzt, da er die Akte über seinen Vater in der Hand hielt, schien es einen Weg zu geben, sie doch noch zu schließen.

Er verließ den Wagen und ging ein paar Schritte an den Zapfsäulen entlang. Schon immer hatte er den Geruch von Benzin gemocht. Während er Lockerungsübungen machte, fragte er sich, was er tun solle. Eine Möglichkeit war, die Akte seines Vaters zu nehmen und damit einfach wieder nach Hause zu fahren. Es war vernünftiger, denn er machte sich vielleicht zu viele Hoffnungen, und wer wusste schon, wie die Begegnung mit diesem Ian Doble verlaufen würde. Doch dann sah er, wie ein Vater mit seinem Sohn in den Laden ging. Das Kind war müde, und so nahm sein Dad es einfach auf den Arm und trug es. Die beiden kamen an ihm vorbei, er konnte seinen Blick nicht von ihnen abwenden. Und da erinnerte sich Francis an den fröhlichen, selbstbewussten Jungen, der er früher einmal gewesen war. *Ich kann wieder so werden,* dachte er, wenn jetzt alles gut läuft. *Ich kann wieder so sein.* In diesem Moment beschloss er, die Sache durchzuziehen.

Sie fuhren auf dem Highway nach Süden, kurz vor Tijuana. Francis war in Gedanken versunken. Anne-May hatte gesagt, ihre Eltern würden jemanden wie ihn bestimmt ablehnen. Mit seinem Vater – wenn der ihn unterstützte – würde er bei den Gardeners aber sicher Eindruck machen können. Er dachte auch an seine Mom, und ihm wurde bewusst, dass sein Dad als Neurochemiker vielleicht nach Medikamenten gegen ihre Depression forschte. Francis schaute aus dem Fenster, nur noch vierzig Meilen, dann waren sie an der Grenze. Er lächelte.

»Was ist?«, fragte Anne-May.

»Ach, hab gerade gedacht, dass mein kleiner Bruder einen Chemiebaukasten hat und sich total für solche Dinge interessiert. Und da hab ich mir überlegt, dass ich irgendwann mal mit ihm nach Tijuana fahren könnte, um meinen Vater in seinem Institut zu besuchen. Aber dann ist mir eingefallen, dass Nicky sich auf langen Autofahrten immer übergeben muss.«

Er holte wieder die Akte heraus, und auf der ganzen restlichen Fahrt redeten sie über nichts anderes als Dr. Doble. Anne-May war begeistert, dass er Cello spielte, und fand Ian einen sehr schönen Namen. Francis stellte sich vor, wie beeindruckt sein Vater wäre, wenn er Anne-May an seiner Seite sah. Er machte Witze, dass er ab jetzt nur noch mit Dr. Doble junior angeredet werden wolle, und gab ein bisschen damit an, dass sein Vater in Harvard studiert hatte und wohlhabend war und gutaussehend, und die anderen wollten endlich die Akte über ihn lesen, aber die gab er ihnen nicht, denn die gehörte nur ihm allein.

Auf einem Parkplatz vor der Grenze stellten sie den Chevy ab, da Grover Angst hatte, dass man ihn drüben stehlen könnte. Es war weit und breit der einzige Wagen mit einem Nummernschild aus New Jersey.

In der Ferne ragte der Triumphbogen von Tijuana auf. Über eine Brücke gelangten sie zu Fuß nach Mexiko. Francis blickte auf die achtspurige Straße unter ihnen. Ein langer Stau, Tausende Autos wollten nach Amerika – das Land, das sie gerade verlassen hatten. Das auch sein Vater verlassen hatte.

Sie betraten Mexiko, wie man einen Supermarkt betrat: Niemand kontrollierte ihre Ausweise oder sah sie auch nur an, vermutlich hielt man sie für amerikanische Teenager, die hier feiern wollten. Staunend sah Francis sich um. Es war erst das zweite Mal, dass er im Ausland war. Als Kind war er einmal mit Ryan in Calgary gewesen, aber er konnte sich nur noch an den Schnee erinnern.

Kurz hinter der Grenze wurden sie schon von den ersten Taxifahrern bedrängt. Sie kamen an unzähligen Basaren vorbei, auf denen man Bilder von Heiligen, Sombreros und anderen Mexikokitsch, Essen und billige Klamotten kaufen konnte.

In einem Lokal an der Hauptstraße *La Revolución* aßen sie die schlechtesten Enchiladas der Welt. Die Jugendlichen vom Nebentisch sprachen sie an. Sie sagten, sie kämen aus Mexiko City und seien überrascht, was für ein versifftes Nest Tijuana sei, aber man könne hier nachts gut Party machen. »Und was macht ihr hier?«

»Wir besuchen meinen Vater.« Francis schob seinen Teller weg. »Er arbeitet hier beim neugegründeten Institut für Chemie.«

Eine der Mexikanerinnen zog respektvoll die Augenbrauen hoch und sagte, von dem Institut habe sie gelesen. Francis nickte verlegen. So von seinem Vater zu sprechen war völlig neu für ihn. Vermutlich richtete sich Ian Doble gerade in seiner Villa ein oder mähte den Rasen, oder er arbeitete im Institut, diskutierte mit Angestellten und gab Anweisungen. Und dann würden sie sich zum ersten Mal in die Augen schauen, ein wahnsinniger Moment. Er würde ganz langsam auf seinen Vater zugehen und dann ... *Und dann?*

Mit Grovers Handy rief er im Institut an, aber dort herrschte Chaos, da der Bau noch nicht ganz fertig war. Keiner konnte ihm weiterhelfen, und so blieb ihm nur die Adresse, die Andy ihm gegeben hatte: *Calle Sant Antoni.*

Sie fragten Passanten, wo die Straße sei, doch auch das konnte ihnen niemand sagen. Schließlich suchten sie ein Taxi. Das erste fuhr einfach vorbei.

»Was soll ich eigentlich mit ihm reden, wenn wir uns sehen?« Francis ging auf und ab, holte seine Zigarettenpackung heraus und steckte sie sofort wieder ein. »Ich kann ja schlecht sagen: *Hey, Dad, wie geht's, lange nicht gesehen, haha.*«

Wieder winkte er einem Taxi, diesmal hielt es.

»Frag ihn, ob er mit dir was essen oder einen Kaffee trinken will«, sagte Grover.

»Kommt ihr dann mit?«

»Klar!« Anne-May hielt ihm die Tür auf. »Du gehst da einfach hin und bist ... *du!*«

Francis nickte mechanisch. Er stieg ein und nannte die Adresse. Der Fahrer überlegte lange, aber dann startete er den Motor, und sie atmeten erleichtert durch.

Auf der Fahrt war Francis so nervös, dass sein Herz zu rasen begann und ihm der Schweiß ausbrach. Er stellte sich ein Horrorszenario nach dem anderen vor. Sein Vater war verschollen oder ermordet worden, oder sie fanden ihn nicht, oder er nannte ihn einen missratenen Sohn und wollte ihn nicht sehen.

Nach endlosen Minuten hielt der Taxifahrer in einem schäbigen Außenbezirk. Hätte man diese Gegend genommen und verkehrt herum geschüttelt, man wäre wohl überrascht gewesen, was für Gestalten herausgefallen wären. Auf dem Gehsteig lagen kaputte Kühlschränke, Müll und ausgebrannte Möbel. Die Autos am Straßenrand waren veraltet oder schrottreif, ein paar erstaunlich hässliche Hunde und Katzen streunten herum. Neben verfallenen Gebäuden standen Wellblechhütten.

Francis fluchte leise. »Der Taxifahrer hat uns verarscht.«

Dann entdeckte er das Straßenschild an der Kreuzung: *Sant Antoni.*

Hier wohnte also der Typ, der ihm angeblich sagen konnte, wo sein Vater war. Vermutlich ein Bauarbeiter oder Mitarbeiter vom chemischen Institut.

Laut der Adresse, die Andy ihm gegeben hatte, befand er sich im Haus mit der Nummer 224. Ein etwas größeres Gebäude, die Jalousien waren heruntergelassen. Nebenan in der Garage schraubte ein Penner an einem alten Dodge herum. Francis klingelte an der Tür. Stimmen waren zu hören, in einer Jalousie öffnete sich ein Spalt, zwei Augen sahen sie an.

Dann war es kurz still, bis die Tür aufging und ein glatzköpfiger Mann zu ihnen herauskam. Er trug einen goldenen

Ohrring, kaute Kaugummi und hatte die Arme verschränkt. In seiner Hose steckte tatsächlich – gut sichtbar – eine Pistole.

»¿Qué cojones quieres?«, fragte er in aggressivem Ton.

Noch mehr Typen kamen nun an die Tür, auch sie bewaffnet, jedenfalls wirkten sie so. Francis wäre am liebsten abgehauen, aber er konnte jetzt nicht kneifen. *Man darf nicht loslassen,* dachte er wieder.

»Kennt hier jemand Dr. Doble?«

Niemand antwortete, die Männer sahen ihn fragend an.

»Ian Doble?«, versuchte er es erneut. »Weiß jemand, wo er ist? Ich bin sein Sohn!«

Jetzt rührte sich endlich jemand. Ein dicker Junge, der ein Shirt vom Wu-Tang-Clan trug. »Iwan?«, fragte er.

»Nein, Ian!«

»Iwan!«, wiederholte er.

Francis seufzte. »Also gut, *Iwan*. Wo?«

Der Dicke deutete auf die Garage, zu dem Penner.

»Iwan?«, fragte Francis noch mal. »Der Typ dahinten weiß, wo Iwan ist?«

Der Junge im Wu-Tang-Shirt nickte.

Francis bedankte sich, aber die anderen Männer beachteten ihn nicht. Sie starrten die ganze Zeit Anne-May an, die ihrem Blick standhielt. Dann fiel die Tür wieder ins Schloss, und Francis ging zu dem versoffen wirkenden Bauarbeiter, der noch immer am Dodge herumschraubte. Innerlich seufzte er bei dem Gedanken, aus diesem Wrack nun die alles entscheidenden Informationen über seinen Vater herauszquetschen zu müssen.

»Entschuldigen Sie«, sagte er zu ihm.

Der Mann legte den Schraubenschlüssel weg und trank einen Schluck Bier.

»Hallo?«, fing Francis noch mal an. »Können Sie mir helfen?«

Nun hustete der Typ ein paarmal, machte aber weiter keine Anstalten zu antworten.

»Ich suche Dr. Ian Doble«, sagte Francis. »Wissen Sie, wo der ist?«

Endlich richtete sich der Mann auf. Mit den unsicheren Schritten eines Angetrunkenen kam er Francis entgegen. Erst jetzt konnte man sehen, wie groß er war.

»Was wollt ihr von ihm?«, fragte er. Ihm fehlten zwei Zähne. Er trug eine uralte, mit Malerfarbe verdreckte Jeans, sein Oberkörper war nackt, die Brusthaare angegraut, ebenso sein Bart und die ungekämmten Haare. Ein leicht säuerlicher Geruch ging von ihm aus, er roch nach Fusel und Lackierfarbe. Doch das war nicht der Grund, wieso es Francis heißkalt den Rücken hinunterlief.

Der Grund war, dass die Wahrheit in sein Bewusstsein gedrungen war. Eine Wahrheit, die ihm nicht gefiel. Eine Wahrheit, die gar nicht wahr sein konnte, nicht wahr sein durfte.

Francis sah den Penner lange an.

»Dad?«, fragte er.

2

Etwas hatte sich verdunkelt. Nicht der Himmel, denn der war so hellblau und klar wie zuvor. Das Dunkle war in ihm. Auf einmal ergab für Francis alles einen Sinn. Seit er erfahren hatte, dass sein Vater genial sein sollte, hatte er immer das Gefühl gehabt, dem IQ eines fremden Mannes namens Donor James oder Ian Doble nicht gerecht werden zu können.

Jetzt erst erkannte er, dass er genauso ein Versager war wie dieser versoffene Herumtreiber, der da vor ihm stand, das gleiche Kinngrübchen hatte wie er und offenbar als Untermieter von Dealern oder sonstigen Verbrechern in einer Garage wohnte.

Francis erzählte kurz und hastig seine Geschichte, doch Doble zeigte kaum Interesse und murmelte nur etwas Unverständliches vor sich hin. Schließlich ging er einfach wieder in die Garage, sein Zuhause. Einen Teil des Raums hatte er mit Bettlaken abgetrennt, dahinter standen ein Feldbett, ein Sack Klamotten und mehrere leere Kästen Bier, auf denen ein paar Pornohefte und Dime-Comics mit Johnny Canuck lagen. An der Decke hing eine nackte Glühbirne. Winzige Käfer krochen unter dem Bett hervor und verschwanden in einer Ritze im Boden. Es roch modrig, nach verfaulten Bananen und dreckiger Wäsche. Francis war so sehr in diesem Alptraum gefangen, dass es ihm minutenlang die Sprache verschlug.

»Willst du ... Möchtest du einen Kaffee?«, fragte er schließlich.

Sein Vater sah ihn nur an, es war schwer zu sagen, was er dachte. Dann nickte er. Er ging zum Waschbecken in der Ecke und wusch sich den Oberkörper und das Gesicht. Anschließend zog er ein graues Shirt an, trank noch die Bierflasche leer und trat wieder ins Freie.

Francis folgte zögernd. Anne-May und Grover begleiteten ihn, er hatte das Gefühl auseinanderzufallen, wenn sie nicht dabei wären.

Ein paar Straßen weiter war eine Bar. Sie waren die einzigen Gäste und setzten sich an einen der hinteren Tische. Niemand redete. Francis musterte seinen Vater und suchte nach Ähnlichkeiten. Doble schien die gleiche Körperhaltung zu haben, den gleichen Blick. Es war offensichtlich, dass sie Vater und Sohn waren. Aber wieso sagte er nichts? Mit jeder stummen Minute nahm Francis' Enttäuschung zu. Er sah zu Grover und Anne-May, die sich ebenso unwohl zu fühlen schienen und ihre Blicke gesenkt hielten.

Die Kellnerin, eine pummelige Schwarzhaarige, der die rosa Bluse zu eng war, kam zu ihnen an den Tisch. Anne-May, Grover und Francis bestellten jeweils nur eine Coke, sein Vater dagegen einen Kaffee, einen frischgepressten Saft und – obwohl es bereits Nachmittag war – ein großes Frühstück. Wahrscheinlich war er lange nicht mehr zu irgendetwas eingeladen worden.

Während die Kellnerin in der Küche verschwand, schaute Francis einer Fliege dabei zu, wie sie auf dem Tisch landete. Er versuchte sie zu fangen, doch sie entwischte ihm. Da langte sein Vater einmal zu und hatte sie. Er brachte ein gar nicht so unsympathisches Lächeln zustande, wenn man von den zwei fehlenden Zähnen absah. Man konnte erahnen, was für ein gutaussehender Kerl er eigentlich war. Wenn man ihm die Haare schneiden, ihn rasieren und schick anziehen würde, wäre er noch immer dieser charmante Paul-Newman-Typ, der wie in *Der Clou* alle reinlegte, dachte Francis. Wie sehr seine Mom diesen Film geliebt hatte! Und nun war sie selbst reingelegt worden.

Sein Vater deutete auf seine geschlossene Hand, in der er die Fliege gefangen hielt. »Leben oder sterben?« Seine Stimme war tief und überraschend klar.

»Leben!«

Er ließ die Fliege wieder frei. »Das Gleiche galt ja damals auch für dich«, sagte er.

Die Kellnerin brachte die Getränke und das Frühstück: Muffins, Speck, Eier, Waffeln. Doble fiel darüber her. Seine Laune besserte sich, sein Gesicht wirkte lebendiger. Er trank den Saft in einem Zug leer.

Irgendwann hielt es Francis nicht mehr aus.

»Du bist ein Betrüger«, sagte er.

»Ich bin ein Überlebenskünstler«, erwiderte sein Vater achselzuckend.

»Ja, man sieht's.«

Doble taxierte ihn.

»Mein Sohn«, sagte er mit einem Lächeln. »Manchmal brauchen Menschen einfach Geld, und angenehmer als Blut spenden war der Job allemal.« Er schien nachzudenken. »Der Mann von der Samenbank der Genies, dieser Walter Munchkin …«

»Warren P. Monroe.«

»Der hat damals für jede Samenspende, die von einer

Frau ausgesucht wurde, fünftausend lockergemacht. Fünftausend, pro Schuss! Das war fünfzigmal mehr als bei den anderen Samenbanken.«

Hätte Francis gerade einen Schluck Cola im Mund gehabt, er hätte ihn ausgespuckt.

»Bei den *anderen Samenbanken*? Wie viele Kinder hast du denn auf diese Weise gezeugt?«

Doble zuckte mit den Schultern. »Sechsunddreißig? Achtunddreißig? So genau weiß ich das nicht.«

Francis schaute zu Anne-May und Grover, die schweigend neben ihm saßen. In was für einer Hölle war er hier gelandet.

»Und hast du sonst noch Kinder?«

»Mal hier eins und mal da eins.«

»Was soll das heißen?«

»Es sind neun, wenn du's genau wissen willst. Von sechs Frauen, wenn ich jetzt keinen Fehler gemacht habe.«

»Dann hab ich fast *fünfzig* Halbgeschwister oder was?«

Doble nickte ihm kumpelhaft zu, als würden sie sich schon ewig kennen, zwei vom gleichen Schlag, er Butch Cassidy und Francis Sundance Kid.

Als Doble den wütenden Blick seines Sohnes sah, lenkte er ein.

»Hör mal, Junge, es gibt auf dieser Welt so viele Menschen, die keine Kinder kriegen können oder wollen, zum Ausgleich gibt es mich. Ich bin ein lebenspendender Mensch.«

»Du wolltest bloß die Kohle.«

»Willst du dich beklagen? Dann gäbe es dich nicht.«

»Das klingt wie Erpressung.«

»Es ist nur die Wahrheit.«

»Trotzdem bist du ein Betrüger. Du hast all die Frauen angelogen. Doktor, Neurochemiker, Cellospieler … Was davon ist wahr?«

»Ehrlich gesagt: nichts. Das mit der Neurochemie fand ich am besten, ich hatte damals einen Artikel darüber gelesen. Das hatte niemand sonst in der Kartei.«

»Und wie hast du das gemacht?«

»Dieser Mister Monroe war so scharf auf Spender, dass sie mich kaum überprüft haben. Ich wohnte damals in Albuquerque und kannte einen Typen, der alles fälschen konnte. Ausweise, Dokumente, Auszeichnungen.«

Francis dachte peinlich berührt an seinen eigenen gefälschten Ausweis und Toby.

»Jedenfalls konnte dieser Kerl mir alles Nötige beschaffen, auch die neue Identität.«

In Francis wuchs ein Gefühl der Ohnmacht. Mit jedem Satz, den sein Vater sagte, taten sich neue Abgründe auf.

»Neue Identität? Dann heißt du noch nicht mal Ian Doble?«

»Nicht ganz«, sagte er.

»Was meinst du damit, *nicht ganz*?«

»Ich heiße Iwan Doblinski!«

3

Sein Vater wollte noch eine zweite Runde Eier und Speck, also spendierte Francis sie ihm. Er schaute zum Ventilator an der Decke, dann vergrub er den Kopf in seinen Händen. Er spürte, wie Anne-May ihm über den Rücken fuhr.

Nach einer Weile richtete er sich wieder auf. »Deinen genialen IQ von hundertsiebzig kann man dann wohl auch vergessen«, sagte er.

Sein Vater trank einen Schluck Kaffee und schob sich wieder eine Portion Rührei in den Mund. »Sag das nicht«, meinte er kauend. »Ich habe wirklich mal einen IQ-Test gemacht, und da war ich fast genial.«

»Wieso, wie viele Punkte hattest du?«

»Ich hatte hundertacht.«

»HUNDERTACHT?«, schrie Francis durch die Bar. »Das ist nicht genial. Das ist dumm, das ist unter dem Durchschnitt!«

»Falsch«, sagte sein Vater ruhig. »Das liegt über dem Durchschnitt. Der Durchschnitt ist hundert.«

Er schien einfach nicht zu verstehen, dass fast genial nicht genug war. Francis schüttelte den Kopf. Hinter diesen Lügen und gutgelaunten Sprüchen zeichnete sich genau das armselige und bedeutungslose Leben ab, vor dem er hatte fliehen wollen.

Ihm reichte es, er stand auf. »Kommt!«, sagte er zu den anderen. »Wir gehen.«

Sein Vater fasste ihn am Arm. »Bleib!«

Merkwürdigerweise hatte er eine natürliche Autorität.

Francis setzte sich wieder hin. »Was willst du?«

»Du bist jung und wütend, okay. War ich auch. Aber das Leben ist lang und nicht so schwarzweiß, wie du denkst.«

»Was willst du?«, fragte Francis noch mal, diesmal leiser.

»Jetzt, wo du schon mal hier bist, kannst du dir auch alles anhören. Vielleicht bin ich nicht der Superdad aus der Kartei, aber dafür kann ich dir die Wahrheit erzählen.«

Francis hätte interessiert, wie alt dieser Doble oder Doblinski eigentlich war. Vermutlich irgendwas zwischen vierzig und fünfzig; schwer zu sagen in seinem Zustand, der an ein weggeworfenes Handtuch nach dem Sport erinnerte.

Sein Vater kratzte sich an seinem Sechstagebart. »Meine Großeltern sind nach dem Krieg vor dem Hunger geflohen«, fing er an. »Sie sind von Europa nach Amerika übergesiedelt, da war mein Vater noch ein Kind. Die alten Doblinskis lernten nie Englisch und lebten als Immigranten in Pittsburgh. Mein Vater hatte eine schwierige Kindheit, er war immer Außenseiter, quälte sich durch schlechte Jobs, und als er neunzehn war, wurde ich geboren. Meine Mutter war eine siebzehnjährige Ukrainerin. Mein Vater war nie da, fing an zu saufen, er schlug mich, und bald darauf machte er sich aus dem Staub. Wir hatten also nie Geld zu Hause, ich musste mich durchschlagen, wie schon meine Eltern und Großeltern. Ich hab die Highschool abgebrochen, drei Jahre auf einem Containerschiff gearbeitet und mir die Welt angeschaut. Ich wusste, dass ich nie viel Geld haben würde, trotzdem habe ich versucht, das Leben zu genießen. Ich habe Frauen geliebt, war ein passabler Schreiner und Handwerker und hielt mich damit über Wasser, ich war auf fast jedem Kontinent, bin als Hobo Tausende von Meilen auf Zügen durch das Land gereist, hatte gute Phasen, sogar sehr gute, und natürlich auch schlechte. Dieses Jahr, mein Sohn, ist ein schlechtes Jahr, aber das wird sich auch wieder ändern. Ich hatte *drüben* ein paar Probleme, deshalb bin ich erst mal hier untergetaucht. Vielleicht kehre ich bald wieder nach Albuquerque zurück. Eventuell gehe ich auch nach Europa.«

Er wischte mit einem Stück Brot seinen Teller auf und fragte die Kellnerin nach einer Zigarette. Francis fiel ein, dass in der Akte gestanden hatte, er sei Nichtraucher. Die Kellnerin sah seinen Vater herablassend an und wollte gerade den Kopf schütteln, doch Doblinski sagte etwas auf Spanisch zu ihr, was sehr charmant klang, und warf ihr dabei einen tiefen Blick zu, und tatsächlich griff sie nun in ihre hintere Hosentasche, holte eine Packung Lucky Strikes raus und gab ihm eine.

»*Gracias, guapa*«, sagte er und zwinkerte ihr zu. Die Kellnerin wurde etwas verlegen und ging zum Tresen zurück. Anne-May spielte mit ihrer Uhr, Grover starrte auf die Tischplatte. Beide wirkten überfordert, vermutlich wären sie auf einer mongolischen Beerdigung auch nicht deplatzierter gewesen.

Doblinski sah der Kellnerin nach, dann wandte er sich wieder Francis zu. »Tut mir leid, dass ich dich so enttäuschen muss. Aber willst du wissen, wann ich zuletzt für die Samenbank der Genies gespendet habe? 1983, oder noch früher. Mein Sperma wurde dort jahrelang aufbewahrt, und ich selbst hab kaum noch dran gedacht.« Er gab sich Feuer und tat einen Zug. »Was ich damit sagen will: Damals war ich kaum älter als du. Wie hätte ich ahnen können, dass mich die Vergangenheit mehr als zwei Jahrzehnte später auf diese Weise einholt? Dieser Monroe hat uns schließlich allen versprochen, dass er die Namen der Spender in jedem Fall geheim hält. Ich kann nichts dafür, dass da irgendwas schiefgegangen ist.«

Francis schüttelte den Kopf. »Du spielst hier den fröhlichen Kleinkriminellen, dabei hast du alle betrogen, für ein paar beschissene Dollar. Und du kapierst immer noch nicht, was du angerichtet hast. Meine Mutter war damals in einer schwierigen Lage, sie hatte viele Probleme. Seit ihrer Kindheit gab es für sie eine Enttäuschung nach der anderen, sie war wahrscheinlich kurz davor, depressiv zu werden. Ich hätte so etwas wie ihre Rettung sein sollen. Verstehst du, sie wollte ein geniales Kind haben, dann wäre vielleicht in ihrem Leben doch noch alles gut geworden. Stattdessen hat sie nur mich bekommen ... *genetischen Müll.*«

Er spürte, wie sein Mund zu zucken begann, und sah zu Boden.

»Du machst es dir zu einfach«, hörte er seinen Vater sagen. »Gene sind das eine, das andere ist, was man daraus macht. Du willst mich als Ausrede benutzen, für was auch immer.«

»Du bist so ein Idiot«, sagte Francis leise und hatte noch immer Mühe, das Zucken um seinen Mund unter Kontrolle zu bekommen. »Du redest wie ein verdammtes Kind. Tust so, als wär alles egal, Hauptsache, du hast Spaß. Für dich bin ich nur ein fünfminütiger Besuch in einer Wichskabine. Dass es für mich ein ganzes Leben ist, das kapierst du nicht. All deine Kinder, die keinen Vater haben, die in der Scheiße aufwachsen, das schert dich doch einen Dreck. Du weißt bis heute nicht, was es heißt, Vater zu sein.«

»Ich war so jung, als es losging. Genau wie mein Vater. Ich war achtzehn, sie sechzehn. Es war der Fluch meiner Familie, dass wir Männer früh Vater wurden. In dem Alter ist man einfach nicht so weit.«

»Du bist es noch immer nicht.«

»Ich muss mich vor dir nicht rechtfertigen.«

Francis sah ihn an und wusste überhaupt nicht, was er denken und fühlen sollte. Dieser Doblinski hatte etwas an sich, was er einerseits sofort mochte und verstand, und er wünschte sich ja noch immer, dass sein Vater ihn auf Anhieb toll fand und stolz darauf war, ihn als Sohn zu haben. Auf der anderen Seite hasste Francis diesen Typen, und vor allem hasste er die Dinge, die ihn an sich selbst erinnerten.

»Du hast mir zu verdanken, dass du auf der Welt bist«, sagte Doblinski. »Darauf kommt es am Ende an.«

»Verdammt, du tust so, als hättest du was Wichtiges und Nobles getan. Du hast einmal kurz für Geld gewichst, das war alles.«

»Und trotzdem bin ich dein Vater.«

»Nein.« Francis versuchte so ruhig wie möglich zu wirken, aber selbst er hörte, wie seine Stimme jetzt zitterte. »Du bist nicht mein Vater.«

Er wusste, dass sich gerade eine Tür für immer geschlossen hatte.

»Bist du Tausende von Meilen gereist, um mir *das* an den Kopf zu werfen? Wäre ich dein edler Dr. Doble gewesen, hättest du mich ja trotzdem gewollt.«

»Es geht mir nicht um einen Doktortitel oder irgendeinen IQ. Der Doble aus der Akte wäre einfach kein egoistischer Versager gewesen, der alle betrügt.«

Doblinski funkelte ihn an, und in seinem Blick lag zum ersten Mal etwas Feindseliges. Er griff nach der Kippe, die im Aschenbecher klemmte. »Weißt du, was dieser Monroe gesagt hat, bevor man in die Kabinen geschickt wurde?« Er nahm wieder einen tiefen Zug. »Er hat gesagt: ›*Und immer dran denken: Die ersten Tropfen sind die wichtigsten.*‹«

Sie starrten sich ein paar Sekunden lang wortlos in die Augen, Vater und Sohn. Dann blickte Doblinski weg.

Francis stand auf und ging zur Toilette. Ihm war übel, alles drehte sich, er wankte zum Waschbecken und schüttete sich kaltes Wasser ins Gesicht. Im Spiegel schaute er sich an, und diesmal sah er nicht mehr sich selbst, sondern nur ihn. Den Versager, der die Schule abgebrochen hatte und keine Verantwortung übernahm. Er stürzte zur Kloschüssel und übergab sich.

Minuten später stand Francis noch immer in der Toilette. Was er vorhatte, war zwar schwierig, denn er war alles andere als in der richtigen Stimmung. Schließlich bekam er es doch hin und verrichtete sein Werk in das Klopapier in seiner Hand.

Das Papierknäuel hinter dem Rücken haltend, ging er zur Kellnerin und gab ihr dreißig Dollar. Er wusste nicht, was das Essen gekostet hatte, aber es war bestimmt mehr als genug. Dann trat er an den Tisch mit seinem Vater. Grover warf ihm einen bedauernden Blick zu.

Doblinski sprach gerade mit Anne-May, er sah ihr eindringlich in die Augen und redete mit all seinem Charme auf sie ein. »Aus Jersey?«, fragte er lachend. »Ich kannte mal einen Typen aus Jersey, der war sehr gut mit Allen Ginsberg befreundet …«

Francis spürte unendlichen Zorn. Mit der freien Hand schlug er so fest auf den Tisch, dass es schepperte und der Aschenbecher einen Hüpfer machte.

»Was ist denn mit dir los?«, fragte sein Vater.

»Du redest nicht mit ihr«, sagte Francis leise. »Verstehst

du? Kein Wort, ich will nicht, dass du mit ihr sprichst.« Er spürte Anne-Mays Blick, aber er sah nicht hin.

»Hör mal …«, fing Doblinski an.

»Geht schon mal vor!«, sagte Francis zu Grover und Anne-May. Beide standen auf und gingen zögerlich zum Ausgang. Bevor er ihnen folgte, warf Francis seinem Vater das vollgewichste Klopapier auf den Tisch.

»Hier, da hast du deinen Einsatz zurück, jetzt sind wir quitt.«

Dann verließ er die Bar.

Im Taxi saß Francis hinten neben Anne-May. Im ersten Moment glaubte er, dass er alles gut überstanden hätte. Das war es also gewesen, dachte er, das war diese eine Begegnung, über die er sein ganzes Leben lang nachgedacht hatte. Irgendwie überraschend, wie schnell alles vorbeigegangen war. Er war stolz auf seinen Abgang und der festen Überzeugung, dass er richtig gehandelt hatte. Kurz lächelte er sogar, als ihn die anderen fragend anschauten.

Er hatte es geschafft, er hatte seinen Vater gesehen.

Aber dann stieg mehr und mehr die Enttäuschung in ihm hoch. Er dachte an das, was er sich erwartet und erhofft hatte, und sah durchs Fenster, wie die Dinge an ihm vorbeizogen. Verfallene Häuser, Menschen, Autos, Träume.

Auf einmal musste er weinen. Sosehr er sich auch dagegen wehrte und ihm sein lautes Schluchzen peinlich war, er konnte nicht damit aufhören.

Er hielt sich die Hände vors Gesicht und drehte sich weg.

Anne-May fuhr ihm durch die Haare und nahm ihn in den Arm, bis sie an der amerikanischen Grenze waren.

4

Die ganze Rückfahrt über würden sie schweigen. Sie würden in nur vier Tagen von der Westküste zur Ostküste fahren. Sie würden stets gegen neun Uhr früh aufstehen, das Motel verlassen und losfahren, an einer Tankstelle Burger essen, tanken und weiterfahren, bis es dunkel war, und sich dann das nächste Motel suchen. Sie würden nicht mehr nachts trinken oder im Pool sitzen, sie würden keine langen Unterhaltungen führen, Anne-May und Francis würden sich nicht küssen oder miteinander schlafen. Sie würden einfach nur unterwegs sein. Quer übers Land, durch elf Staaten. Kalifornien, Arizona, New Mexico, Texas, Oklahoma, Arkansas, Tennessee, Virginia, Maryland, Delaware, New Jersey.

Nach vier Tagen würden sie ankommen, und Grover würde den Anschiss seines Lebens bekommen, wenn seine Mutter die Kreditkartenrechnung in der Hand hielt, auf der neben Unsummen für Benzin auch Rechnungen von Hotels an der Westküste auftauchten. Francis würde seine Mom in der Klinik besuchen, die letzten Stufen bis zur Station rennen, ihr um den Hals fallen und sie so lange umarmen wie noch nie in seinem Leben. Und er würde sich denken, dass er durchs ganze Land gefahren war, um einen Fremden zu suchen, und dabei den einzigen Menschen vergessen hatte, der immer da gewesen war.

Anne-May und er würden sich voneinander verabschieden, sie würde in eine andere Klinik gehen und dort zwei Monate weiterbehandelt werden, ehe man sie entließ. Sie würden sich auseinanderleben, anfangs noch ein paarmal telefonieren, dann immer weniger, dann gar nicht mehr. Denn es gab nichts mehr, was sie zusammenhalten konnte. Sie hatten gesehen, dass sie nicht zusammenpassten und dass die Umstände gegen sie waren, weil er kein Geld hatte, weil ihre Eltern ihn nicht akzeptieren würden, weil er zu sehr Iwan Doblinski war und zu wenig Dr. Ian Doble.

Von alldem wusste er noch nichts, als sie Mexiko hinter sich ließen. An der Grenze mussten sie über eine Stunde anstehen, die Schlange war endlos. Francis betrachtete das Fahndungsplakat an der Wand. Darauf waren sechzig vom FBI gesuchte Schwerkriminelle abgebildet, und Nummer einundzwanzig sah genauso aus wie der Typ, der ihnen in Tijuana die Tür geöffnet hatte. Der Mann mit der Glatze und dem Ohrring, bei dem sein Vater als Untermieter lebte. Er war Kolumbianer und wurde wegen Rauschgifthandel und Menschenschmuggel gesucht, und Francis war fast überrascht, dass er nicht auch noch ein mehrfacher Mörder war.

Er dachte an die Familie Doblinski, deren Männer seit Generationen nur Mist bauten und die ihre Loser-Gene dennoch so früh wie möglich weitergaben. Sie pflanzten sich alle bereits als Teenager fort, und am besten wäre es, wenn er selbst sich sofort sterilisieren ließe, um dem ganzen Spuk ein Ende zu bereiten.

Vor ihnen in der Schlange stand ein mexikanisches Ehepaar. Sie durften nicht über die Grenze, sosehr sie auch bettelten. Die Mutter weinte und flehte, ihre Kinder seien bereits drüben, aber sie durfte trotzdem nicht rüber. In diesem Moment wurde Francis bewusst, dass Tijuana eigentlich nicht zu Mexiko gehörte, sondern mit all seinen Schattenseiten zu ihnen. Es war der Rattenschwanz der USA, und dann begriff er, dass ja auch in ihm das Blut einer Einwandererfamilie floss.

Sie kamen an die Reihe. Die Grenzbeamten kontrollierten ihre Pässe und stellten ihnen ein paar Fragen, doch schon nach ein paar Minuten wurden sie durchgewunken. Sie setzten sich in den Chevy, und während die Nacht sich über die Landschaft senkte, fuhren sie wortlos gen Osten.

Im Motel schlief Francis schlecht und hatte wieder Alpträume. Am frühen Morgen schreckte er hoch und hörte Geschrei. Im Zimmer nebenan stritt ein Paar so laut, dass er nicht mehr einschlafen konnte. Er stand auf und zog sich an. Holte die Akte seines Vaters aus dem Rucksack. Beim Verlassen des Zimmers warf er noch einen Blick auf Grover und Anne-May, die friedlich schlafend in ihren Betten lagen wie … *wie normale Menschen.*

Er dagegen war vor Jahrzehnten bei minus 196 Grad in flüssigem Stickstoff gelagert worden, eine von mehreren Ampullen mit Iwan Doblinskis beliebtem Exportartikel. Er fragte sich, ob seine Mutter damals zwischen Dr. Doble und den anderen Superspendern, etwa Alistairs Vater, geschwankt hatte. In dem Fall war seine Zeugung tatsächlich nichts anderes als ein unglücklicher Zufall gewesen, russisches Roulette, und sie hatte unter all den potentiellen Genievätern leider den Treffer erwischt, der sein Vater war.

Sein Bruder war auf normale Weise gezeugt worden und hatte zwei richtige Eltern. Nicky fiel alles so leicht, er hatte einfach dieses kindliche Urvertrauen ins Leben, und mit seiner warmherzigen Art konnte er Menschen für sich einnehmen und wurde von ihnen geliebt. Er selbst hatte das nie gekonnt. Wo sein Bruder niedlich und unbefangen wirkte, da wirkte er schroff, brütend und misstrauisch, als hätte er geahnt, dass er aus dem Eis kam und nur am Leben war, weil ein dubioser Arzt auch Jahrzehnte nach dem Krieg seine kranken Versuche durchgeführt hatte und ein Milliardär größenwahnsinnig war.

Er und die anderen Kinder waren von *Irren* in die Welt gesetzt worden, dachte Francis plötzlich, von zwei Wahnsinnigen, die geglaubt hatten, man könne Genies wie Tiere oder Pflanzen züchten. Und nun bezahlten sie alle den Preis für diese unglaubliche Dummheit mit ihren verkorksten Leben.

Francis hatte das Gefühl, gleich zu ersticken. Er wankte nach draußen, setzte sich auf die verrostete Feuerwehrtreppe und fing an zu lachen, obwohl ihm danach gar nicht zumute war. Er lachte, weil er vor kurzem noch die Hoffnung gehabt hatte, dass durch die Samenbank der Genies und seinen genialen Vater alles endlich doch noch eine Bedeutung bekommen hatte. Aber nun war alles noch viel sinnloser. ALLES, ALLES, ALLES!

Er musste an seine unzähligen Halbgeschwister denken, die über das ganze Land verstreut waren und die er niemals kennenlernen würde. Und an Alistair und die anderen aus dem Kältetank. Ein paar übriggebliebene Laborratten aus einem verabscheuungswürdigen, gescheiterten Experiment. Eigentlich waren sie alle nichts anderes als Replikanten. Sie sahen aus wie echte Menschen, redeten und fühlten wie echte

Menschen, und doch waren sie irgendwie unvollständig. Es würde sie immer etwas von ihnen unterscheiden. Genau wie in *Blade Runner*, dachte er und betrachtete seine Hände, als wären sie wie im Film künstlich hergestellt worden.

Francis steckte sich eine Zigarette an und blätterte durch die Akte. Er hatte seinen Vater am Ende der Welt gefunden und sofort wieder verloren. Erst wollte er sich noch einreden, dass es gut war, ihn gesehen zu haben, dass er damit das fehlende Puzzlestück gefunden hatte und nun wusste, wer er war. Aber dann dachte er daran, wie glücklich er in den letzten Tagen gewesen war, besonders in den Stunden nach dem Gespräch mit Andy. Wie er danach im Auto gesessen hatte, kurz bevor er seinen Vater traf. Hätte er ihn doch nur nie gesehen!

Er hörte Schritte.

»Hier bist du!« Grover kam in seinem karierten Pyjama herangeschlurft und setzte sich mit einem Gähnen zu ihm auf die Feuerwehrtreppe. »Alles okay?«

Francis umklammerte die Akte. »Ich hätte sie einfach nehmen und sofort damit heimfahren sollen.«

»Aber die Akte ist eine Lüge.«

Sie blickten eine Weile auf die in Dunkelheit gehüllte Landschaft vor ihnen, in der Ferne fuhr ein Laster die verlassene Interstate entlang.

Plötzlich nahm Francis die Akte und schmiss sie in den Innenhof. Sie flatterte durch die Luft und landete einige Meter neben einer Mülltonne auf dem Boden.

»Ich werd nicht so wie er.«

Grover drehte sich zu ihm, doch er starrte weiter mit regungsloser Miene geradeaus. Wieder schwiegen sie einige

Minuten. Er blies Rauch in die Luft und schaute zu, wie er davonschwebte und sich allmählich auflöste.

»Aber wer bin ich jetzt?«, fragte er leise.

Grover überlegte, dann stieß er ihn an. »Du bist Francis!«

Francis nickte, antwortete aber nichts. Er drückte die Kippe aus und lehnte den Kopf gegen das Geländer. Ihm fiel auf, dass man mal wieder die Sterne sehen konnte. Aber auch das waren nur Lügen. Viele dieser Sterne am Himmel gab es nicht mehr, sie waren schon vor Millionen von Jahren verglüht. Hier unten waren sie ewig hintendran, und vermutlich gab es auch die Erde nicht mehr, und sie wussten es nur noch nicht.

Als Francis wieder im Bett lag und gerade am Einschlafen war, kam ihm noch mal sein Casino-Traum in den Sinn. Auf einmal war ihm klar, welchen Fehler er gemacht hatte. Im Traum war er älter gewesen und hatte allein gespielt, in der Realität hingegen hatte er es zu früh versucht und außerdem Grover und Anne-May dabeigehabt. Das erklärte auch, wieso er sich in Vegas so unsicher gefühlt hatte und wieso auch die anderen Hinweise aus dem Traum nicht vorgekommen waren. Francis ärgerte sich über seinen Fehler, aber nicht lange. Wahrscheinlich war das alles ohnehin Quatsch.

Er schaute auf die Uhr. Ein besonderer Tag war angebrochen. Vor achtzehn Jahren war in den Räumen der Monroe-Klinik ein Baby auf die Welt gekommen, das von einer hoffnungsvollen Cheerleaderin und einem Betrüger gezeugt worden war, die sich nie kennengelernt hatten.

Happy Birthday, Loser!

5

Drei Monate nach der Reise bekam Francis einen Anruf von Anne-May. Das war seltsam, eigentlich hatten sie keinen Kontakt mehr. Er fragte sich, was sie von ihm wollte. Als er es erfuhr, veränderte sich die Welt ein weiteres Mal.

Sie war schwanger.

Von ihm.

Im Alter von siebzehn Jahren und elf Monaten hatte ein weiterer Doblinski seine Gene an die nächste Generation weitergegeben.

Amerika

1

Francis rannte, um nicht zu spät zu kommen, doch er hatte keine Chance. Er war mit Anne-May um acht verabredet, aber der Junge, der nach ihm die Schicht bei ›Denny's‹ hatte, war eine Viertelstunde zu spät gekommen, und diese Viertelstunde musste er jetzt an Anne-May weitergeben.

Sie saß im ›Alfredo's‹, nippte an ihrem Wasser und schaute genervt. Francis machte eine entschuldigende Geste und setzte sich. Keine Minute später kam bereits ein Kellner. Da Anne-May Hunger hatte, entschied er sich schnell für die Nudeln des Tages. Sie bestellte Antipasti, eine Pizza Hawaii und einen großen Salat, dazu viel Wasser und Saft. Sie war im siebten Monat, und ihr Bauch sah bereits jetzt so aus, als kämen da ein paar Kinder gleichzeitig zur Welt. Dabei wohnte ihr Sohn ganz allein darin. Gezeugt auf einem weißen Flügel in einer psychiatrischen Klinik, würde er schon in wenigen Wochen das Licht der Welt erblicken.

Francis strich über ihren Bauch. »Wie geht's ihm?«

»Gestern Nacht war er unruhig und hat mich oft getreten. Aber sonst ist alles gut.«

Anne-May und er hatten sich relativ schnell auf den Namen John geeinigt. Sie hatte ihn vorgeschlagen, wohl auch wegen Johnny Cash, den sie vergötterte.

Francis erzählte als Erstes die guten Neuigkeiten: Seine

Mom hatte einen Job als Kassiererin bei Wal-Mart bekommen, vielleicht ging es jetzt endlich aufwärts mit ihr. Sie wirkte jedenfalls stabil und zuversichtlich, und auf ihr Enkelkind freute sie sich sehr.

»Ach ja, und gestern war noch die Beerdigung von Marcus Jennings«, sagte er. »Die halbe Schule war da. Er war eine Legende bei uns, weil er mal einen Lehrer geschlagen hat.«

»Wieso ist er gestorben?«

»Er war im Irak. Ist mit zwei anderen während einer Patrouille in die Luft gejagt worden, Sprengfalle oder so.«

»Oh … Kanntest du ihn gut?«

»Nein. Er war der Bruder von einem Typen, den ich sogar bescheuert fand, aber trotzdem. Ich … Es ist …« Francis wollte ihr von damals erzählen, als Marcus ihm in der Schulcafeteria diesen unsicheren Blick zugeworfen hatte, oder wie er gesehen hatte, wie Brad Jennings nach der Beerdigung allein in seinem Wagen saß und weinte. Doch er sagte nichts.

Dass er bald einen Sohn haben würde, erfüllte ihn inzwischen mit Stolz. Nur ganz selten stiegen in Francis noch Zweifel auf, ob ihm nicht etwas Grundsätzliches fehlte, um ein guter Vater zu sein, und dann fragte er sich, ob das bei allen aus der Samenbank so war. Diese Überlegungen behielt er jedoch für sich, niemals hätte er Anne-May davon erzählt. Die Schwangerschaft hatte sie einander wieder nähergebracht. Sie war gern mit ihm zusammen, ein paarmal waren sie im Kino gewesen, und oft gingen sie essen. Vor kurzem hatte sie eine Panikattacke gehabt und immer wieder gesagt, sie würde das mit dem Baby nicht hinkriegen, und als er sie beruhigt hatte, hatte sie ihm einen Kuss gegeben, einfach so. Nicht dass sie nun zusammen wären, aber

Francis hatte ihr klargemacht, dass er nicht wie sein Vater war, sondern dass er Verantwortung übernahm, dass er für sie da sein und an sich arbeiten würde. Sie vertraute ihm, das wusste er. Zwar hatte sie damals gesagt, dass sie nichts für ihn empfinden könne, aber jetzt, mit ihrem Sohn, änderte sich das vielleicht. Je öfter er Anne-May sah, desto mehr liebte er sie. Er brauchte immer ein paar Tage, um sich von einem Treffen mit ihr zu erholen, es nahm ihn jedes Mal mit, aber das konnte er ihr natürlich nicht sagen.

Vor kurzem war er jedoch neben ihr auf dem Bett gesessen und hatte einfach nur zugesehen, wie sie dalag und las. Auf einmal hatte sie das Buch zugeklappt. Sie war mit ihren Fingern seinen Rücken entlanggefahren. »Du hast ein richtig männliches V-Kreuz«, hatte sie gemurmelt.

»Gefällt dir das?«, hatte Francis leise gefragt, und sie hatte genickt. Mehr war nicht gewesen, aber danach hatte er das Gefühl gehabt, dass sie sich doch noch ein bisschen was aus ihm machte.

Das Problem waren ihre Eltern. Seit Anne-May wieder zurück war, versuchten sie ihre Tochter noch stärker abzuschirmen als zuvor. Sie benutzten die Schuldgefühle, die der Tod ihres Bruders in ihr ausgelöst hatte, um über sie zu bestimmen. Und Francis schienen sie zu hassen. Schon bei der ersten Begegnung hatten sie das Gesicht verzogen und kaum mit ihm geredet. Hatten sich nicht mal die Mühe gemacht, ihre Enttäuschung zu verbergen. Sie stellten ihn bloß, wo sie konnten, indem sie dauernd über Dinge sprachen, von denen er keine Ahnung hatte; Geschichte, Opern, politische Debatten oder irgendwas von Faulkner. Wenn er dann nichts wusste, warfen sie sich diesen vielsagenden Blick zu. Wieso durften sie bestimmen, was wichtig war? Wenn er sie nach Trent Reznor, Banksy oder Joss Whedon gefragt hätte, wäre ihnen dazu genauso wenig eingefallen. Die Gardeners wollten seine Beziehung zu ihrer Tochter zerstören, und oft nervten sie damit auch Anne-May. Gemeinsam stellten sie sich dann vor, wie es gewesen wäre, wenn er damals im Casino gewonnen und dieses Häuschen in San Francisco gekauft hätte, weit weg von ihren Eltern.

Während Anne-May ungeduldig auf ihr Essen wartete, fragte sie ihn, ob er morgen mit zur Schwangerschaftsgymnastik komme. Leider musste er ihr schon wieder einen Korb geben, da war er bereits bei Randolph's Haushaltswaren eingeplant, seinem anderen Job. Francis arbeitete, sooft er konnte, in der restlichen Zeit lernte er. Er würde diesen verfluchten Highschool-Abschluss irgendwie hinkriegen und die Gene seines Vaters widerlegen. Er würde kein egoistischer Versager werden.

Die Hälfte des Geldes sparte er eisern. Francis sagte niemandem, wofür; sein eigenes, geheimes Projekt. Für einen Teil davon hatte er für seine Mom und sich einen alten, schrottreifen Buick gekauft, aber inzwischen hatte er wieder etwas beiseitegelegt.

Sie sprachen über Grover. Sein Sprung über den Canyon hatte es im Netz zu einer gewissen Berühmtheit gebracht. Anne-May wollte wissen, wie es ihm ging. »Hast du mal wieder was von ihm gehört?«

Francis zuckte mit den Schultern. Er dachte an den Abend nach Grovers Highschool-Abschlussfeier, als sie betrunken bei ihm im Keller lagen. Francis hatte auf ihn angestoßen. »Auf das Ende aller Leiden.«

»Auf das Ende aller Leiden.« Grover hatte seine Robe geglättet und gegrinst. »Wobei ich die Schule irgendwie vermissen werde … Schule war das Einzige, was ich konnte.«

Sie hatten darüber geredet, wie sie gleich an ihrem ersten Tag als *freshmen* einen größeren Jungen geärgert hatten, der ihnen daraufhin Schläge androhte. »Danach wollten wir uns für immer in der Garage meiner Eltern verstecken.«

»Stimmt«, hatte Francis gesagt. »Ich weiß noch, wie wir dort in den Kartons nach Konserven gesucht und stattdessen die *Playboys* von deinem Dad gefunden haben, diese College-Dinger. Und dann kam deine Mom rein und hat uns damit entdeckt und geschimpft. Und dein Dad stand total still daneben!«

Beide hatten darüber gelacht und danach eine Weile stumm zur Decke geblickt.

»Wird scheiße ohne dich in Yale«, hatte Grover schließlich gesagt.

»Wird viel beschissener ohne dich in Claymont«, hatte er geantwortet.

Doch das war nun auch schon wieder einige Monate her. Inzwischen studierte Grover längst in Connecticut, zusammen mit Luke Fabianski aus ihrer Klasse, der in Yale ein Stipendium bekommen hatte.

Während er Anne-May das alles erzählte, wurde Francis bewusst, wie selten Grover sich nur noch bei ihm meldete. Aber er hatte bestimmt viel um die Ohren, und immerhin schien er sich gut mit Alistair zu verstehen. Die beiden telefonierten oft oder schickten sich Mails, sie waren sich im

Grunde ja auch viel ähnlicher. Grover hatte zwar – soweit Francis das mitbekommen hatte – noch keine Freundin, aber das würde sich bestimmt bald ändern. Irgendwann kam sicher eine Frau, die sein Potential erkannte und ihn sich schnappte.

Das Essen war da. Francis sah Anne-May dabei zu, wie sie wild durcheinander von ihren verschiedenen Tellern aß. Endlich musste er sie nicht mehr gegen andere Männer verteidigen. Auch sie schien sich wohl zu fühlen. Ein dicker Bauch war ein noch besserer Schutzschild als das kalte Nymphomaninnen-Getue.

Bei der Nachspeise sprach Francis mal wieder davon, wie sie in fünfzehn Tagen siebentausend Meilen durchs Land gerast waren. Es war immer nur er, der von der Reise redete; von der Nacht in diesem Motel in Illinois, als sie betrunken im Pool schwammen und durchs Zimmer tanzten, von ihrem Spaziergang am Strand in San Francisco oder wie sie am Missouri River gesessen und den vorbeifahrenden Zügen zugesehen hatten. Anne-May und er waren damals ständig zusammen gewesen. Während dieser Fahrt hatte er wieder die gleiche Freiheit gespürt wie früher als Kind in Jersey City, noch in zwanzig Jahren würde er sich an diesen gescheiterten Fluchtversuch erinnern. Anne-May dagegen schien das alles gar nicht so viel zu bedeuten. Sie sagte nur, dass er doch irgendwann wieder so eine Reise machen könne, und verstand nicht, dass er sie nie wieder so machen konnte wie damals: so naiv und hoffnungsvoll – und mit ihr zusammen.

Zu Hause im Trailer lernte Francis Mathe, sie hatten morgen einen Test, und er war letztes Jahr vor allem in diesem Fach durchgefallen. In der Schule sahen ihn alle komisch an, seit klar war, dass er Vater werden würde. Aber das war ihm egal. Nachdem er zwei Stunden gelernt hatte, sah er fern und blieb an einem kurzen Bericht über Eminem hängen; es hieß, dass er nach einem Rückfall vorerst keine Musik mehr mache und medikamentensüchtig sei.

Francis schaltete den Fernseher aus und griff nach einem der Bücher, die Anne-May ihm geschenkt hatte. Es ging um die Wheelers, ein kaputtes Ehepaar, das in den fünfziger Jahren nach Paris ziehen wollte. Francis musste sich ziemlich konzentrieren und schweifte oft ab. Doch er hatte beschlossen, mehr zu lesen, vor allem alles, was Anne-May ihm gab. Als er sie nach Büchern gefragt hatte, hatte sie gelacht. »Wirklich, Dean?« Aber jetzt schenkte sie ihm öfter mal eins.

Sein Lieblingsbuch war jedoch das eine, das ihm Ryan vor Jahren gegeben hatte. Die Geschichte von dem glücklosen alten Fischer, der irgendwann doch noch draußen auf dem Meer einen riesigen Fisch fing, den er auf dem Weg zurück ans Land aber nach und nach wieder verlor, so dass er am Ende mit leeren Händen zurückkam. Francis hatte es jetzt endlich fertiggelesen, und er war sich sicher, es auch verstanden zu haben.

Als er seiner Mutter gute Nacht sagte, lag sie bereits im Bett. Vor kurzem hatte sie ihn einmal lange angeschaut, als sähe sie ihn zum ersten Mal. Dann hatte sie gesagt, er sei so *ernst* geworden. Francis wusste nicht, ob es sie freute oder traurig machte.

Er setzte sich einen Moment zu ihr und erzählte von seinem Treffen mit Anne-May, wie sie beim Essen alles runtergeschlungen hatte und dass er sie am Wochenende vielleicht wiedersehen würde. Seine Mutter hörte zu und lächelte, wie sie es immer getan hatte. Doch seit ihrem Selbstmordversuch war vieles anders. Sie hatten beide nie den Mut gehabt, sich auszusprechen, seine Mom hatte sich zurückgezogen und sagte ihm kaum noch, was er tun sollte. Er selbst hatte ihr wiederum nicht erzählt, wer sein Vater in Wirklichkeit war. Stattdessen hatte er ihr nur gesagt, dass er diesen Dr. Ian Doble nicht habe finden können, und in gewisser Weise stimmte das ja auch.

Eines wusste Francis jedenfalls sicher: Er würde seiner Mutter niemals verraten, dass ihre Ampulle aus der Samenbank in Wahrheit das Sperma eines Verlierers enthalten hatte. So würde sie bis an ihr Lebensende die Hoffnung behalten, dass aus ihm doch noch mal etwas Besonderes werden könnte.

Sein richtiger Vater war für Francis mittlerweile wieder so nebensächlich wie früher. Er versuchte diese Begegnung zu vergessen. Nur war neulich eine Fliege durch sein Zimmer gesurrt, und er hatte nach ihr geschnappt und sie in der Hand gehabt. Da war ihm natürlich wieder die Szene mit seinem Vater im mexikanischen Restaurant eingefallen. Er hatte daran denken müssen, dass es auch seinen Sohn ohne Doblinskis Samenspende nicht geben würde, und er hatte Tage gebraucht, um seine Erinnerungen an Tijuana loszuwerden. Es war jedenfalls komisch: Erst als er beschlossen hatte, nicht wie sein Vater zu sein, war ihm klargeworden, dass er gar nicht wusste, wer er selbst war.

Doch meistens verdrängte er solche Gedanken. Oder er

wünschte sich, dass Andy damals aus Liebe zu seiner Mutter einfach die Ampullen vertauscht hätte und sein richtiger Vater wäre. Und dass er eines Tages hier auftauchen und alles gut werden würde. Francis konnte einfach nicht vergessen, wie liebevoll Andy mit seinem kleinen Sohn umgegangen war. Als er das gesehen hatte, war ihm klargeworden, was ihm immer gefehlt hatte. Und obwohl das alles sehr kindliche, dumme Gedanken waren, hatte er schon vor Monaten im Internet nach Andys Nummer gesucht. Er hatte sich vorgenommen, ihn ein Mal, nur ein einziges Mal anzurufen. Ging Andy selbst ran, würde er ihm alles sagen, was er dachte, erreichte er nur seine Frau oder gar niemanden, würde er es für immer sein lassen.

Francis legte sich schlafen. Im Traum sah er sich wieder im Casino stehen, alles auf eine Farbe setzen und reich werden. Danach träumte er wie so oft in letzter Zeit von seinem eigenen Tod, wie er erschossen oder in die Luft gejagt wurde. Auch dieser Traum fühlte sich erschreckend real an. Als er am nächsten Morgen erwachte, war er noch lange Zeit benommen.

2

Es war Winter, die Reise lag nun zweieinhalb Jahre zurück.

Francis war inzwischen zwanzig und stand in seinem kärglichen Trailerzimmer. Aus einem CD-Player dröhnte Musik. Er machte hundertfünfzig Liegestütze und hundert Sit-ups, dann lief er eine Runde durch sein Viertel. Es war eiskalt, Schnee lag auf dem Bürgersteig, die Luft schnitt ihm in die Lunge. Auf der Straße sahen ihm ein paar Frauen nach. Der Job auf dem Bau hatte ihn gestählt, außerdem trainierte er wieder mit Gewichten, wie früher als Ringer.

Am Mittag telefonierte er mit Anne-May. In letzter Zeit stritten sie viel, immer ging es dabei um John. »Ich darf ihn kaum noch sehen«, sagte er. »Es ist ja fast schon ein Wunder, dass ich bei seiner Geburt dabei sein durfte. Und du weißt ganz genau, wer daran schuld ist!«

Als Anne-May wie so oft ihre Eltern in Schutz nahm, legte Francis auf. Es machte ihn krank, dass er seinen Sohn so selten zu Gesicht bekam. Was er auch tat, die Gardeners versuchten noch immer, ihn von Anne-May und seinem Kind fernzuhalten. Er wollte der beste Dad der Welt sein, doch sie drängten ihn in die Rolle des verantwortungslosen Versagers, für den sie ihn hielten. Und Anne-May stand ihm nie zur Seite. Nie! Immer ließ sie sich von ihren Eltern unterkriegen und verteidigte die beiden.

»Wir wollen nicht, dass du deinen Sohn in dieses Rattenloch mitnimmst«, hatten sie einmal zu Anne-May gesagt, als sie mit John im Trailer vorbeischauen wollte. Als sie Francis davon erzählt hatte, war er völlig sprachlos gewesen.

»Und was hast du ihnen geantwortet?«

Anne-May hatte nur mit den Schultern gezuckt. Er sah ihr an, dass sie etwas anderes wollte und ihr alles leidtat, dass sie aber einfach nicht die Kraft hatte, sich ihrer Familie zu widersetzen. Der neueste Plan der Gardeners war, nach Manhattan zu ziehen. Dadurch würden sie ihm Anne-May und seinen Sohn endgültig wegnehmen, denn natürlich konnte er nicht ständig nach New York kommen.

Anne-Mays Eltern schienen wild entschlossen, und Francis spürte, dass er auch diesen letzten Kampf verlieren würde.

Beim nächsten Treffen schlug er zaghaft vor, sie könne sich ja hier in Claymont einen Job suchen, doch Anne-May senkte sofort den Kopf. »Mein Dad hat mir schon eine Stelle in uptown organisiert«, sagte sie, und allein die Art, wie sie das Wort »uptown« aussprach, störte ihn. »Bei einem ziemlich renommierten Kollegen. Ich werd das machen, wenn John alt genug ist … Ich will endlich hier raus.«

»Und ich nicht?«, fragte er.

Sie sahen einander vorwurfsvoll an.

Dann aber versuchte Francis zu lächeln, er wollte nicht schon wieder streiten. Versöhnlich griff er nach ihrer Hand und fing aufs Neue von dem Häuschen in San Francisco an und wie anders alles für sie hätte laufen können. Anne-May riss ihre Hand weg.

»O Gott, nicht schon wieder!«, sagte sie. »Ich kann's wirklich nicht mehr hören. Wieso redest du andauernd von dieser verdammten Fahrt und irgendeinem Wunschtraum, in dem du glücklich im Westen wohnst?«

Francis richtete sich auf. »WEIL ICH DAS ALLES HÄTTE HABEN KÖNNEN!«, sagte er, selbst überrascht, wie laut er wurde. »Ich war so kurz davor. Alles hätte anders sein können. *Ich* hätte anders sein können!«

»Du spinnst«, sagte sie. »Seit ich dich kenne, machst du dein Glück immer nur von anderen abhängig oder von Dingen, die du eh nicht mehr beeinflussen kannst ... Hör endlich auf, in der Vergangenheit zu leben!«

Kurz darauf war sie gegangen, und Francis begriff, dass die Zeit um Johns Geburt, als sie sich wieder nahe gewesen waren, endgültig vorbei war.

Zwei weitere Dezemberwochen zogen vorüber, der Umzug nach New York rückte näher. Francis hatte Spätschicht, es war schon nach Mitternacht, als er nach Hause ging. Er trug den schwarzen Dufflecoat, den ihm Anne-May letztes Jahr zu Weihnachten geschenkt hatte. Trotzdem fror er, er musste sich erkältet haben. Seine Nase lief, hustend stapfte er durch den Schnee. Am liebsten hätte er sich krankgemeldet, aber er konnte sich keine Fehltage leisten.

Als Francis den Trailer betrat, sah er seine Mutter in der Küche stehen. Sie war dabei, Wasser aufzusetzen, im Hintergrund lief das Radio. Ihre Gestalt wirkte schmal, das Gesicht faltig und weiß. Die Aufbruchsstimmung des letzten Jahres war nur ein Zwischenhoch gewesen, ihre Stelle bei Wal-Mart hatte sie aufgeben müssen. Depressiver Schub. In ihrer Seele waren wieder die Vorhänge zugezogen, morgens schaffte sie es kaum aus dem Bett. Auch die neuen, teureren Medikamente schienen nicht anzuschlagen, doch ein Klinikaufenthalt war unbezahlbar. Wenn Francis von der Arbeit nach Hause kam, hatte er oft Angst, sie wieder regungslos auf dem Boden zu finden.

»Wie geht's dir?«, fragte er.

Seine Mutter versuchte zu lächeln. Er stellte sich neben sie und fuhr ihr über den Rücken. Ihm fiel ein, wie sie früher immer zusammen gekocht hatten. Einen Moment überlegte er, ihr alles zu geben, was er gespart hatte, und einfach nach New York zu gehen, zu Anne-May und John. Aber dann musste er an ihre Krankheit denken und wie sie von Doblinski gelinkt und von Ryan verlassen worden war. Er konnte sie hier nicht im Stich lassen.

Sie goss das heiße Wasser in eine Tasse und warf einen Teebeutel hinein. Er stand wie gelähmt neben ihr. *Sprich mit ihr*, dachte er. *Sprich mit ihr endlich über alles!* Francis starrte sie an, fünf Sekunden, zehn Sekunden. Dann umarmte er sie nur fest und gab ihr einen Kuss auf die Wange.

Er ging nach nebenan zu Toby. Sein Nachbar wärmte etwas von seinem Abendessen auf, sie setzten sich mit den Tellern auf die Couch. Toby trug eine Mütze über seinen kurzen blonden Haaren, dazu Sweatshirt und Jeans. Noch immer schrieb er Texte und Lyrics in ein Notizbuch und hasste leidenschaftlich jeden Jungen, den seine kleinen Schwestern anschleppten.

Während sie fernsahen und aßen, beschwerte sich Francis darüber, dass er in letzter Zeit so viele Spätschichten habe. Toby holte Filterpapier und Tabak aus einer Tüte und drehte sich eine Zigarette. »Was ist eigentlich mit dem College? Wolltest du dich nicht bewerben?«

Francis nickte, das war der Plan gewesen, als er damals die Highschool geschafft hatte. Aber die College-Gebühren waren viel zu hoch, und für ein Stipendium war sein Abschluss zu durchschnittlich. Und nun, da seine Mutter keinen Job mehr hatte und Ryan ihnen nichts mehr gab, fehlte ihm ohnehin die Zeit. Er musste rund um die Uhr arbeiten; Miete, Essen und Medikamente, und eigentlich tat er das sogar gern. Aber es reichte einfach nicht. Obwohl er nie zu spät kam und Überstunden machte, würde er niemals genug verdienen, um selbst für seinen Sohn sorgen zu können oder hier rauszukommen. Und wenn seine Mutter noch einmal in die Klinik musste und Ryan seine Drohung wahrmachte und nicht dafür aufkam oder wenn er selbst mal krank wurde, dann standen sie am Abgrund.

Als Toby sich das alles angehört hatte, stieß er ihn an. »Tja, Kleiner, wie's aussieht, musst du dich wohl auch für Geld abschlachten lassen.«

Francis verzog nur das Gesicht. Er hatte schon öfter daran gedacht, sich zu verpflichten. Der Krieg bedeutete ihm nichts, doch der Gedanke, viel Geld zu verdienen und danach studieren und auf einem Campus leben zu dürfen, war unendlich verlockend. Er blickte zum Fernseher. »Das Problem ist nur, dass beides scheiße ist«, sagte er. »Ich will nicht sterben, aber ich will auch nicht zurückkommen und dann bis zu meinem Tod von irgendwelchen in die Luft gesprengten Kindern, rumliegenden Leichenteilen oder Panikattacken verfolgt werden. Es muss doch noch irgendwas anderes geben.«

»Na ja, du kannst ja auch, wie die meisten hier, dealen, da kriegst du mehr Kohle«, sagte Toby, und dann mussten sie lachen.

Aber eigentlich hatten sie gar nicht richtig gelacht.

Ende Februar stand der Umzug von Anne-May und John unmittelbar bevor. Inzwischen war Francis nicht mehr niedergeschlagen, er hatte sich damit abgefunden. Vielleicht lag es auch an der Entscheidung, die er getroffen hatte.

Es war ein kühler Sonntagvormittag, in vier Stunden ging sein Flug. Er hatte all seine Jobs gekündigt und nutzte die ungewohnt freie Zeit, um bei seinem Sohn zu sein. Anne-May und er sprachen kein Wort über den Umzug. Er hatte längst aufgegeben, sie umzustimmen, obwohl er glaubte, dass sie selbst nicht ganz davon überzeugt war. Anfangs hatte er John im Arm gehalten, nun saß er auf dem Sofa und beobachtete, wie Anne-May für ihren Sohn Klavier spielte und ganz vertraut mit ihm umging. *So viel vertrauter als er.* Francis wusste, dass dieser Gedanke falsch war, aber er konnte nicht anders. In solchen Momenten spürte er diese Leere in sich und die Angst, dass John ihn später nicht lieben würde. Dass er ihm alles gab, was er hatte, aber dass es nie genug sein würde.

Eine Stunde später verabschiedete er sich von seinem Sohn und Anne-May. Er schlüpfte in den Dufflecoat und ließ sich von ihr zur Tür bringen. Sie ahnte nicht, wie endgültig der Abschied war, und gab ihm nur einen kurzen Kuss auf die Wange. »Interessante Frisur«, sagte sie noch mit einem Lächeln.

Francis fuhr mit dem Buick zurück. Es hatte wieder angefangen zu schneien, die Scheibenwischer rasten hin und her. Die Straßen waren vereist, aber er lenkte den Wagen sicher durch die Stadt.

Zu Hause saß er eine Weile gedankenversunken in der Küche. Es war still im Trailer, seine Mutter lag in ihrem

Zimmer und schlief. Draußen dunkelte es bereits, das Licht drang nur noch gedämpft herein. Francis spielte mit einem Messer und ritzte kleine Striche in den Plastiktisch. Er musste an Nicky denken, den er schon lange nicht mehr gesehen hatte und der bei ihren letzten Telefonaten kurz angebunden gewesen war. Und wie Anne-May ihm von einem Mann erzählt hatte, den ihre Eltern ihr neulich vorgestellt hatten. Vor allem Letzteres hatte zu seiner Entscheidung geführt. Die Dinge entglitten ihm. Mit Anne-May stritt er nur noch, er kam zu spät zu Verabredungen mit seinem Sohn, auch andere Verpflichtungen hielt er nicht mehr ein. Er begann *loszulassen*. Doch er wollte nicht miterleben, wie er alles verlor. Wie seine Mutter wieder und wieder in die Klinik kam und sich eines Tages die Pulsadern aufschnitt. Wie ihm Anne-May und sein Sohn weggenommen wurden und Anne-May schließlich einen Typen aus dem Architekturbüro heiratete, mit ihm noch ein Kind bekam. Und wie ihr Mann dann John adoptierte, es wäre ja das Beste für ihn. Er hatte sich entschieden, etwas zu tun.

Morgen würde er sich im nächstgelegenen Rekrutierungsbüro in Somerville freiwillig verpflichten. Da er gesund, kräftig und groß war, würden sie ihn nehmen und nach Afghanistan oder in den Irak schicken. Und wenn er Pech hatte, würde er verstört wiederkommen oder gleich dort sterben. Schon oft hatte er das vor Augen gehabt, und inzwischen war er sich sicher, dass es so kommen würde. In dem Fall würde er wenigstens ein schönes Begräbnis kriegen, so wie Brad Jennings' Bruder. Die Leute würden herbeiströmen und am Grab stehen, Anne-May würde vielleicht weinen und Grover ein rotes Gesicht und eine beschlagene Brille haben. Später würde seine Mutter eine kleine Rente bekommen. Und seinem Sohn könnte man erzählen, dass sein Vater kein Versager aus dem Trailerpark war, sondern ein Held, der sein Land unter Einsatz seines Lebens verteidigt hatte.

Natürlich war das alles verrückt. Francis ritzte noch immer Striche in den Küchentisch und schüttelte den Kopf. Doch es gab einfach nicht mehr viel, was er noch tun konnte. Alles, was ihm übrigblieb, war diese eine Möglichkeit.

Und das Flugticket nach Las Vegas.

3

Als er in Vegas landete und die Lichter sah, bekam Francis ein flaues Gefühl. Er hatte nur seinen Seesack dabei und ließ sich von einem Taxi zum MGM Grand fahren. Im Hotel buchte er ein Zimmer für eine Nacht, hinter ihm wartete eine Großfamilie, er hörte den fröhlichen Lärm der Kinder. Francis fuhr mit dem Aufzug nach oben, steckte die Karte ins Schloss und warf sich aufs Bett. Er fühlte sich elend und holte das Kuvert aus dem Mantel. Es enthielt fünftausend Dollar, das Startkapital für seinen Traum. Dafür hatte er die letzten zweieinhalb Jahre gearbeitet und gespart, besessen von der Idee, dass man hier eine Million gewinnen konnte, wenn man nur wenige Male hintereinander richtig setzte.

Er hatte niemandem gesagt, was er hier vorhatte. Nicht seiner Mutter, die gar nichts verstanden hätte, nicht Anne-May, die ihn für verrückt erklärt hätte. Und natürlich wusste er selbst, dass Geld nicht die einzige Lösung sein konnte. Es war nur so: Er hatte in seiner Situation keine bessere gefunden.

Francis lag auf dem Bett und konnte sich kaum rühren. Der Plan war einfach gewesen; wieder herzukommen, um es noch ein letztes Mal zu versuchen. Doch jetzt, da er tatsächlich hier war, wurde ihm bewusst, dass er wirklich nur noch diese eine Chance hatte. Dass er sich, wenn er scheiterte, am nächsten Tag freiwillig melden würde und sein Leben damit gelaufen war.

Er griff in den Mantel und holte ein weiteres Kuvert heraus. Es enthielt die besten Fotos von ihrer Reise. Am liebsten mochte er das Bild, auf dem Anne-May und er nebeneinander am Strand in San Francisco saßen (Grover hatte sie heimlich fotografiert). Oder das Foto, das ganz am Anfang per Selbstauslöser entstanden war, kurz bevor sie in New York losgefahren waren. Sie hatten damals unsicher in die Kamera gelächelt. Alles noch offen und aufregend.

Wie sehr er Grover vermisste! Ihre letzte Begegnung war ewig her. Sie waren bei den Chedwicks gewesen. Seine Eltern hatten gekocht und ihn wie ein lange nicht gesehenes Familienmitglied begrüßt. Danach hatten sie einen John-Hughes-Film aus den Achtzigern geschaut und gelacht. Aber irgendwie war es nicht mehr so wie früher gewesen. Grover hatte dauernd von Alistair und einem gemeinsamen Projekt für eine Website geredet, und von seinem Studium und der neuen Umgebung. Francis hatte dazu nicht viel beisteuern können. Er war sich sicher, dass sie an diesem Abend beide ein schlechtes Gefühl gehabt hatten, weil sie einander nicht mehr viel zu sagen hatten. Er hatte das traurig gefunden und Grover fragen wollen, ob er noch wisse, wie sie mal bei seinen Eltern eine Pflanze gefunden hatten, die eine Flüssigkeit absonderte, wenn man sie berührte, und wie sie diese bittere Flüssigkeit getrunken und geglaubt hatten, dadurch Superkräfte zu kriegen. Aber eigentlich hatte er diesem seltsamen Nerd nur sagen wollen, wie sehr er ihm fehlte.

Doch er hatte geschwiegen. Sie hatten am Ende noch kurz *Unreal Tournament* gespielt, ohne große Lust, danach war er gegangen. »Bis bald«, hatte er an der Tür gesagt, und Grover auch: »Bis bald!«

Das war vor einem Dreivierteljahr gewesen. Seitdem hatten sie sich nicht mehr gesehen.

Francis griff nach dem Zimmertelefon und wählte Grovers Handynummer. Er ließ es ewig läuten, doch niemand ging ran. Er fluchte.

Plötzlich, für ihn selbst unerwartet, wählte er die Nummer von Andy Kinnear. Das hatte er schon seit Monaten tun wollen, doch nie hatte er sich getraut. Es läutete dreimal, viermal. Endlich klickte es in der Leitung, und er hörte Andys Stimme.

Francis wollte schon hallo sagen, da merkte er, dass es nur der Anrufbeantworter war. Er zögerte kurz, dann legte er auf. *Das war's,* schoss es ihm durch den Kopf. Das war sein einziger Versuch. Er schloss die Augen und massierte sich mit den Fingern die Schläfen.

Er musste weggedöst sein und fühlte sich nach dem Aufwachen wie erschlagen. Er hatte geträumt, wie er kurz nach Johns Geburt mit Anne-May und seinem Sohn im Bett gelegen hatte. Aneinandergeschmiegt waren sie zu dritt eingeschlafen. Damals erschien ihm das selbstverständlich, doch inzwischen wusste er, wie kostbar diese Nacht gewesen war, vielleicht das Kostbarste, was er jemals erleben würde.

Immer, wenn er einen Traum mit Anne-May oder John hatte, war er danach benommen. Er brauchte ein paar Sekunden, bis er wieder wusste, wo er war. Blinzelnd sah er sich um. Im Zimmer die Dunkelheit, draußen die Lichter.

Aus seinem Seesack holte er den MP3-Player. Zuerst hörte er etwas von Anne-Mays Lieblingsband Arcade Fire, weil ihn die Songs an sie erinnerten und an die Zeit, als er sie jeden

Tag in der Klinik besucht hatte. Aus irgendeinem Grund fielen ihm ihre sprechenden Mäuse mit den englischen Adelsnamen ein, und er musste lächeln. Danach hörte er mehrmals hintereinander *Lose Yourself* von Eminem. Die Zeilen brannten sich einmal mehr in sein Hirn:

Look, if you had one shot, and one opportunity
To seize everything you ever wanted in one moment
Would you capture it or just let it slip?

Er stand auf und ging ins Bad. In den letzten Wochen hatte er sich einen Bart stehen lassen, nun nahm er den Plastikrasierer des Hotels und rasierte ihn ab. Seltsam, wie vertraut er jetzt wieder aussah. Er fuhr mit den Fingern über sein nacktes Gesicht und betrachtete sich im Spiegel. Das Kinngrübchen seines Vaters, die gute, stets leicht gebräunte Haut seiner Mutter, die schwarzen Haare, die er sich hatte ganz kurz schneiden lassen, damit er am nächsten Tag, falls er zum Rekrutierungsbüro nach Somerville fahren musste, einen guten Eindruck machte. Er spannte seine Muskeln an. All diese nutzlose Kraft.

Dann starrte er auf das Spiegelbild und vergaß alles um sich herum. Übrig blieb nur das Wahre, Elementare. *Ich bin Francis Dean,* dachte er. *Ich bin Vater, ich habe einen Sohn.* Noch immer war dieser Gedanke so neu und unfassbar wie beim ersten Mal, als er in seinem Kopf aufgetaucht war.

Er löschte das Licht und nahm das Kuvert mit dem Geld. Vor der Tür blieb er stehen. Sekundenlang schaffte er es einfach nicht, die Klinke runterzudrücken und jetzt wirklich da rauszugehen und zu spielen. Dann verließ er das Zimmer und fuhr mit dem Aufzug nach unten.

4

Wie hypnotisiert lauschte Francis dem Lärm des Casinos und tauchte ein in diese verheißungsvolle, gleichzeitig kalte Welt aus leuchtenden Automatenbildschirmen, blechernen Melodien und Stimmengewirr. Eine junge Frau rempelte ihn im Vorbeigehen an und entschuldigte sich. Francis entdeckte am Ende des Saals die Anzeigetafeln mit den aufblinkenden Roulettenummern. Er schlängelte sich zwischen all den Touristen und Spielern durch und erreichte den etwas abseits stehenden Tisch vom letzten Mal. Dort wurden wieder Zehntausende Dollar auf scheinbar willkürliche Kombinationen gesetzt, und wenn die Spieler verloren hatten, lächelten sie nur leicht bedauernd und setzten die nächsten zehntausend.

Francis wartete, bis ein Platz frei wurde, dann setzte er sich. Seinem gefälschten Ausweis nach war er inzwischen fast vierundzwanzig, doch der Croupier wollte ihn gar nicht sehen. Die anderen Gäste in ihren Maßanzügen blickten ihn genauso herablassend an wie beim letzten Mal; auch diesmal trug er Jeans und T-Shirt, nur die Chucks waren neu. Er hatte sein ganzes Geld in einen einzelnen blauen Chip im Wert von fünftausend Dollar wechseln lassen, und den legte er jetzt auf das schwarze Feld. Die anderen schauten interessiert zu, einige setzten ebenfalls auf Schwarz. Francis wollte nicht länger warten. Wenn sein Traum wirklich bedeutungslos war, verlor er zwar das ganze Geld auf einmal, aber dann ging es wenigstens schnell. Und er konnte endlich diesen Gedanken vergessen, der ihn seit zweieinhalb Jahren quälte.

Den Gedanken: Was, wenn der Traum vielleicht doch wahr werden würde?

Francis spürte ein Kribbeln. Entweder war sofort weg, wofür er wie ein Verrückter geschuftet hatte, oder er hatte binnen weniger Sekunden das Doppelte. Was für ein Wahnsinn. Jetzt, da er mit seinem eigenen Geld spielte und nicht mit dem von Ryan, wurde ihm erst richtig bewusst, was es wert war.

Die Kugel rollte, wurde langsamer. Francis atmete unregelmäßig, er konnte nicht hinsehen und wartete einige elend lange Sekunden, bis er spürte, wie ihm jemand auf die Schulter klopfte. Er machte die Augen wieder auf, die Kugel lag im Fach der Achtundzwanzig – Schwarz. Erleichterung. Nun hatte er zehntausend.

Francis nahm das ganze Geld und setzte es wieder auf Schwarz. Jemand schüttelte den Kopf. Der Croupier warf die Kugel, die nächsten Sekunden beobachteten die Spieler, wie sie im Kessel umhersauste. Als einige noch schnell gesetzt hatten, rief der Croupier: »Rien ne va plus!«

Die Kugel landete auf der Dreiunddreißig. Noir, Schwarz. Jetzt hatte Francis zwanzigtausend. Er behielt fünf und setzte fünfzehn, erneut auf Schwarz.

Es kam Schwarz. Unfassbar!

Vor Glück bekam er eine Gänsehaut. Nun hatte er schon fünfunddreißigtausend. Genauso viel wie beim letzten Mal, als er alles verloren hatte. Es war so absurd leicht gegangen, nicht mal fünf Minuten. Francis erinnerte sich, wie oft er im vergangenen Jahr an die fünfunddreißigtausend gedacht hatte. Was man damit alles machen konnte!

Ihm wurde klar, was für ein unverschämtes Glück er jetzt dreimal hintereinander gehabt hatte. Ein kluger Mann hätte aufgehört. Francis nahm dreißigtausend und setzte sie ein weiteres Mal auf Schwarz.

Der Herr neben ihm im Tweedjackett sah ihn neugierig an. Dann setzte er ebenfalls auf Schwarz, allerdings sechzigtausend. »Ich hoffe, du tust das Richtige«, sagte er. »Schwarz kam jetzt mehrmals hintereinander.«

»Ich weiß, dass es noch einmal kommt.«

Beide nickten sich kurz zu. Sekunden später landete die Kugel auf der Elf, Schwarz.

Einige jubelten, Francis sah aber auch, wie ihm zwei Herren am anderen Ende des Tischs feindselige Blicke zuwarfen. Sie hatten beide auf Rot gesetzt und gaben insgeheim sicher ihm und seiner Glückssträhne die Schuld. Er nahm seinen Gewinn, sechzigtausend, und legte ihn zu dem Reserve-Chip mit den fünftausend.

»Da will einer hoch hinaus«, sagte wieder der elegante Herr neben ihm. Lässig nahm er die Chips im Wert von hundertzwanzigtausend an sich, gab dem Croupier tausend, dann machte er Anstalten zu gehen.

»Sehen Sie diese dunklen Scheiben da oben?« Francis deutete zum ersten Stock. »Da sitzen die High Roller, da kann man erst ab hunderttausend spielen. Nur da oben hat man die Chance, richtig groß zu gewinnen.«

»Und da willst du hin? Wieso?«

»Ich brauche Geld. Viel Geld.«

Der Mann sah ihn prüfend an, dann lächelte er. »Na, dann wünsche ich dir alles Gute, Junge!«

Die Kugel war schon im Kessel. Francis musste jetzt schnell setzen, sonst wäre er gezwungen, diese Runde auszulassen. Aus Versehen setzte er nicht nur die sechzigtausend, sondern auch den Chip mit den fünftausend, den er eigentlich für den Notfall hatte aufheben wollen. Er wollte es noch ändern, sich den Reserve-Chip zurückholen, doch der Croupier ließ es nicht zu.

»Rien ne va plus!«

»Aber ich muss den Chip ...«

»Nichts geht mehr, junger Mann.«

Francis wäre am liebsten aufgesprungen und hätte nach dem Chip gegriffen, doch dann hätte man ihn rausgeworfen. Aufs Äußerste gespannt beobachtete er die Kugel. Falls Schwarz kam, hätte er den Reserve-Chip wenigstens mit verdoppelt.

Aber dann wurde er plötzlich nervös, irgendetwas stimmte nicht. Er begann zu ahnen, dass er einen schrecklichen Fehler gemacht hatte, er hatte unter Druck zu schnell gesetzt. Was, wenn Schwarz nicht mehr drankam?

Es schien ewig zu dauern, die Kugel wurde langsamer und langsamer, aber sie klebte noch immer an der Kesselwand. Er war wie paralysiert. Sein sicheres Gefühl hatte ihn verlassen, schlimmer noch, er fühlte sich wieder genauso schlecht und fahrig wie bei seinem ersten Besuch in Vegas. Er hielt es nun kaum mehr am Tisch aus, wippte mit den Füßen und biss sich immer wieder auf die Unterlippe. Dann fiel die kleine Kugel endlich herunter. Ohnmächtig musste er zusehen, wie all seine Träume zerplatzten, als sie im goldenen Fach mit der Nummer sechsunddreißig landete. Rot. Er hatte alles verloren. Fünfundsechzigtausend. Und sein Leben.

5

Er konnte noch gar nicht begreifen, was geschehen war. Er hatte in der Eile falsch gesetzt, er hatte diesen einen dummen, entscheidenden Fehler gemacht. Francis merkte, wie seine Augen feucht wurden und ihm die Luft wegblieb. Er nahm das hämische Grinsen der beiden Herren am Ende des Tischs wahr, aber auch die mitfühlenden Blicke der anderen Spieler. Vor allem aber spürte er die Leute hinter sich, die seinen Platz einnehmen wollten. Er hatte nichts mehr zu verlieren, also war er hier auch nichts mehr wert.

Gerade wollte er den Tisch verlassen, als jemand einen Chip vor seine Nase warf. Einen blauen im Wert von fünftausend Dollar.

Francis drehte sich um und sah den Mann von vorhin. Seine linke Hand steckte in der Tasche des Tweedjacketts, in der rechten hielt er seine Gewinne.

»Ohne dich hätte ich vorhin auf Rot gesetzt, ist nur fair«, sagte er. »Außerdem habe ich dich beim Setzen abgelenkt, nicht wahr?«

Francis wollte sich bedanken, doch der Mann winkte ab. »Viel Glück«, sagte er nur, dann deutete er mit dem Kinn nach oben, zu den verdunkelten Fenstern, und ging.

Francis drehte sich um. Er sah auf den Chip mit den fünftausend und setzte ihn sofort auf Rot. Es kam Rot. Er spürte eine grimmige, unglaubliche Entschlossenheit in sich aufsteigen. Seine Angst verschwand, das Spielfieber überkam ihn. Er ließ es zu. Völlig ruhig setzte er die zehntausend auf Schwarz. Schwarz kam. Er nahm die zwanzigtausend und setzte fünfzehn davon auf Rot. Rot kam. Er steckte den Reserve-Chip mit den fünftausend in die linke Hosentasche und spielte mit dem Rest ab jetzt volles Risiko.

Dreißigtausend auf Schwarz.

Er gewann wieder und hatte sechzigtausend. Alles ging so schnell, *zack, zack, zack.* Auch sein Herz schlug immer schneller. Wenn er jetzt wieder gewann, hätte er genug, um nach oben zu den High Rollern zu dürfen. Der Croupier warf die Kugel in den Kessel, doch auf einmal fiel ihm nicht ein, was er setzen sollte. Bis jetzt hatte er es immer gewusst, aber nun klemmte es. *Rot oder Schwarz?* Es musste schnell gehen, nur noch wenige Sekunden. *Rot oder Schwarz, Rot oder Schwarz …*

Francis wollte die sechzigtausend schon auf Rot setzen, hielt sie aber noch im letzten Moment zurück und ließ zum ersten Mal eine Runde aus. Die Kugel landete auf der schwarzen Einunddreißig.

Glück gehabt.

Aus irgendeinem teuflischen Wissen heraus war er sicher, dass die Einunddreißig jetzt noch mal kam. Er überlegte, ob er den Fünftausender-Chip in der Hosentasche auf die Zahl und den Rest auf Schwarz setzen sollte, aber er entschied sich dagegen, setzte nur sechzigtausend.

Als kurz darauf tatsächlich die Einunddreißig kam, ärgerte er sich. Er hätte mit dem Reserve-Chip fast hundertachtzigtausend zusätzlich haben können.

Dann erwachte er aus seiner Trance und begriff, dass er auch so hundertzwanzigtausend gewonnen hatte.

ER HATTE VERDAMMT NOCH MAL HUNDERTZWANZIG-TAUSEND!!!

Francis schrie und jubelte und stürzte auf die Knie. Natürlich schauten ihm alle zu, denn das sahen die Leute im Casino gern, wenn sich jemand richtig freute. Mit der Hand fuhr er über seinen Kopf und merkte, dass seine Haare klitschnass waren. Er nahm die hundertzwanzigtausend an sich und nickte in die Runde. »Auf Wiedersehen, Ladies and Gentlemen, ich habe noch was vor.«

Einige lachten, vermutlich dachten sie, dass er jetzt feiern ging. Sie begriffen nicht, dass er das ganze Geld gleich wieder aufs Spiel setzen würde. Francis atmete tief durch, dann nahm er die Chips an sich und verließ den Tisch. Nun durfte er nach oben, zu den verdunkelten Fenstern, die ihn seit zweieinhalb Jahren bis in den Schlaf verfolgt hatten.

Im ersten Moment wollten ihn die beiden livrierten Angestellten des Casinos nicht reinlassen. Sie wiesen ihn an, auf einem Stuhl im Vorraum Platz zu nehmen, und kontrollierten seinen Ausweis. Dann sagten sie, dass er ohne Jackett nicht reinkäme.

»Weißt du, was da für Leute spielen?«, fragte ihn einer der Mitarbeiter. Er war dunkelhäutig und trug eine schwarze Hose und ein rotes Jackett mit goldenen Knöpfen. »Wirtschaftsbosse, Footballstars, Schauspieler, Börsengurus. Das sind geschlossene Veranstaltungen, wenn du so willst, was sollen die denken, wenn da auf einmal jemand wie du reinspaziert?«

»Aber wieso machen Sie dann nicht einen Mindesteinsatz von einer Million?«

»Weil Leute wie du von diesen Räumen normalerweise gar nichts wissen.« Der Angestellte legte Francis die Hand auf die Schulter. »Du hast an einem Abend über hunderttausend gewonnen. Weißt du, wie viel das ist? Dafür muss ich Jahre arbeiten.«

»Es reicht aber nicht. Ich brauche mehr.«

»*Mehr?* Dich hat eindeutig der Wahnsinn gepackt, mein Freund. Ich kenne Leute wie dich, ihr verzockt sofort wieder alles, was ihr gewonnen habt. Geh mit deinem Geld nach Hause, solange du noch kannst!«

»Ich muss aber weiterspielen. Bitte! Ich setze auch nur dreimal, wenn überhaupt. Danach bin ich wieder weg. Sie verstehen nicht, wie wichtig das für mich ist.«

Der Mitarbeiter sah ihn lange an, dann wechselte er einen Blick mit seinem Kollegen und seufzte. »Weißt du was? Ich lass dich rein.«

»Danke, Mann. Danke, danke, danke.«

»Sag das bitte erst, wenn du da drinnen nicht dein ganzes Geld verloren hast.« Mit diesen Worten öffnete er die Mahagonitür.

Francis trat ein. Endlich war er da.

6

Seit Francis seinen Traum gehabt hatte, hatte er sich oft gefragt, wieso es ausgerechnet Las Vegas sein musste. Wieso nicht eine andere Stadt.

Seit er jedoch hier gewesen war, vor allem aber seit er seinen Vater gesehen hatte, kannte er die Antwort. Weil Las Vegas das Herz und das Mekka des White Trash war und er, Francis, dessen Ausgeburt. Nur an einem so kranken Ort wie diesem bekam ein Versager ohne Perspektive die Chance, das zu tun, was er mit harter Arbeit, Fleiß und Aufrichtigkeit niemals schaffen würde: die Chance, sein Leben zu ändern.

Nur in Vegas schien alles möglich, nur hier waren alle gleich. Die beiden Scheichs in ihren weißen Gewändern. Der schwarze, ihm gut bekannte Rapper im Anzug. Der Politiker, den er mal im Fernsehen gesehen hatte. Sowie die schon etwas ältere, elegante Dame in dem dunklen Kostüm, der bebrillte Mann im Cordjackett und der blonde Typ im Tommy-Hilfiger-Sweatshirt, deren Gesichter ihm nichts sagten. Sie konnten unterschiedlicher nicht sein. Aber hier, im Angesicht dieser sechsunddreißig Zahlen und der Null, hatten sie alle die gleiche Chance.

Einige blickten interessiert auf, als er den Raum betrat. Francis setzte sich an einen freien Platz und breitete seine Chips im Wert von hundertzwanzigtausend auf der grünen Filzfläche aus. Hier oben gab es nur einen Croupier, ein grauhaariger Mann im Dreiteiler, der Francis fragend ansah. Der dunkelhäutige Mitarbeiter, der ihn an den Platz gebracht hatte, meinte, das gehe schon in Ordnung, er habe das Geld unten im Casino gewonnen.

»Er hat kein Jackett«, sagte der Croupier.

Francis wollte antworten, dass die beiden Scheichs und der Typ im Sweatshirt ja auch kein Jackett trugen, verkniff sich diese Bemerkung jedoch.

»Er kann meins haben«, sagte der Mitarbeiter und zog die rote Uniformjacke mit den Goldknöpfen aus.

Francis schlüpfte hinein. Da er ein breites Kreuz hatte und größer war, war es ihm etwas zu eng. Er blickte aufs Namensschild: *Michael Finlay*. »Danke, Michael!«

Zum ersten Mal grinste der Angestellte. »Schon okay. Sagen wir, ein Prozent vom Gewinn?«

»Abgemacht.«

Der Mitarbeiter klopfte ihm auf die Schulter. »Viel Glück!« Dann verließ er den Raum.

Francis sah sich um. Mit welch irrsinnigen Summen die anderen spielten! Der eine Scheich, der um die fünfzig und bärtig war, hatte Chips im Wert von vielleicht vier Millionen vor sich liegen. Der andere Scheich – er war deutlich jünger und trug keinen Bart, dafür hatte er riesige Kopfhörer auf – ebenfalls. Die restlichen Spieler wohl auch nicht weniger. Alles hier war luxuriös, die Wände mit edlem Holz vertäfelt, auf dem schwarzen Marmorboden Orientteppiche, in der Ecke beige Ledersofas und ein Büfett mit Häppchen und Getränken. Durch die von außen verdunkelte Panoramascheibe hatte Francis einen phantastischen Blick über das Casino und konnte die Menschenmassen beobachten, die zwischen den Spieltischen und Automaten umherwanderten. Hier oben spielten Leute, die im wahrsten Sinne über allem standen. Die meisten waren vermutlich mit dem Privatjet eingeflogen und diskret in diesen Raum gebracht worden, damit die Presse nicht davon erfuhr.

An diesem Spieltisch lief alles etwas langsamer ab. Der Croupier ließ den Leuten mehr Zeit, ihre Einsätze zu machen. Francis nahm seine hundertzwanzigtausend, schloss einen Moment die Augen und setzte sie dann einfach auf Rot. Ohne groß nachzudenken. Die anderen sahen ihn an, als wäre er komplett wahnsinnig. Der ältere Scheich lachte. »Du hast das unten gerade erst gewonnen?«

»Ja.«

»Du hast Mut, Junge!«

Er setzte zweihunderttausend, ebenfalls auf Rot. Die Dame im dunklen Kostüm setzte demonstrativ hunderttausend auf Schwarz, die anderen auf alle möglichen Kombinationen und einzelne Zahlen. Der Croupier fragte, ob alle ihre Einsätze gemacht hätten. Als sie nickten, warf er die kleine Kugel gegen die Drehrichtung in den Kessel. Sie sauste sekundenlang im Kreis umher.

»Rien ne va plus!«

Francis krallte sich am Tisch fest. Die Kugel wurde langsamer und fiel schließlich auf die Sieben. Seine Muskeln entspannten sich. Rot.

Er spürte, wie er grinsen musste. Der bärtige Scheich neben ihm schlug ihm auf die Schulter, er hatte ebenfalls gewonnen. Auch der Politiker nickte ihm zu. Francis hatte nun gut zweihundertvierzigtausend, seine Gedanken überschlugen sich: Er konnte das Geld nehmen und nach Hause gehen, es würde reichen, um die nächsten Jahre sorglos zu leben, aber nicht, um Anne-May und seinen Sohn zurückzugewinnen, er musste bleiben, konnte einfach nicht aufhören, wie schon beim letzten Mal nicht, er wollte ja das Geld nehmen und damit aus dem Casino taumeln, *bitte, mach's!,* war aber wie an den Tisch gefesselt, überlegte, nur einen Teil zu setzen, um nicht alles zu verlieren, doch das würde viel zu lange dauern, das ging jetzt nicht mehr, er musste einfach weiterspielen, *komm schon!,* das Fieber hatte ihn endgültig gepackt. *Ich weiß, dass ich's schaffe,* dachte er, jetzt oder nie, jetzt oder nie, *jetzt oder nie!*

Als der Croupier die Einsätze freigab, nahm er alle Chips und schob sie als Erster auf das Tableau. Wieder auf das rote Feld. Er hörte die anderen raunen.

»Willst du nicht lieber aufhören?«, fragte der Politiker.

Francis schüttelte den Kopf.

»Heute schreibst du Geschichte, ja?«, rief der bärtige Scheich.

»Ich versuch's.«

»Diesmal machst du aber einen Fehler. Ich bin mir nämlich sicher, dass jetzt Schwarz kommt.« Er nahm Chips für dreihunderttausend und setzte sie auf Schwarz. Andere glaubten dagegen tatsächlich, dass Francis wieder gewinnen würde, oder es war ihnen egal, jedenfalls setzten sie auf Rot. Der junge Scheich mit den Kopfhörern zog sich zurück, er legte sich auf eines der Sofas und las Zeitung.

Auch die Dame links von Francis ließ diese Runde aus. »Wo kommst du her?«, fragte sie.

»Aus Claymont. Aus dem Trailerpark.«

Francis wusste selbst nicht, wieso er das den Leuten hier sagte, vermutlich, um sie zu provozieren. Die ältere Dame zog die Augenbrauen hoch. Er betrachtete die goldene Kette an ihrem Hals. Da man hier rauchen durfte, fragte er, ob sie eine Zigarette für ihn hätte. Sie holte ein buntverziertes Döschen hervor, bot ihm eine an und gab ihm Feuer. Francis tat einen tiefen Zug und versuchte die Nervosität zu überrauchen.

»Ein Trailerparkboy kämpft ums große Geld«, sagte der Mann im Sweatshirt mit starkem schottischen Akzent. »Das ist ja wie im Film.«

»Allerdings eine Tragödie«, sagte der ältere Scheich, »wenn er jetzt verliert. Ich weiß, dass Schwarz kommt.«

Der Croupier warf die Kugel in den Kessel. Francis atmete mehrmals tief ein, tief aus, tief ein, tief aus, senkte den Kopf, dachte an die Farbe Rot, die er sich so sehnlich wünschte wie nichts zuvor. Er konnte es kaum mit ansehen, rutschte auf seinem Stuhl herum, rauchte und knetete mit den Fingern seine Unterlippe. Auf einmal bekam er ein ganz schlechtes Gefühl, beobachtete den Scheich, der sich so sicher war, dass er gewinnen würde.

Wieso war er so sicher, dass jetzt Schwarz kam?

In Francis' Kopf hämmerte es, er fuhr sich über die Schläfen. *Das wird nichts, dachte er, das wird nichts, das wird …*

Die Kugel fiel auf die Dreiundzwanzig.

Rot.

Gewonnen! *Gewonnen!* GEWONNEN!

Francis kam erst wieder zu sich, als er längst aufgesprungen und einmal quer durch den Raum gerannt war. Er hörte, wie alle lachten, selbst der junge Scheich mit den Kopfhörern auf dem Sofa. Er sprang noch mal in die Luft und ballte die Faust. Er hatte nun fast fünfhunderttausend. Eine Fünf mit fünf Nullen, unfassbar. Seine Augen füllten sich vor Aufregung mit Tränen, er konnte es einfach nicht glauben.

Der ältere Scheich lächelte. »Ich hätte auf dich hören sollen!«

Francis kehrte wieder zum Tisch zurück. »Wenn du jetzt aufhörst, bist du kein Trailerparkboy mehr«, sagte der Politiker. »Ich würde nicht mehr weiterspielen.«

Francis war bewusst, dass er mit dem Geld die nächsten zwanzig Jahre gut über die Runden kommen würde. Er würde Ryan endlich seine Fünftausend und noch mehr zurückzahlen, und auch seiner Mutter konnte er helfen. Aber noch immer würde er Anne-May und seinen Sohn verlieren. Denn für das, was er insgeheim vorhatte, reichte das Geld einfach noch nicht. Auf der anderen Seite hatte er fünfhunderttausend Gründe, sofort aufzuhören. Er betrachtete den Haufen Spielchips vor seiner Nase. Was tun?

Er brauchte eine Pause, um in Ruhe nachzudenken. Zwei Runden lang machte er keine Einsätze. Was für eine Erleichterung, dem Spiel nur zuzusehen und nicht selbst beteiligt zu sein. Einmal kam die grüne Null, alle einfachen Einsätze wurden gesperrt. Das wäre in jedem Fall kritisch geworden.

Das andere Mal kam die schwarze Elf.

Francis ging ein paar Schritte auf und ab. Niemand wusste, was er hier tat. Ein weiterer Verrückter, der bereit war, alles zu setzen und zu verlieren. Um eine Frau zurückzubekommen, die vielleicht gar nicht mehr zurückkehren wollte.

Es war an der Zeit, eine Entscheidung zu fällen. Wenn er

weiterspielte, würde er hier in gut einer Minute entweder als Millionär rausgehen oder als der größte Idiot in der Geschichte von Las Vegas. Mit beidem konnte er sich identifizieren. Und er war auch nicht hergekommen, um im entscheidenden Moment zu schwächeln. Doch die Versuchung, jetzt abzuhauen, war riesengroß. Vor Nervosität ließ er seine Zunge in der Mundhöhle kreisen. In seinem Kopf stritten zwei Stimmen. Die eine sagte, dass er sofort aufhören müsse, er würde sonst einen riesigen Fehler machen. Die andere Stimme flehte: »Sei mutig. Bitte, sei mutig, halte durch, halte nur noch ein einziges Mal durch!« Francis überlegte noch, was er jetzt tun sollte, da machte es in seinem Inneren plötzlich *Klick*, und er musste mit ansehen, wie seine Hände wie fremdgesteuert das Geld nahmen und es auf Rot setzten.

Die Leute am Spieltisch sahen ihn entgeistert an. Knapp fünfhunderttausend waren auch hier ein hoher Einsatz. »Der Trailerparkboy wird wahnsinnig«, sagte der Scheich. Er schien fasziniert. »Wieso auf Rot? Wieso nicht Schwarz?«

Francis zuckte mit den Schultern. »Nur so ein Gefühl.«

»Du gefällst mir, Junge!«, sagte der Scheich. »Du bist vielleicht vollkommen übergeschnappt, aber du hast Mut!« Und er nahm Chips im Wert von mehreren hunderttausend und setzte sie ebenfalls auf Rot. Er lachte. »Ich setze nicht mehr gegen dich!«

Die ältere Dame dagegen schüttelte den Kopf und sagte, sie wolle wieder eine Runde pausieren. Der Rapper und der bebrillte Mann im Cordjackett taten es ihr gleich. Sie waren sich alle zu unsicher, ob sie mit Francis oder gegen ihn setzen sollten. Binnen weniger Minuten war er durch seine Besessenheit zur bestimmenden Kraft in diesem Spiel geworden.

Doch inzwischen hatte Francis Zweifel. Er wusste nicht mehr, ob es gut gewesen war, auf Rot zu setzen, im Gegenteil, in ihm stieg die Gewissheit, dass nun Schwarz kam. *Setz um*, dachte er, *setz noch mal um!* Doch er konnte sich nicht dazu durchringen.

Der Croupier fragte, ob alle ihre Einsätze gemacht hätten. Francis nickte zögerlich und sah, wie die Kugel in den Kessel geworfen wurde. Sein Herzschlag wurde wieder schneller. Er spürte, wie er sich verkrampfte, schaute durch die verdunkelten Fenster auf das Casino hinunter und beobachtete die Spieler. Ein Croupier wechselte mit einem anderen die Schicht, eine alte Frau strich ihren Gewinn an einem Automaten ein, ein Typ im blauen Overall bahnte sich seinen Weg durch die Menge, zwei junge Collegetypen fluchten laut, weil sie eben beim Black Jack verloren hatten, und ein älterer Mann lächelte, auch er hatte verloren, aber er trug es mit Fassung.

Und in dieser Sekunde wusste Francis, dass jetzt Schwarz kam. Es kam die schwarze Dreizehn, Anne-Mays Glückszahl.

Er wollte noch schnell umsetzen, da sagte der Croupier, diesmal viel zu früh: »Rien ne va plus!«

7

Was nun folgte, war ein Schrei, der durch alle Hallen des MGM Grand drang. Die Menschen am Black-Jack-Tisch hörten ihn und die an den Automaten und einarmigen Banditen, die Damen an der Rezeption konnten ihn ebenfalls hören und vielleicht sogar die Leute beim Cirque du Soleil. Francis schrie, weil er unbedingt auf Schwarz setzen musste, weil er wusste, dass jetzt die Dreizehn kam, und so laut schrie man nur einmal im Leben, nämlich wenn es um ebenjenes Leben ging.

Er flehte den Croupier an, dass er umsetzen müsse.

Doch der blieb hart.

Währenddessen sauste die Kugel noch immer mit unverändert hoher Geschwindigkeit die Kesselwand entlang.

»Bitte!«, rief Francis. »Sie haben die Einsätze zu früh beendet. Ich weiß, dass Schwarz kommt, ich *fühle* es.«

Der Croupier schüttelte den Kopf. Francis war, als hätte jemand das Licht heruntergedimmt. Panik überkam ihn. Genau wie vorhin hatte er zu spät reagiert, nur dass diesmal kein netter Typ kommen und ihm einen Chip für fünftausend schenken würde, mal ganz davon abgesehen, dass er kaum ein zweites Mal so oft hintereinander gewinnen würde.

Alles war weg.

In diesem Moment räusperte sich der Scheich. Es war das Räuspern eines mehrfachen Milliardärs, der nun mit lauter Stimme sagte, er würde den Laden hier kaufen und den Croupier rauswerfen, wenn er den Jungen nicht sofort umsetzen lasse.

Der Croupier wurde blass, er dachte einen Augenblick intensiv nach, aber dann nickte er. Francis setzte blitzschnell die fünfhunderttausend auf das schwarze Feld. Dazu holte er den Reserve-Chip aus seiner linken Hosentasche und setzte die fünftausend direkt auf die Dreizehn. Alles oder nichts.

»Die Glückszahl meiner Freundin«, sagte er und warf dem Scheich einen dankbaren Blick zu.

Dieser nickte, er setzte nun ebenfalls seine Chips von Rot auf Schwarz um. Seine Hilfsbereitschaft war also nicht ganz uneigennützig gewesen.

Der Croupier sah noch mal in die Runde. »Rien ne va plus«, wiederholte er mit schwacher Stimme. »Nichts geht mehr, endgültig.«

Kurz darauf wurde die Kugel deutlich langsamer. Nun wurde es ernst. Francis hielt es kaum mehr am Tisch aus, seine Hände zitterten unregelmäßig, als berührte er ständig einen elektrischen Zaun. Sein Geist trat aus seinem Körper und schwebte über ihm. Francis sah sich mit seinen kurzgeschorenen Haaren am Roulettetisch stehen. Er trug das geliehene Angestelltenjackett und starrte auf den Kessel mit der Kugel. Die anderen Spieler blickten immer wieder zu ihm. Auch er sah sich zu, wie er am Tisch stand und tatsächlich gerade alles gesetzt hatte. Das Geld, sein Leben und das seiner Mutter. Und vielleicht auch das von Anne-May und John.

Es war alles so verrückt. Er ließ wirklich eine winzige weiße Kugel über sein Schicksal entscheiden. Andererseits wusste er, dass er hier richtig war, denn das Leben war ohnehin nichts anderes als Roulettespielen. Mal hatte man Glück, lebte in einem reichen Land oder war mit Gesundheit und Intelligenz gesegnet, mal hatte man Pech und galt leider als »dumm«, bekam Krebs oder kam in einem Slum von Afrika auf die Welt und starb, ehe man das Wort »sterben« überhaupt buchstabieren lernte. Der Inhalt der einen Ampulle war von einem Genie, der der nächsten von einem Betrüger, und wäre Anne-Mays Bruder damals nur zwei Sekunden später auf die Straße gerannt, hätte ihn das Auto nicht erfasst. Es war alles willkürlich und wahnsinnig, wieso also nicht gleich nach Las Vegas fahren und dort um Leben und Tod spielen. Da setzte man sich der Ungerechtigkeit des Zufalls wenigstens freiwillig aus, im Grunde war das der einzige ehrliche Ort auf dieser Erde.

Eine kleine weiße Kugel war nun also sein Richter, und der kurze Moment, in dem sie endlich langsamer werden und liegen bleiben würde, wurde für Francis zu einer Ewigkeit. Sein bisheriges Leben war danach vorbei, und wie in der Sekunde des Todes sah er noch einmal alles, was ihm etwas bedeutet hatte.

Er dachte wieder an die Szene aus *Blade Runner*, in der der Replikant sagte, dass all diese Momente einmal verlorengehen würden wie Tränen im Regen. Und dann dachte er an den Erdbeerkuchen, den seine Mom immer gemacht hatte, wenn er Geburtstag hatte. An seine Niederlagen beim Ringen und an die leeren Augen seiner toten Katze. An das eine Mal im Schwimmbad, als er als kleines Kind untergegangen war und furchtbare Angst gehabt hatte, Angst vor etwas, was ihm noch völlig unbekannt war, nämlich dem Tod. Er dachte daran, wie er mit Ryan und seiner Mutter früher im Park spazieren war, wie die beiden ihn in ihre Mitte nahmen und bei drei hochfliegen ließen. Oder daran, wie seine Mom am Küchentisch geweint hatte, als Ryan gegangen war. Wie sie kurz darauf in der Klinik gelegen und wirres Zeugs geredet hatte und wie er lernen musste, dass er nun zwei Mütter hatte, eine, die er liebte, und die andere, die so aussah wie seine Mutter und die krank war und die er noch mehr lieben *musste*. Er dachte an seinen kleinen Bruder, der einen liebevollen richtigen Vater hatte, und wie sehr er ihn vermisste. Und dann dachte er daran, dass Nicky noch immer viel zu klein für sein Alter war und wie sie alle so taten, als ob sie es nicht bemerkten. Ihm fiel wieder ein, wie er zum ersten Mal ein Mädchen geküsst hatte, Becky Larado, es war eigentlich eklig und feucht gewesen, und obwohl er sich gefragt hatte, was am Küssen so toll sein sollte, wollte er es immer wieder tun. Er erinnerte sich an die *Unreal-Tournament*-Partien mit Grover und wie dieser früher auf dem Schlagzeug gespielt hatte, während er selbst dazu beatboxte. Oder an die unzähligen Male, die er bei Grover übernachtet hatte, und wie sie sich nach dem Lichtlöschen noch stundenlang unterhalten hatten oder darüber diskutierten, ob Stallone als Rambo einen Kampf gegen Stallone als Rocky gewinnen würde. Er dachte daran, wie er als kleines Kind im Park eine Glasscherbe gefunden hatte, die im Sonnenlicht leuchtete, und wie er in diesem Moment so glücklich war wie noch nie in seinem Leben. Und er dachte an den mutlosen und apathischen Jungen, der er irgendwann danach geworden war, und dass er nun im richtigen Moment wieder mutig war und um alles spielte. Dann fiel ihm ein, wie die kleine Hannah Packer vor ein paar Jahren Leukämie bekommen hatte, sie hatte nur ein paar Trailer weiter gewohnt. Hannah war so ein süßes kleines Mädchen gewesen, alle hatten sie gemocht, und sie hatte sich für ihn immer Gedichte ausgedacht, die sich nie wirklich reimten, und dann war sie einfach gestorben. Jedes Mal, wenn er darüber nachdachte, was nach dem Tod geschah, hoffte er, dass es Hannah noch irgendwo gab und dass es ihr gutging. Er erinnerte sich wieder an seine Fahrt durch das Land und wie er immer gedacht hatte, dass die Begegnung mit seinem Vater so wichtig sei, aber dass das gar nicht stimmte, sondern dass die Reise selbst viel wichtiger gewesen war. Und dann dachte er an seinen Vater, diesen versoffenen Hurenbock, dem er nie seinen Namen gesagt hatte und der als Untermieter von Kriminellen in einer Garage in Mexiko lebte. Und Francis wünschte sich so sehr, dass John nicht so werden würde wie er oder Doblinski, sondern nach Anne-May kam, und dass er später mal Bücher lesen und gut in der Schule sein würde. Er dachte an Johns Geburt. Wie er im Kreißsaal gestanden, Anne-Mays Hand gehalten und auf einmal sein Schreien gehört hatte. Und wie er seinen Sohn zum ersten Mal im Arm gehabt hatte. Das stärkste Gefühl seines Lebens. Er hatte dieses verschrumpelte kleine Ding nie mehr loslassen wollen, und dann hatten es ihm kurz darauf die Eltern von Anne-May weggenommen, und eigentlich hatten sie es ihm nie mehr wiedergegeben. Und Anne-May Gardener, natürlich dachte er an sie und wie er in dem riesigen Mist- und Schrotthaufen, der sein Leben war, auf einmal etwas Goldenes, Glänzendes gefunden hatte. Er erinnerte sich, wie er sie das erste Mal in der Klinik gesehen hatte. Wie sie es auf dem Flügel getan hatten. Wie sie immer so lächelte, dass man ihre Zähne sah, wie sie ihn neckend auf die Schulter schlug oder für John auf dem Klavier spielte. Und wie sie ihm mehr und mehr entglitt. Er dachte an das Häuschen in San Francisco. Seinen Traum. Wenn die Kugel jetzt auf Schwarz landete, dann konnte er allem noch eine andere Wendung geben. Er würde das Häuschen sofort kaufen und auch einen Ring für Anne-May, und dann würde er ihr einen Antrag machen, und sie würden zusammen mit John nach San Francisco ziehen, in die Sonne. Er hätte dann nicht nur seine Ketten gesprengt, sondern auch die seiner Mom, die er natürlich in den Westen mitnehmen würde. Und auch die von Anne-May. Ihre Ketten waren vielleicht nicht rostig und dreckig wie seine, sie waren stattdessen golden, aber sie war genauso gefangen wie er.

Und dann dachte er daran, was passierte, wenn jetzt doch Rot kam und er verlor. Wenn sein Traum ihn getäuscht und er bis jetzt einfach nur unverschämtes Glück gehabt hatte und nun durch seine Spielsucht alles in den Sand setzte. Ihm fiel ein, wie er unten im Casino schon einmal falsch gesetzt hatte. Er wusste, dass er sich von dem Schlag, eine halbe Million verloren zu haben, niemals mehr erholen würde. Er würde sich morgen freiwillig melden und ein völlig anderes Leben führen, vielleicht im Krieg sterben wie Brad Jennings' Bruder oder als seelischer Krüppel zurückkommen und bis zu seinem Tod ein verlorenes Dasein fristen.

In den wenigen Sekunden, bis die Kugel endlich liegen blieb, führte Francis mehrere Leben gleichzeitig, er pendelte zwischen dem alten Leben im Trailerpark und den beiden möglichen neuen in San Francisco oder dem Irak, er pendelte zwischen Wohlstand und Glück, Armut und Tod, und es waren drei Leben, wie man sie nur an einem einzigen

Ort parallel führen konnte, nämlich hier, in *Amerika*. Ein magischer Moment der Gleichzeitigkeit, denn von diesen drei Leben würden zwei nun für immer vorbei sein.

Francis warf noch einen letzten Blick auf den Scheich, der fast so erstarrt wirkte wie er. Dann sah er, wie die Kugel von der Kesselwand herunterfiel. Sie landete mit einem klickenden Geräusch in einem Fach für eine schwarze Zahl, sprang weiter, fiel in das Fach einer roten Zahl, hüpfte wieder weiter, als würde sie tanzen. Er hielt es vor Spannung nicht mehr aus und schloss die Augen, ganz fest schloss er sie, er presste sie richtig zusammen. Gleich war es so weit, und sein Herz klopfte so heftig, dass er Angst hatte, es würde zerspringen. Ihm wurde schwindlig, und er musste sich am Tisch festhalten, um nicht umzukippen. Er hörte seinen Atem und die springende Kugel, er hatte wieder die Bilder im Kopf, San Francisco oder Irak, Anne-May und John oder die Einsamkeit, Leben oder Sterben.

Und nun würde sich alles entscheiden, *bitte Schwarz!, bitte Schwarz!, bitte Schwarz!*, und er hörte, wie die Kugel so langsam wurde, dass sie doch endlich in einem der Nummernfächer liegen bleiben musste, und dann hörte er, wie sie tatsächlich mit einem Klicken endgültig in ein Fach gefallen war. Und in diesem Moment hielt er den Atem an. Er hielt den Atem an und öffnete die Augen.

Danksagung

Ich möchte hier zuallererst meine Mutter erwähnen, denn dieses Buch ist vor allem auch für sie.

Mein Dank gilt zudem Theodor Lange. Hätte er mir nicht im Mai 2006 einen Artikel über die Samenbank der Genies gegeben, hätte ich diese Geschichte wahrscheinlich nie entdeckt und geschrieben. Eine sehr große Hilfe war auch Frieder Wittich. Meine Freunde Michael Bieber, Julia Weinberger und Ferdinand Neumayer begleiteten mich, als ich für diesen Roman 2008 monatelang durch Amerika reiste – für mich eine unvergesslich schöne Zeit. Maddalena de Carolis empfahl mir immer die richtigen Bücher, meine Cousine Leonie und mein Cousin Lukas waren wichtige Testleser. Neben meinen bisherigen Helden danke ich außerdem: Muriel Siegwart, Laura Lichtblau, Lena Schömann, Arian Tan, Julian Kummer, Renata Sielemann, Bettina Wagner, Oliver Ziegenbalg, Antonie Habermas, Marie Gronwald und Roger Eberhard. Sowie allen bei Diogenes, für die Unterstützung und dieses liebevolle Schriftsteller-Zuhause.

Zum Schluss möchte ich laut in die Welt hinausrufen: »Danke, Thomas, für deine Ehrlichkeit!«, »Danke, Bubu und Peter, für euren Rat!«, »Danke, Ursula, für deinen Einsatz!«, »Danke, Veronika, für diese Frage!«, und: »Danke, liebe Eva, für diese Antwort!«

Benedict Wells

Benedict Wells im Diogenes Verlag

Becks letzter Sommer

Roman

Beck ist nicht zu beneiden. Mit der Musikerkarriere wurde es nichts, sein sicherer Job als Lehrer ödet ihn an, und sein Liebesleben ist ein Desaster. Da entdeckt er in seiner Klasse ein unglaubliches Musiktalent: Rauli Kantas aus Litauen. Als Manager des rätselhaften Jungen will er es noch mal wissen, doch er ahnt nicht, worauf er sich da einlässt... Ein tragikomischer Roman über verpasste Chancen und alte Träume, über die Liebe, Bob Dylan und einen Road Trip nach Istanbul. Ein magischer Sommer, in dem noch einmal alles möglich scheint.

»Witzig, melancholisch und tiefgründig.«
Sabine Radloff / Süddeutsche Zeitung, München

»Jede Figur bezaubert in dieser erstklassigen Tragikomödie.« *Elle, München*

»Das interessanteste Debüt des Jahres. Einer, der sein Handwerk versteht und der eine Geschichte zu erzählen hat.« *Florian Illies / Die Zeit, Hamburg*

Auch als Diogenes Hörbuch erschienen, gelesen von Christian Ulmen

Spinner

Roman

Ich habe keine Angst vor der Zukunft, verstehen Sie? Ich hab nur ein kleines bisschen Angst vor der Gegenwart.

Jesper Lier, zwanzig, weiß nur noch eines: Er muss sein Leben ändern, und zwar radikal. Er erlebt eine turbulente Woche und eine wilde Odyssee durch Berlin. Ein tragikomischer Roman über Freundschaft, das Ringen um seine Träume und über die Angst, wirklich die richtigen Entscheidungen zu treffen.

»Wie Benedict Wells versteht, sein Alter Ego in seiner ganzen Unbefangenheit dem Leben gegenüber darzustellen, geht weit über ein auf ein jugendliches Lesepublikum zugeschnittenes Generationenbuch hinaus. Wells' Sprache ist roh und unfrisiert, und seine Geschichte grundiert von bisweilen bitter-poetischem Humor.« *Peter Henning / Rolling Stone, München*

»Benedict Wells findet starke Worte für die Orientierungslosigkeit seiner Generation. Ein wunderbares Buch über die Angst vor dem Erwachsenwerden, teilweise brüllend komisch.«
Lilo Solcher / Augsburger Allgemeine

»Jesper Lier ist ein chaotischer Held in einer chaotischen Geschichte, die einfach nur toll ist.«
Jan Drees / WDR*, Köln*

Fast genial

Roman

Ich hab das Gefühl, ich muss meinen Vater nur einmal anschauen, nur einmal kurz mit ihm sprechen, und schon wird sich mein ganzes Leben verändern.
Die unglaubliche, aber wahre Geschichte über einen mittellosen Jungen aus dem Trailerpark, der eines Tages erfährt, dass sein ihm unbekannter Vater ein Genie ist. Gemeinsam mit seinen Freunden macht er sich in einem alten Chevy auf die Suche nach ihm. Eine Reise quer durch die USA – das Abenteuer seines Lebens.

»Spannend wie ein Krimi. Benedict Wells ist mit *Fast genial* ein ziemlich geniales Buch gelungen.«
Claudio Armbruster / ZDF*-Heute Journal, Mainz*

»Die Idee ist großartig. Mit dieser Geschichte kriegt man auch junge Leute ans Lesen.«
Elke Heidenreich / Westdeutscher Rundfunk, Köln

»Ein faszinierender Roman. Eine universelle Geschichte über das Erwachsenwerden, berührend und spannend.« *Der Spiegel, Hamburg*

Vom Ende der Einsamkeit

Roman

Eine schwierige Kindheit ist wie ein unsichtbarer Feind: Man weiß nie, wann er zuschlagen wird.
Jules und seine beiden Geschwister wachsen behütet auf, bis ihre Eltern bei einem Unfall ums Leben kommen. Als Erwachsene glauben sie, diesen Schicksalsschlag überwunden zu haben. Doch dann holt sie die Vergangenheit wieder ein. Ein berührender Roman über das Überwinden von Verlust und Einsamkeit und die Frage, was in einem Menschen unveränderlich ist. Und vor allem: eine große Liebesgeschichte.

»Unser Schicksal ist das, was aus uns geworden ist. Und was unter der Feder von Benedict Wells aus Jules und Alva wurde, ist große Erzählkunst. Das Ende des Romans ist vollkommen, berührend – und unvergesslich.« *John Irving über ›Vom Ende der Einsamkeit‹*

»Ein großes Buch, eine Tragödie, ein berührendes Epos. It's magic.«
Sabine Zaplin / Süddeutsche Zeitung, München

Auch als Diogenes Hörbuch erschienen,
gelesen von Robert Stadlober

Die Wahrheit über das Lügen

Zehn Geschichten

Es geht um alles oder nichts in diesen Geschichten. Sie handeln vom Unglück, frei zu sein, und von einer Frau, die vor eine existentielle Entscheidung gestellt wird. Von einem Ort, an dem keiner freiwillig ist und der dennoch zur Heimat wird. Von einem erfolglosen Drehbuchautor der Gegenwart, der in das New Hollywood des Jahres 1973 katapultiert wird und nun vier Jahre Zeit hat, die berühmteste Filmidee des 20. Jahrhunderts zu stehlen. Und nicht zuletzt eine Erzählung aus dem Universum von *Vom Ende der Einsamkeit*, die Licht auf ein dunkles Familiengeheimnis wirft. Zehn höchst unterschiedliche Geschichten aus einer Welt, in der Lügen, Träume und Wahrheit ineinanderfließen. Mal berührend, mal komisch, überraschend und oft unvergesslich.

»Mann, kann der Mann schreiben! Eines der größten Talente, die unser Land in den vergangenen Jahren hervorgebracht hat.« *Kester Schlenz / Stern, Hamburg*

Auch als Diogenes Hörbuch erschienen, gelesen von Robert Stadlober

Emanuel Bergmann

Der Trick

Roman

1934, in Prag, bestaunt der fünfzehnjährige Rabbinerssohn Mosche Goldenhirsch im Zirkus die Zauberkunststücke des legendären ›Halbmondmanns‹ und seiner liebreizenden Assistentin – es ist um ihn geschehen, und zwar gleich doppelt. Er rennt von zu Hause weg und schließt sich dem Zirkus an, der nach Deutschland weiterzieht.
2007, in Los Angeles, klettert der zehnjährige Max Cohn aus dem Fenster seines Zimmers, um den Großen Zabbatini zu finden, einen alten, abgehalfterten Zauberer. Der Junge ist überzeugt: Nur Magie kann seine Eltern, die vor der Scheidung stehen, wieder zusammenbringen.
Eine bewegende und aberwitzige Geschichte, die Zeiten und Kontinente umspannt, ein Roman über die Zerbrechlichkeit des Lebens und den Willen, sich verzaubern zu lassen.

»*Der Trick* ist ein spannender, sensibler, sehr schön erzählter Roman über die Kraft der Magie, die sich auch in Momenten entfalten kann, in denen man nicht damit rechnet.« *Katja Weise /* NDR *Kultur, Hannover*

»Der Roman spielt auf zwei Ebenen, in Nazi-Deutschland und im heutigen Kalifornien. Das ist geschickt konstruiert und süffig erzählt.«
Martin Ebel / SonntagsZeitung, Zürich

»Emanuel Bergmann ist wirklich ein begnadeter Erzähler.« *Stefan Keim /* WDR 4, *Köln*

Auch als Diogenes Hörbuch erschienen,
gelesen von Stefan Kaminski

Donal Ryan im Diogenes Verlag

Die Sache mit dem Dezember

Roman. Aus dem Englischen
von Anna-Nina Kroll

John »Johnsey« Cunliffes Gedanken sprudeln wie ein Wasserstrahl in seinem Kopf herum und wollen sich nicht zu Wörtern und Sätzen bändigen lassen. Deshalb sagt er meistens nichts. Er schweigt, als seine über alles geliebten Eltern sterben, schweigt, als ihn die Nachbarn drängen, sein Land zu verkaufen, schweigt, als er brutal zusammengeschlagen wird und Gefahr läuft, sein Augenlicht zu verlieren. In dieser dunkelsten aller Stunden taucht Siobhán an seiner Seite auf, in deren freundliche Stimme Johnsey sich auf der Stelle verliebt. Mit ihr kehrt für einen kurzen Moment das Licht in sein Leben zurück. Doch das Rad der Ereignisse hat längst begonnen, sich zu drehen, und niemand vermag es mehr aufzuhalten.

»Die Geschichte zeigt, was die Gier aus Menschen macht, denen moralische Werte fehlen. Sie reißt mit, verstört, weckt Emotionen. Es ist aber auch ein witziges, ja aberwitziges Buch. Die Starken sind hier mal keine Helden, der Schwache gewinnt Würde. Ein unterhaltendes Buch, ein aufwühlendes Buch.«
Frank Statzner /
Hessischer Rundfunk, Frankfurt am Main

Die Gesichter der Wahrheit

Roman. Deutsch von Anna-Nina Kroll

Nachdem die große Finanzblase geplatzt ist, kommen in einem kleinen Städtchen in Irland gefährliche Spannungen ans Licht. Pokey Burke, vormals Chef der örtlichen Baufirma, die für Arbeit und Wohlstand sorgte, hat sich feige aus dem Staub gemacht und die

Menschen seiner Heimatstadt mit unbezahlten Gehältern und unfertigen Häusern im Stich gelassen. Die Krise hat ein Gesicht: das des Nachbarn. Als die Gewalt auflodert, ist jeder gefangen zwischen dem, was er nach außen vorgibt zu sein, und dem, was er sich in seinem Innersten wünscht. Einundzwanzig unterschiedliche Stimmen erzählen jede ihre eigene Wahrheit, und eine einzigartige Geschichte beginnt.

»Das ungeheuer facettenreiche, komplexe und berührende Sittenbild eines kleinen Dorfes, das vom Wohlstand in die Hoffnungslosigkeit rutscht.«
Österreichischer Rundfunk, Wien

»Eine fiese Geschichte, begeisternd erzählt.«
Udo Feist / Westdeutscher Rundfunk, Köln

Die Lieben der Melody Shee

Roman. Deutsch von Anna-Nina Kroll

Als Melodys Mann sich nach zwei Fehlgeburten heimlich sterilisieren lässt, beantwortet sie diesen Vertrauensbruch mit einer Affäre und wird schwanger – von einem ihrer Schüler. Das hat Konsequenzen im erzkatholischen Irland. Melody schwankt zwischen dem stillen Glück, das das werdende Leben in ihr auslöst, und der Schuld, die sie mit seiner Entstehung auf sich geladen hat. Doch die Entscheidung, die sie letztlich trifft, ist so unkonventionell wie mutig.

»Mit diesem Roman beweist Ryan, dass er unumstritten zu den besten Autoren Irlands zählt.«
The Guardian, London

Joey Goebel im Diogenes Verlag

Joey Goebel ist 1980 in Henderson, Kentucky, geboren, wo er auch heute lebt und Schreiben lehrt. Als Leadsänger tourte er mit seiner Punkrockband ›The Mullets‹ durch den Mittleren Westen.

»Joey Goebel wird als literarische Entdeckung vom Schlag eines John Irving oder T.C. Boyle gehandelt.«
Stefan Maelck / NDR, Hamburg

»Solange sich junge Erzähler finden wie Joey Goebel, ist uns um die Zukunft nicht bange.«
Elmar Krekeler / Die Welt, Berlin

Vincent
Roman
Aus dem Amerikanischen von
Hans M. Herzog und Matthias Jendis

Freaks
Roman
Deutsch von Hans M. Herzog
Auch als Diogenes Hörbuch erschienen,
gelesen von Cosma Shiva Hagen, Jan Josef Liefers,
Charlotte Roche, Cordula Trantow
und Feridun Zaimoglu

Heartland
Roman
Deutsch von Hans M. Herzog

Ich gegen Osborne
Roman
Deutsch von Hans M. Herzog

Irgendwann wird es gut
Deutsch von Hans M. Herzog